何 英著

上海市重点图书

大国外交
"人类命运共同体"解读

CHINA'S MAJOR COUNTRY DIPLOMACY

上海大学出版社

图书在版编目(CIP)数据

大国外交:"人类命运共同体"解读/何英著.—上海:上海大学出版社,2019.3(2020.5重印)
 ISBN 978-7-5671-3390-7

Ⅰ.①大… Ⅱ.①何… Ⅲ.①国际关系-研究-中国 Ⅳ.①D82

中国版本图书馆 CIP 数据核字(2019)第 056929 号

策　划　农雪玲
责任编辑　农雪玲
装帧设计　缪炎栩
技术编辑　金　鑫　钱宇坤

大国外交——"人类命运共同体"解读
何　英　著
上海大学出版社出版发行
(上海市上大路99号　邮政编码200444)
(http://www.shupress.cn　发行热线 021-66135112)
出版人　戴骏豪

＊

南京展望文化发展有限公司排版
上海华业装潢印刷有限公司印刷　各地新华书店经销
开本 787mm×1092mm　1/16　印张 15.5　字数 240 千字
2019 年 4 月第 1 版　2020 年 5 月第 2 次印刷
ISBN 978-7-5671-3390-7/D·214　定价　50.00 元

本书获得上海市高校马克思主义理论高峰学科建设计划项目、上海市高校马克思主义理论智库——强国战略与话语权研究中心、上大社·锦珂图书出版基金资助

序

当前,中国进入全面深化改革开放的新阶段,国际形势正处在大发展、大变革、大调整的重要时期。经济全球化、社会信息化、文明多样化、和平发展、合作共赢的时代潮流和多极化格局虽不可阻挡,但也面临民粹主义等各种逆全球化现象的严重威胁。在这一国内外背景下,中国外交工作正围绕构建新型大国关系和构建"人类命运共同体"两大目标,努力完成打造全球伙伴关系、加快"一带一路"建设和积极参与全球治理三大任务,开创新时代中国特色大国外交的新局面。

这一形势的发展给广大从事国际问题教学和研究的专家学者提出了新课题、新任务。他们奋起直追,迎接挑战,以优秀的研究成果,对当代重大问题作出分析和回答。何英博士就是他们中间突出的一位。她的新作《大国外交——"人类命运共同体"解读》被列为"上海市2018年重点图书",现已完稿。我欣慰地应邀为该书作序,这是我的荣幸,我也借此机会对该书的出版表示祝贺。

何英是我2001级的博士生,现为上海大学社会科学学部副教授、硕士生导师,主要研究方向是国际关系理论和中美关系,早年致力于美国媒体对华报道的建构主义分析，近年关注中国传统文化的认同问题、马克思主义文艺理论中国化以及"一带一路""人类命运共同体"和中国特色大国外交等问题。目前她已经发表学术论文20多篇以及《美国媒体与中国形象》《说不还是说是：中国的困境和抉择》《突破"修昔底德陷阱"——中美关系的建构主义再解读》《马克思主义文艺理论在当前中国的实践：问题与解决路径》等4部学术专著。在《大国外交——"人类命运共同体"解读》一书中，她对"人类命运共同体"进行了深入思考和分析，以独特的视角提出了值得思索的观点。

何英在《大国外交——"人类命运共同体"解读》中认为，中国特色大国外交的核心理念，体现了中国外交从内敛和区域性逐步走向外向和国际化，具有政治、经济、文化和哲学四重意义：政治上修正了摩根索"权力政治论"，批驳了零和博弈的冷战思维和"修昔底德陷阱"；经济上绝非西方的"马歇尔计划"；文化上再批驳了亨廷顿"文明冲突论"；哲学上不同于柏拉图的理想国、罗尔斯的正义社会，是对马克思的共产主义世界大同观点的进一步完善。

该书中最出彩的地方是重点分析了"人类命运共同体"的中西方理念之争：一是西方认为，中国要改变世界秩序、挑起冲突、称霸世界。中国与西方之间是零和博弈、"修昔底德陷阱"，西方一定要遏制中国的崛起。中国的观点则是天下为公、大同社会，主张用以和为贵、独乐乐不如众乐乐、以民为本、合作平等策略处理对外关系。二是西方认为，资本主义是世界历史的最后终点，资本主义制度是人类社会迄今为止最先进的制度。中国的立场则是，"人类命运共同体"是人类社会迄今为止真正意义上的开放包容，文明应互鉴互赏，世界各国发展模式应允许多样性。

何英认为，"人类命运共同体"未来应该从以下一些方面进行构建：发挥中国传统文化底蕴、构筑中国文化自信，弘扬传统文化应纳入立法和国民教育体系，进一步改进、完善和加强国家形象宣传；借助"一带一路"倡议，促进中国文化传播，进一步加强孔子学院和熊猫外交等文化对外传播途径，加强和沿途沿路各国的文化交流及相互理解，进一步提升中国文化话语权，打破西方文化价值观一统天下的格局；加强与西方国家的沟通，超越文明冲突论，求同存异，力争双赢，加强与发展中国家的联系，扩大认同"人类命运共同体"的朋友圈，创造和坚守新颖的中国理念、智慧和方案，构建公正的全球价值。一个日趋自信的中国需要更多智库的理论支撑。

何英在该书最后的结论部分，提出了三个需要反思的问题：一是中国自身强大了，更应处理好与其他国家特别是发展中小国穷国的关系，应走"穷则独善其身，达则兼济天下"的道路；二是西方对"人类命运共同体"的质疑也必须正视，尽可能缓解和消除西方对中国的误解；三是中国对自己的认识应始终保持清醒，做得对的应该坚持下去，但西方中肯的批评也要虚心接受。

"人类命运共同体"这一理念提出不过短短几年的时间，何英就对这一崭新的理念进行了如此深刻的思考和大胆的分析，可读性非常强。该书主要采用了文献资料分析法、实证分析等研究方法，特别是将孔孟之道和老庄思想与西方理论进行比较，将"人类命运共同体"与柏拉图的理想国、罗尔斯的正义社会及康德的理想社会、马克思的共产主义世界大同进行比较，既具有历史的广度，也具有历史的深度。该书对"人类命运共同体"这一崭新理念提出的多维度思考，具有强烈的现实意义，对学界进一步深入研究"人类命运共同体"问题提供了很好的借鉴。我为自己的学生的成长和进步感到骄傲，希望各位学界同仁能以宽厚之心扶持学术前沿的创新性研究，为我国国际关系研究的发展共同努力，做出新的贡献。

复旦大学教授、博导，教育部社会科学委员会委员，中华美国学会副会长

倪世雄

2018年6月于上海世雄国际关系研究中心

自　　序

笔者从事国际关系和国际政治领域研究20余年，从研究中俄关系到现在研究中美关系，不但见证了大国关系的错综复杂和研究的广度、深度与难度，也见证了中国这20多年来的飞速发展和进步以及政治、经济、外交、国防等层面的日益果断强硬，当然，更见证了伴随着中国不断发展的西方各种质疑声音的变迁。就在2018年春节以来本书刚刚完成两个章节的时候，3月爆发了震惊世界的中美贸易战，美国对我国提出了极其蛮横无理的要求，更是无视国际秩序和规则，公然导弹袭击叙利亚、悍然退出伊核协议，承认耶路撒冷是以色列首都引发新一轮的巴以冲突。中国的发展成就举世瞩目，当前面临的国际环境的困难复杂和压力挑战程度也是空前的，2017年年底召开的党的十九大提出了中国未来30年的奋斗目标，这更加需要一个稳定的国际大背景，特别是中美关系和中国周边环境的稳定。

一、国内外研究现状

最近5年来，中国提出了一系列引起全球广泛关注的新理念，如"一带一路"、新安全观、新型大国关系、中国特色大国外交、"人类命运共同体"等。近两年学界研究"人类命运共同体"的文章很多，各种切入点、各种不同角度，显示了当下学界对这一问题的研究兴趣。其中，"人类命运共同体"提出的时代背景及基本内涵相关文章有约8篇；"人类命运共同体"的当代价值及全球影响相关文章有约27篇；"人类命运共同体"是中国特色大国外交理念的核心相关的文章有约21篇；"人类命运共同体"概念未来践行可能遇到的挑战和障碍相关文章只有1篇博士学位论文；柏拉图的理想国、罗尔斯的正义社会及康德的理想社会相关文章有约3篇；马克思的共产主义世界大同观相关文章有约5篇；重温孟子的"穷则独善其身，达则兼济天下"相关文章有约18篇；西方质疑"人类命运共同体"的文章非常散乱，需要系统整理。

再从国外主要是美国的研究来看，近10年来，以兰普顿为代表的一大批美国知名学者发表了至少30种著述来分析中国近年来的政策变化，如库恩的《中国30年——人类社会的一次伟大变迁》(2010)、曼迪斯的《和平的战争：中国梦和美国的命运如何创建一个太平洋世界新秩序》(2013)、兰普顿的《跟随领导者——治理中国：从邓小平到习近平》(2014)、罗斯和贝克瓦尔德的《习近平时代的中国：国内外政策的挑战》(2016)。另外，詹姆斯·斯坦伯格和迈克尔·欧汉伦的《战略再保证与决心：21世纪的美中关系》(2014)细致梳理了中美的冲突及原因，阐述了"战略再保证"概念与构成要素；弗里德伯格的《中美未来关系的冲突是必然的吗？》从不同角度对中美未来冲突的可能性进行了详细的论述。美国是研究中国最为全面系统的西方国家，加强两国学者的交流有利于双方积极的观念建构或重构。

笔者通过仔细梳理这些研究文献，发现其中大部分研究都主要是围绕"人类命运共同体"的内涵、影响和意义、如何构建等三个方面展开的，关于中西方相关理论比较方面的文章是比较欠缺的，用建构主义研究"人类命运共同体"的文章更是几乎没有，而西方智库对"人类命运共同体"的研究也缺乏系统提炼。另外，对"人类命运共同体"正面的积极的评价比较多，但研究可能遇到的问题、困难和压力的人不多。这正是当下学界关于"人类命运共同体"的研究相对来说比较欠缺之处。从一方面来说,在当前多样性的世界,只有一种声音是不正常的,有不同的声音才是正常的,对一个具有全球重要影响的问题的研究如果只有正面积极评价这一种声音,听不到负面的声音,是不利于对这个问题得出正确的判断的。从另一方面来说,"人类命运共同体"既然是立足于全球这个最高点,就不可能忽略主要来自西方发达国家的某些质疑的声音,换言之,若没有西方发达国家的理解和支持,"人类命运共同体"最终只是一句空话。

二、本书的思路和框架结构

本书在学界已有的研究成果基础上,围绕"人类命运共同体"中西方理念之争及如何构建"人类命运共同体"问题,从政治、经济、文化、哲学四个方面对"人类命运共同体"的内涵进行了更深入的分析和研究。

首先,在政治层面,本书认为,"人类命运共同体"是中国特色大国外交理念的核心,修正了摩根索"权力政治论"为代表的现实主义学说,从根本上突破和解决了国家的强大与权力的欲望之间的难题,权力第一次和国家的发展脱钩,这是对以往所有政治学说的重大超越。"人类命运共同体"还彻底突破了"修昔底德陷阱"为代表的西方零和博弈的冷战思维,证明新旧大国之间并不一定只能发生冲突甚至战争,也可以和平共处。本书还用建构主义观念对身份和利益的建构理论分析了当前的中美关系,指出"领导者和救世主"观念构建了美国的霸主身份,"集权和专制"观念构建了中国的威胁者身份,观念的差异更有可能促使中美走向误解和矛盾的边缘,陷入"修昔底德陷阱"。

其次,在经济层面,本书认为,"人类命运共同体"的经济学意义,体现在经济全球化向纵深拓展以及从经济自由主义到经济民族主义再到经济世界大同的理念延伸。"人类命运共同体"重视公平公正平等互利合作的理念,消除了着眼于重商主义和自由主义经济发展、以贸易保护主义为代表的经济民族主义,包蕴着真正意义上的经济世界大同。"人类命运共同体"绝非西方的"马歇尔计划",而是呈现了一条不同于西方的崭新的经济发展之路，强大后的中国绝不会像历史上的那些传统帝国主义国家那样走上侵略扩张的经济霸权老路，只会成为世界各国的福音。

再次，在文化层面，本书强调，"人类命运共同体"体现了人类社会迄今为止全球真正意义上的文化平等，说明了文明可以互相融合和包容，并非是亨廷顿所说的冲突，反映了儒家文化和文明不同于西方文明的和平包容特质。福山的"历史终结论"僵化地看待历史的发展，忽略了资本主义本身所难以克服的痼疾。在马克思看来，文明发展具有历史的延续性，人类社会千百年来的发展史其实就是一部文明交往史，世界历史是动态的、不可逆的、不断向前发展进步的，历史从来不会被终结，只会被更好的文明和制度不断超越，资本主义一定会被共产主义制度战胜和超越。

最后，在哲学层面，本书认为，"人类命运共同体"把老庄思想等与罗伯特·基欧汉和约瑟夫·奈的相互依存理论等中西理论进行了结合并作了当代诠释，认同和平与发展是当今世界的主要潮流。同时，"人类命运共同体"理念也否定了人类社会的霍布斯无政府状态的冲突性，以及洛克的有限合作社会的矛盾性，也不同于柏拉图的理想国、罗尔斯的正义社会及康德的理想社会，而是对马克思的共产主义世界大同观点的进一步细化、升华和完善。总之，"人类命运共同体"是中国特色大国外交的提高和突破，是中国国力不断提升及错综复杂的国际形势对外交提出的新挑战和新要求，体现了中国外交从内敛和区域性逐步走向外向和国际化的趋势，打破了世界政治经济格局的固有理念和模式。世界各国发展模式应允许有多样性，而一个日趋自信的中国需要更多智库和与西方相抗衡的理论支撑。

本书重点分析了"人类命运共同体"的中西方理念之争，这也是本书最重要的内容之一。中西方理念之争主要表现在以下两个方面：一是西方认为，中国要改变世界秩序、挑起冲突、称霸世界；中国非西方的异质文明是冲突之源，中美之间的冲突不可避免，难逃"修昔底德陷阱"，中国与西方之间是零和博弈，中国之所得即为西方之所失。因此，西方一定要遏制中国的崛起。中国的观点则是，中国一直深受"穷则独善其身，达则兼济天下"、天下为公、大同社会等儒家思想的影响，主张用以和为贵、独乐乐不如众乐乐、以民为本、合作平等策略处理对外关系。二是西方认为，世界历史发展是相对静态的，资本主义是世界历史的最后终点，资本主义制度是人类社会迄今为止最先进的，没有制度可以超越，社会主义在20世纪暴露出的弊端证明它一定会被资本主义最终完胜。中国的立场则是，"人类命运共同体"是人类社会迄今为止真正意义上的文化平等，文明应互鉴互赏，世界各国发展模式应允许有多样性。

本书认为，中西方上述理念之争的实质和根源是中国经济上超常规的发展和政治上独特的理念、模式及军事上飞速提升的实力让西方恐惧，而中国悠久的文化历史底蕴和独特的魅力对世界其他文明的影响能力也让西方恐惧，另外，西方现有理论根本无法解释中国的发展并陷入理论焦虑和恐慌。

本书认为，"人类命运共同体"未来应该从以下一些方面进行构建：发挥中国传统文化底蕴、构筑中国文化自信，弘扬传统文化应纳入立法和国民教育体系，进一步改进、完善和加强国家形象宣传；借助"一带一路"倡议，促进中国文化传播，进一步加强孔子学院和熊猫外交等文化对外传播途径，加强和沿途沿路各国的文化交流及相互理解，进一步提升中国文化话语权，打破西方文化价值观一统天下的格局；加强与西方国家的沟通，超越文明冲突论，求同存异，力争双赢，加强与发展中国家的联系，扩大认同"人类命运共同体"的朋友圈，创造和坚守新颖的中国理念、智慧和方案，构建公正的全球价值。

本书最后的结论部分，提出了三个需要反思的问题：一是我们自身强大了，更应处理好与其他国家特别是发展中小国穷国的关系，应走"穷则独善其身，达则兼济天下"的道路；二是西方对"人类命运共同体"的质疑也必须正视，虽然我们不可能彻底改变他们的价值观和信仰，但至少应该通过我们双方的努力尽可能缓解和消除西方对我们的误解，让我们的崛起征程上遭遇的干扰和压力能少一点；三是我们对自己的认识应始终保持清醒，不以物喜也不以己悲，我们做得对的，不管遇到什么样的外来压力都应该坚持下去，走自己独特的发展之路，但西方对我们中肯的批评我们也要虚心接受，这就是"他山之石可以攻玉"的道理。

三、本书的研究方法和创新点

本书主要采用了文献资料分析法、实证分析、比较分析、理论分析与政策设计相结合等研究方法，以中美关系为主要案例支撑，梳理了"人类命运共同体"在四个方面的内涵，并提出了一系列独特的视角和观点，特别是将孔孟之道和老庄思想与西方理论进行比较，将"人类命运共同体"与柏拉图的理想国、罗尔斯的正义社会及康德的理想社会、马克思的共产主义世界大同进行比较，既具有历史的广度，也具有历史的深度，提供了对"人类命运共同体"这一崭新理念的多维度思考问题的视角。笔者多年来持续关注传媒话语权、文化软实力、建构主义等问题，并将经过多年深入思考的观点及困惑融入了本书的写作中，若能对当前学界"人类命运共同体"问题相关研究有所帮助，实乃本书的荣幸。

目　录

第一章　问题的提出：本书的研究初衷和思考 / 001
一、"人类命运共同体"概念提出的时代背景和基本内涵 / 003
二、"人类命运共同体"的当代价值和全球影响 / 009
三、国内学界的一致肯定：自信的中国方案 / 017
四、西方的质疑：中国要重塑世界秩序 / 020
五、本书的思考：中西方分歧存在求同存异的可能 / 023

第二章　"人类命运共同体"是中国特色大国外交理念的核心 / 027
一、近年来中国特色大国外交的新变化 / 029
二、"人类命运共同体"体现了中国特色大国外交的新特征 / 035
三、中国特色大国外交的实质和内涵 / 037
四、"人类命运共同体"理念未来践行的趋势和影响 / 043

第三章　"人类命运共同体"的政治学和经济学思考 / 049
一、"人类命运共同体"的政治学意义 / 051
二、"人类命运共同体"的经济学意义 / 061

第四章　"人类命运共同体"的文化思考和哲学内涵 / 073
一、"人类命运共同体"的文化思考 / 075
二、"人类命运共同体"的哲学内涵 / 086

第五章　"人类命运共同体"的中西方理念之争 / 103

一、中国会否颠覆原有的世界秩序、挑起冲突、称霸世界 / 105

二、资本主义是否为世界历史的最后终结者 / 120

三、"人类命运共同体"的中西方理念之争的实质和根源 / 134

第六章　"人类命运共同体"未来得以成功构建的路径和策略 / 167

一、发挥中国传统文化底蕴，构筑中国文化自信 / 169

二、借助"一带一路"倡议，促进中国文化传播，增强中国话语权 / 178

三、加强与各国的文明交流，超越文明冲突论，构建公正的全球价值 / 184

第七章　从"人类命运共同体"到中国特色大国外交：提高和突破 / 193

一、错综复杂的国际形势对外交提出的新挑战和新要求 / 195

二、"人类命运共同体"体现中国外交从内敛和区域性走向外向与国际化 / 201

三、一个日趋自信的中国需要更多智库和与西方相抗衡的理论支撑 / 202

第八章　结论和思考：达则兼济天下 / 211

一、"穷则独善其身，达则兼济天下" / 212

二、中国的成功证明大国崛起不是悲剧而是世界的福音 / 214

三、各国发展模式应多样化，中国走自己的路，让别人说去吧 / 216

参考文献 / 217

后　记 / 228

第一章

问题的提出：
本书的研究初衷和思考

"人类命运共同体"是近年来中国提出的一个崭新的理念，尤其是在 2017 年 11 月召开的党的十九大上得到了进一步确定，在国内外产生了巨大的反响。当然，外界舆论整体上一片称赞之声的同时，也出现了不少质疑，主要是一些西方国家，也包括周边亚太的一些发展中国家，特别是一些和中国长期有领土领海争端的国家，对中国的动机存在明显疑虑。对此，笔者认为，尽管历史上任何一个大国的崛起都伴随着争议甚至冲突和战争，但我们有充分的道路自信和文化自信，完全可以按照自己既定的目标前行，大可不必过于在意别国的看法。只不过有一点是我们要看到的，那就是既然"人类命运共同体"构建的基础是全人类，那么只有得到整个国际社会绝大多数国家的理解和支持，"人类命运共同体"的构想才可能真正成功，否则只能是一厢情愿的美好梦想。基于此，本书通过研究中西方对"人类命运共同体"的不同理解，试图找到它们求同存异之处，为最终成功实现"人类命运共同体"的构想提供一定的理论诠释和实践参考，这也正是本书的意义所在。

一、"人类命运共同体"概念提出的时代背景和基本内涵

进入 21 世纪以来,中国和世界各国及其相互关系都发生了很大的变化。中国一跃成为全球第二大经济体,在国际社会中的地位大幅度提升。中国前所未有地靠近世界舞台中心,越来越接近实现中华民族伟大复兴的目标,并已经具备了实现这个目标的能力和信心。在这个时候提出"人类命运共同体"的构想,不仅体现了中国对自身发展模式的坚定信念和自信,也向世界释放出中国坚决推进全球化和多极化、反对贸易保护主义和极右民粹主义的强烈信号。"人类命运共同体"的构想一提出,立刻在世界范围内引发了强烈的轰动和反响,这一事实也证明,"人类命运共同体"的构想是和全世界绝大多数国家及其人民的意愿相吻合的。

(一)时代背景

世上没有哪个国家能经历像中国这样多的坎坷挫折和艰辛苦难,也没有哪个国家的民族和人民能有这样百折不挠、顽强不屈的坚强意志,更没有哪个国家和民族能在短短的几十年时间里创造让十几亿人摆脱贫穷走向富裕的如此伟大的人间奇迹和辉煌成就。因此,中国有资格、有实力、更有责任把自己发展的成功经验推广到全世界,让更多国家从中国的发展经验中受益。当今世界,没有哪个国家能独自应对人类面临的各种挑战,也没有哪个国家能够退回到自我封闭的孤岛。换言之,只有合作才是唯一出路,这就是"人类命运共同体"理念的中国诠释。

首先,从中国自身的角度来看,中国外交的总目标,在于为和平发展营造更加有利的国际环境,更好地维护国家核心利益,更有效地维护和拓展自身日益增长的海外利益,不断提升中国在国际社会的影响力和话语权。但诚如罗建波在其《中国特色大国外交:新理念、新战略与新特色》一文中所指出的,中国仍是一个成长中的大国,国内改革发展面临许多新问题,在国际社会更面临错综复杂的

压力和挑战。西方国家近年来一直用"修昔底德陷阱"① 来质疑中国的增长实力，其实不仅反映了对中国日益强大的深深的恐惧心理，也客观上反映了今天的中国的确已经具备了影响和改变世界秩序的能力与潜力。② "木秀于林风必摧之"，中国的不断强大客观上对他国特别是一些西方大国的利益造成了巨大的冲击，从而招致对方激烈的反弹，这是中国崛起过程中必然会面对的外来挑战，此时提出"人类命运共同体"理念不失为化解西方大国疑虑的明智的缓冲之道。

其次，从世界对中国的认知角度来看，中国作为一个负责任的世界大国，在自身不断发展的同时，也要向世界表达中国对世界发展的理念和声音，积极参与全球治理并承担力所能及的大国责任，以展现中国主张和平发展、共赢共享的外交形象。近年来西方舆论诸如"'人类命运共同体'理念是中国在对外转嫁落后产能、对外输出意识形态和价值观""中国应该承担更多的国际责任"之类的质疑声不绝于耳，对此我们应保持客观冷静和积极面对的态度，在求同存异的基础上，用更加高质量的发展和对世界更加积极的贡献告诉西方大国，中国崛起走的是一条不同于任何曾经的大国的完全崭新的、与他国共赢共享的和平发展道路，与其质疑中国还不如参与到中国的发展之中、与中国共同进步。

最后，中国需要处理好与外部世界的关系，尤其需要处理好与美国这样的世界主要大国的关系，能赢得它们对中国和平发展的认同和支持固然最好，若不行，至少也要避免与它们的直接对抗，尽可能减少和缓解中国发展面临的外部阻遏。也就是说，既然"人类命运共同体"强调的是世界各国人民的共同福利，是中国向世界贡献的中国发展经验和中国智慧、中国方案，那就需要世界各国人民的共同参与和理解、支持，在当下的国际政治现实中，尤其需要得到美国为首的西方大国的认同和支持，否则"人类命运共同体"就成了一纸空文和中国的自言

---

① "修昔底德陷阱"，是指一个新崛起的大国必然要挑战现存大国，而现存大国也必然会回应这种威胁，这样战争变得不可避免。此说法源自古希腊著名历史学家修昔底德，他认为，当一个崛起的大国与既有的统治霸主竞争时，双方面临的危险多数以战争告终。
② 罗建波. 中国特色大国外交：新理念、新战略与新特色[J]. 西亚非洲，2017（4）.

自语、自说自话。国际政治的无政府性和强烈的现实主义色彩决定了国家特别是像美国和中国这样的大国依然占有举足轻重的地位,虽然当下的国际政治经济秩序并不公正,但实力仍然是最重要的因素。中国需要用实际行动向世界特别是西方大国说明的是,中国从来都不是现今世界秩序的破坏者,而是和西方国家一样是维护者和守望者。只是有一点不同,就是中国要坚决维护的是按照联合国宪章精神、符合世界上绝大多数国家愿望的公正合理的国际秩序,而不是单方面反映西方国家意志的所谓秩序,中国有能力也有实力更有话语权去改变这样的不公正不合理秩序。

（二）基本内涵

"命运共同体"一词,最早出现在2011年3月国务院新闻办公室发布的《2010年中国的国防》白皮书中。2011年9月,国务院新闻办公室发布的《中国的和平发展》白皮书中又多次提及"命运共同体"概念。同年,中国现代国际关系研究院课题组发表的《中国与亚洲:共同复兴之路》一文再次提到了"命运共同体"概念:"今天的亚洲在复兴的道路上正形成一个日益牢固的'命运共同体',包括中国在内的各成员之间休戚相关,荣辱与共。"[1]

党的十八大报告进一步指出:"合作共赢,就是要倡导人类命运共同体意识,在追求本国利益时兼顾他国合理关切,在谋求本国发展中促进各国共同发展,建立更加平等均衡的新型全球发展伙伴关系,同舟共济,权责共担,增进人类共同利益。"[2] 这是中国首次正式提出"人类命运共同体"理念,此后,中国领导人在不同场合先后提出过各种形式的"人类命运共同体",如"中国—东盟命运共同体""周边命运共同体""亚洲命运共同体"等,即要以"命运共同体"的新视角,寻求、确定人类共同利益和共同价值的新内涵。

2012年12月,习近平在会见外国人士时指出,当今国际社会日益成为一个

---

[1] 中国现代国际关系研究院课题组. 中国与亚洲:共同复兴之路[J]. 现代国际关系,2011(9).
[2] 胡锦涛. 坚定不移沿着中国特色社会主义道路前进 为全面建成小康社会而奋斗——在中国共产党第十八次全国代表大会上的报告[N]. 人民日报,2012-11-18.

"你中有我""我中有你"的"命运共同体",面对世界经济的复杂形势和全球性问题,任何国家都不可能独善其身。2013 年 3 月,习近平担任国家主席后首次出访俄罗斯时再次指出,当今人类社会"越来越成为你中有我、我中有你的命运共同体"。这是习近平第一次在国际场合阐述"人类命运共同体"理念。[①] 2014 年 11 月,在中央外事工作会议上,习近平主张我国应该秉承"亲、诚、惠、容"的周边外交理念,打造"周边命运共同体"。也就是说,不论人们来自哪个国家、持什么信仰、是否愿意,都已经实际处在一个一荣俱荣、一损俱损的命运共同体之中,世界各国必须携手应对人类共同挑战。5 年来,各种形式的命运共同体已经逐步成为全球共识。

2015 年 3 月 28 日,习近平出席博鳌亚洲论坛 2015 年年会开幕式,他在《迈向命运共同体　开创亚洲新未来》的主旨演讲中,第一次系统、全面、深刻地阐释了"人类命运共同体"的基本内涵。一方面,坚持合作共赢、共同发展的首要的根本的原则,必须摒弃零和游戏、你输我赢的旧思维,树立双赢、共赢的新理念,在追求自身利益时兼顾他方利益,在寻求自身发展时促进共同发展。另一方面,坚持"共同、综合、合作、可持续"的安全观和努力目标。[②] 同年 7 月 9 日,习近平在俄罗斯乌法会见南非总统祖马时指出,中国和非洲历来是命运共同体和利益共同体。加强同非洲国家的团结合作始终是中国外交政策重要基石。中方愿意同非方携手努力,把中非传统友好优势转化为合作发展动力,实现中非互利共赢、共同发展。[③] 同年 9 月 28 日,习近平在纽约联合国总部出席第七十届联合国大会一般性辩论,发表了题为《携手构建合作共赢新伙伴　同心打造人类命运共同体》的讲话,首次谈到构建全人类价值共识,他指出:"和平、发展、

---

① 习近平. 顺应时代前进潮流　促进世界和平发展——在莫斯科国际关系学院的演讲(2013 年 3 月 23 日,莫斯科)[N]. 人民日报,2013-03-24.
② 新华网. 习近平:迈向命运共同体　开创亚洲新未来[EB/OL]. (2015-03-28). http://www.xinhuanet.com//politics/2015-03/28/c_1114794507.htm.
③ 人民网. 习近平会见南非总统祖马[EB/OL]. (2015-07-10). http://cpc.people.com.cn/n/2015/0710/c64094-27281885.html.

公平、正义、民主、自由，是全人类的共同价值，也是联合国的崇高目标。目标远未完成，我们仍须努力。当今世界，各国相互依存、休戚与共。我们要继承和弘扬联合国宪章的宗旨和原则，构建以合作共赢为核心的新型国际关系，打造人类命运共同体。"① 2017年1月18日，习近平在联合国日内瓦总部出席"共商共筑人类命运共同体"高级别会议，发表了题为《共同构建人类命运共同体》的主旨演讲，又一次向全世界宣告中国一贯的主张："中国方案是：构建人类命运共同体，实现共赢共享。……中国愿同广大成员国、国际组织和机构一道，共同推进构建人类命运共同体的伟大进程。"② 在全球化日益向深度拓展、更加错综复杂的当今世界，各国人民命运与共、唇齿相依，任何一个国家要实现自身的安全，都不能不顾及他国乃至整个世界的安全。世界各国只有从根本上摒弃冷战思维，才能走出一条"共建、共享、共赢"的安全之路。

综合以上"人类命运共同体"的各种表述，其基本内涵呈现以下鲜明特点：

首先，国际社会要合作不要对抗，要建立起平等相待、互商互谅的伙伴关系，营造公道正义、共建共享的安全格局。世界各国一荣俱荣一损俱损，是一个命运共同体，在追求本国利益时必须兼顾他国合理关切，唯有此才能实现互利共赢和双赢，那种以牺牲他国利益为代价的自私自利的贸易保护主义行为最终不仅伤害到他国，也伤害到本国，并影响到整个世界经济的发展。以中美关系为例，截至2017年年底，中美双向投资已累计超过2 300亿美元，中美关系已经形成了事实上的你中有我我中有你的互相依存的复杂关系。因此，分别作为世界第一和第二大经济体的美中任何一方动用贸易保护主义大棒都会伤害到彼此和世界经济的稳定。

其次，世界各国要实现互利共赢就必须加强合作，增进交流，在谋求本国发

---

① 习近平. 携手构建合作共赢新伙伴 同心打造人类命运共同体——在第七十届联合国大会一般性辩论时的讲话（2015年9月28日，纽约）[N]. 人民日报，2015-09-29.
② 习近平. 共同构建人类命运共同体——在联合国日内瓦总部的演讲（2017年1月18日，日内瓦）[N]. 人民日报，2017-01-20.

展中促进各国共同发展，"以邻为壑"的零和博弈的冷战思维只会让世界经济充满各种矛盾和纷争。20世纪以来的世界先后经历了两次世界大战、美苏冷战、恐怖主义、网络安全、能源安全、传染病肆虐等错综复杂的考验，任何一个国家靠自己单打独斗根本无法应对上述威胁和挑战，只有加强合作才能共渡难关。也就是说，世界各国只有坚持"人类命运共同体"意识，才能在激烈的国际竞争环境中获利。

再次，世界各国既然在一个命运的共同体之中，就应休戚与共、同舟共济，平等享有权利，共同承担国际责任和义务，建立更加公正合理的国际政治经济秩序。以中国为例，作为世界上最大的发展中国家和世界第二大经济体，中国不但在短短的几十年中让近8亿人彻底摆脱了贫困，而且在国际社会中勇于承担大国的责任。1950—2016年，中国累计对外提供援款4 000多亿元，实施各类援外项目5 000多个，其中成套项目近3 000个，举办11 000多期培训班，为发展中国家在华培训各类人员26万多名。①

最后，文明交流和而不同、兼收并蓄。不同国家、不同文明、不同宗教、不同种族之间应该在理解和尊重彼此差异的基础上进行对话与交流，避免因价值观不同而导致冲突。中国不仅是全球化的受益者，更推动了世界的发展和进步。世界各国只有互商互谅、换位思考，在维护本国利益的基础上同时兼顾他国利益，才能形成共赢的良好局面和开放创新、包容互惠的发展前景。

总之，面对贫困、环保、非法移民、地区冲突等当下国际政治经济格局的诸多难题和挑战，以及形形色色的保护主义、霸权主义、强权政治和新干涉主义，还有跨国有组织犯罪、大规模杀伤性武器扩散等传统安全威胁和非传统安全威胁，仅靠任何单一国家都是无法解决的，需要世界各国互相团结、齐心协力、共同面对。从这个意义上来看，"人类命运共同体"理念的提出对当今全球治理无

---

① 习近平. 共担时代责任　共促全球发展——在世界经济论坛2017年年会开幕式上的主旨演讲（2017年1月17日，达沃斯）[N]. 人民日报，2017-01-18.

异于是雪中送炭。

二、"人类命运共同体"的当代价值和全球影响

随着经济全球化的深入拓展，各国之间相互联系、相互依存的程度空前加深，和平发展、合作共赢成为时代潮流。但同时，人类也面临着诸多前所未有的难题和挑战。国际冲突、强权政治等传统安全问题仍然是当今世界和平发展的主要威胁，恐怖主义、生态环境安全、经济危机、信息安全、非法移民、病毒肆虐等非传统安全议题对国际社会的威胁日益加重。"人类命运共同体"理念是中国为应对当今世界复杂严峻的局势而提出的中国方案，体现了中国推进建立公正、合理国际新秩序的目标追求，彰显了中国对全球治理的巨大贡献。①

（一）当代价值

命运共同体是新时期中国对外合作理念的最大创新，是一个崛起大国对世界秩序及人类未来发展的畅想，展现了中国远大的世界理想和抱负。中国特色大国外交的追求目标，由此具有国家和全球两个维度，即为实现中华民族伟大复兴创造有利条件，推动建设人类命运共同体。"中国梦"表明中国在追求"两个一百年"目标和中华民族伟大复兴的同时，也正在通过积极的全球参与来推动世界的和平与发展，充分展现了中国对于民族复兴、人类进步的大国责任和担当。

（1）"人类命运共同体"超越了国家个体的发展，走向了国家间的集体合作，突破了社会制度、意识形态、种族、宗教等现实主义一切冲突因素，强调各个不同国家、不同民族、不同文明间的和平发展和合作共赢，这是对以往一切政治经济学理论的全面突破和理论创新。

在当今日益复杂、严峻且充满风险与不确定性的生存环境之中，全球社会面临着经济、政治、社会与思想文化等多方面的深刻变革。发展一方面为人类提供

---

① 习近平. 共担时代责任　共促全球发展——在世界经济论坛 2017 年年会开幕式上的主旨演讲（2017年1月17日，达沃斯）[N]. 人民日报，2017-01-18.

愈来愈丰富、充盈的物质与精神生活条件，另一方面也带来许多仅靠发展自身无法解决的内在的困境与难题。有学者指出，现代化进程的加速，经济社会的持续高速发展，带来的是民族、国家之间基于资源争夺、技术垄断以及跨国资本为支撑所带来的日益紧张、激烈的冲突，是少数国家、个别利益集团利益的持续最大化，以及国家之间、民族之间发展水平和差距等的不断拉大，是国际社会普遍的安全的焦虑，人类生存之风险性和不确定性的增加[①]。弱肉强食的国际社会，从来都充满着激烈的利益争夺和冲突，当前国际社会其最突出的特点概括为三个方面：一是经济全球化，二是文化多样化，三是社会信息化。全球范围内包括粮食安全、资源短缺、气候变化、网络攻击、人口爆炸、环境污染、疾病流行、跨国犯罪等在内的全球性问题，依然层出不穷、持续存在，严重威胁着国际秩序和人类的生存。

在这种情况下，包括联合国、G20在内的国际社会以及世界各国都不得不思考如何进行全球治理这一重大问题。对此，海德格尔提出了著名的技术座架论来说明技术发展对人类的反噬；霍金指出了人工智能的弊病；罗尔斯则基于资产阶级的立场提出了社会公平正义的问题；而亨廷顿认为文明是不可能融合的，只有冲突；米尔斯海默更悲观地认为，大国只有不断强大自己才能获得安全感，势必引发大国间冲突这一无法避免的政治悲剧（其实是"修昔底德陷阱"的当代诠释）。其实包括米尔斯海默本人在内的所有的现实主义者及其各种变种和分支都有一个基本立场，即都认为但凡一个国家的行为都只可能有一个目的，就是追求国家利益的最大化。而与之相对的所有的自由主义者及其各种学派，如基欧汉和奈等人，他们尽管的确看到了国家间的合作和相互依存的重要性，比现实主义往前进展了一大步，但是由于阶级立场的客观局限性，他们所倡导的国际合作具有很大的局限性和致命缺陷。

以中美关系为例，伴随着中国国力的不断提升，中美关系成为当今世界关注

---

① 袁祖社."共享发展"的理念、实践与人类命运共同体的价值建构[J]. 南京社会科学，2017（12）.

的焦点，中国否定了西方"修昔底德陷阱"的说法，认为太平洋有足够空间可以容纳中美两国，中美两国不会也不应该重蹈过去大国政治的历史悲剧，中美应该成为新型大国关系的典范。2013年6月，中美双方提出构建"不冲突不对抗、相互尊重、合作共赢"的中美新型大国关系，旨在通过中美关系的和平稳定发展合理有效规避"修昔底德陷阱"，避免陷入局部或全面的敌对冲突状态。而在周边关系问题上，中国提出了"亲诚惠容"的理念，坚持"以邻为善、以邻为伴、睦邻安邻富邻"的政策，提倡正确义利观，"对那些长期对华友好而自身发展任务艰巨的周边和发展中国家，要更多考虑对方利益，不要损人利己、以邻为壑"①。此外，中国还提出了亚洲新安全观，即"共同、综合、合作、可持续安全"的新理念，奉行"结伴不结盟"原则，广交朋友并与世界各国努力构建全球新型伙伴关系，与世界各国一起努力共同开创持久和平与发展繁荣的良好局面，这是对人类社会和平发展理念的重大贡献。

由上述可见，从总体上来说，近年来世界各国对于如何应对各种挑战、进行全球有效治理、促进世界政治经济稳定发展等重大问题，无论是在理论上还是在现实实践中都是迷茫和矛盾的。此时中国政府顺应国际经济、政治发展的大势，基于自身改革开放的成功实践这一强大的心理基础，提出了"人类命运共同体"这一关于人类社会生存与发展的新理念，这不仅是对20世纪80年代以来中国40年改革开放伟大实践的成功经验的总结，也是对国内外学界一系列理论难题的解答，更是给当下的全球治理提供了一张极其漂亮的成绩单和一份亮丽的中国方案。中国用自身的成功实践告诉世界，马克思所指出的国家发展的不平衡是导致冲突根源的说法仍然是正确的；中国也完全可以冲破罗尔斯基于资产阶级立场提出的公平正义社会的局限性，甚至可以做得更好；中国的成功离不开世界各国的帮助，本身说明世界各种文明绝非亨廷顿所言是根本冲突的，而是互鉴和融合

---

① 王毅. 坚持正确义利观　积极发挥负责任大国作用——深刻领会习近平同志关于外交工作的重要讲话精神[N]. 人民日报，2013-09-10.

的。至于现实主义的观点,无论是米尔斯海默的大国政治的悲剧,还是古希腊的"修昔底德陷阱",中国都用铁的事实证明,当代的大国只有合作才能发展,冲突和对抗只有死路一条……也就是说,以往的一切单一理论都已无法充分解释当代中国发展的现实,理论必须与时俱进、不断创新,中国还需加强自身智库的建设。

(2)"人类命运共同体"超越了国家间的差异和阻碍国家间合作的一切因素,提出"一带一路"倡议,强调共同发展、平等相待与互商互谅、公道正义与共建共享、开放创新与包容互惠、和而不同与兼收并蓄、崇尚自然与绿色发展、求同存异与和谐世界,为世界各国提供了一条不同于近代以来西方工业文明的崭新发展之路。

史学界一致认为,近现代国际秩序开始于17世纪初的欧洲"三十年战争"后所形成的"威斯特伐利亚体系"。随着航海大发现,欧洲资本主义国家以所谓的传播自由、民主、人权为借口,通过武力扩张和殖民掠夺等方式残酷剥削、压迫其他国家和民族,帝国主义列强为争夺地区和全球霸权,一次又一次把人类社会拖入战争的深渊,300年来资本主义制度迅速席卷全球,标志着西方发达资本主义国家主导的国际秩序的形成。据统计,1990年全球跨境资本、服务和商品流动总估值为5 000亿美元,占全球GDP的24%;在全球金融危机爆发前的2007年,该数值增加到3万亿美元,占全球GDP的53%;2015年受跨境资本流动下降和发达国家市场消费乏力的影响,该数值占全球GDP的比重跌至34%[1]。世界市场的这种剧烈波动证明了全球化已经是不可阻挡的世界经济现实。

客观而言,300年来资本主义制度对推动人类社会政治经济的发展起到了重要作用,尤其创造了包括一些普世政治理念、现代工业文明体系、法制规范以及科技创新等在内的一整套国际制度规范。但是按照马克思的说法,由于资本主义

---

[1] 郭锐,王彩霞. 推动构建人类命运共同体的中国担当[J]. 中国特色社会主义研究,2017(5).

私人所有制的先天性缺陷注定了资本主义从它产生的那天起从头到脚都是肮脏的，不可能实现真正的国际公平和正义。直到今天，霸权主义和强权政治、恃强凌弱和以大欺小仍然严重威胁着和平与发展的时代主题，这都是近代资本主义工业文明留下的后遗症，资本主义自身根本无法解决这个难题。

而中国提出的"人类命运共同体"理念恰好解决了资本主义自身无法解决的上述难题，它在政治上主张建设相互尊重、平等相待、公平正义、合作共赢的新型国际关系，推动大国协调和合作，构建总体稳定、均衡发展的大国关系，建构21世纪国际治理新体系，推动国际秩序变革；经济上倡导合作共赢、共同发展，支持多边贸易体制，促进自由贸易区建设，以政策沟通、设施联通、贸易畅通、资金融通、民心相通，打造"一带一路"国际合作新平台，推动建设开放性世界经济；文化上提倡兼容并蓄、交流互鉴，以文明交流超越文明隔阂、文明互鉴超越文明冲突、文明共存超越文明优越，共建"人类命运共同体"①。

中国在"人类命运共同体"的理念和实践上表现得越来越成熟和自信。习近平最早在莫斯科国际关系学院引述了"命运共同体"概念，之后在上海合作组织成员国元首理事会议上倡议"打造成员国命运共同体和利益共同体"，在博鳌亚洲论坛上宣告"应该牢固树立命运共同体意识"，在亚洲太平洋经济合作组织工商领导人峰会上又呼吁"牢固树立亚太命运共同体意识"，在联合国教育、科学与文化组织总部发言"各国人民已经形成了你中有我、我中有你的命运共同体"，在亚洲相互协作与信任措施会议第四次峰会上提出亚洲"日益成为一荣俱荣、一损俱损的命运共同体"，等等②。这一系列新思想和新理念完全超越了国家、地区、民族以及宗教之间原本根本不可调和的矛盾和冲突，解决了几千年来无法攻克的人类发展难题，为构建新型国际关系开创了新思路，为推动人类社会长久和平互利交往和全球治理贡献了中国智慧和中国方案，更为世界上更多国家提供

---

① 姜安. 新时代中国特色大国外交战略方程的政治逻辑[J]. 深圳大学学报（人文社会科学版），2017（6）.
② 郭锐，王彩霞. 推动构建人类命运共同体的中国担当[J]. 中国特色社会主义研究，2017（5）.

了与资本主义工业文明完全不同的一种新的发展模式。首脑外交、减贫、建设亚投行融资平台、"一带一路"共富构想、"人类命运共同体"共赢理念等，有力地推动了地区合作机制与国家发展战略的无缝对接，积极促进了全球化深入拓展和全球治理的升级转型。

（二）全球影响

2017年2月，联合国社会发展委员会第55届会议协商一致通过"非洲发展新伙伴关系的社会层面"决议，该决议倡导国际社会本着合作共赢和构建"人类命运共同体"的精神，不断加强对非洲经济社会发展的支持，这是首次将"人类命运共同体"这一重要理念写入联合国决议[①]。同年3月17日，联合国安理会以15票赞成，一致通过关于阿富汗问题的第2344号决议，强调"应本着合作共赢精神推进地区合作，以有效促进阿富汗及地区安全、稳定和发展，构建人类命运共同体，构建人类命运共同体理念首次被写入联合国安理会决议中。同年3月23日，联合国人权理事会召开第34次会议，通过了关于"经济、社会、文化权利"和"粮食权"两个决议，决议明确表示要"构建人类命运共同体"，人类命运共同体重大理念首次被载入联合国人权理事会决议[②]。目前，联合国已经把"人类命运共同体"思想纳入了多项国际会议及决议中。以上表明，中国提出的"人类命运共同体"理念，在国际社会引起了强烈反响，已经得到联合国广大会员国的普遍认同，彰显了中国对全球治理的巨大贡献。

（1）中国的发展证明，后起的落后的发展中国家也可以做得和发达资本主义国家一样好，甚至比它们更好，这就给更多的发展中国家树立了榜样和信心。

"人类命运共同体"不仅符合发展中国家的利益，更顺应了世界和平发展进步的主流，对于推动国际政治经济秩序朝着公正、合理的方向发展具有极为重要的理论意义和实践意义。近年来，人类社会发展指数稳步提高，1990年该指数

[①] 新华社. 联合国决议首次写入"构建人类命运共同体"理念[EB/OL]. (2017-02-11). http://www.xinhuanet.com/world/2017-02/11/c_1120448960.htm.

[②] 王巧荣. 中国在构建国际新秩序中的角色担当[J]. 人民论坛, 2017 (25).

为 0.597，2000 年上升为 0.641，而 2015 年则攀升到 0.717。但世界各国在可持续发展的道路上面临着恐怖主义、贫困、非法移民、气候变化与环境保护、局部战争和冲突、大规模杀伤性武器扩散、跨国犯罪等越来越多的全球性问题，迫切需要改革全球治理机制和理念。正因为如此，每当习近平在重要国际场合谈及"人类命运共同体"时，都会受到各国人士的高度赞扬和积极回应，特别是得到了在近代以来和中国一样饱受外来侵略和压迫的广大发展中国家的广泛认同和支持。

"人类命运共同体"把世界的发展与中国的发展结合起来，把各国人民的利益与中国人民的利益结合起来，把"中国梦"与"世界梦"结合起来，赋予了中华民族伟大复兴更加深刻的世界意义。2014 年 9 月，习近平访问马尔代夫时提出双方要建立面向未来的全面友好合作伙伴关系；同年 11 月，习近平访问新西兰时宣布把中新双边关系提升为全面战略伙伴关系；2015 年 4 月，习近平访问巴基斯坦时，双方宣布建立全天候战略合作伙伴关系；2014 年 4 月 10 日，李克强在博鳌亚洲论坛 2014 年年会开幕式上指出，"坚持共同发展的大方向，结成亚洲利益共同体"，"构建融合发展的大格局，形成亚洲命运共同体"，"维护和平发展的大环境，打造亚洲责任共同体"。2016 年 3 月 23 日，李克强还在澜沧江—湄公河合作首次领导人会议上表示，各国要共建澜湄国家命运共同体，为在更广范围内构建亚洲命运共同体打下坚实的基础。有学者指出，"人类命运共同体"体现了中国把本国利益与世界利益相统一的世界情怀和大国担当，彰显了中国特色大国外交的道路自信、制度自信、理论自信与文化自信，向世界清晰地传递出中国和平发展的外交理念，塑造和维护了中国负责任的大国形象，最终为中国的和平发展和迅速崛起提供了和平稳定的国际环境以及比较有利的外部条件[①]。

（2）"人类命运共同体"理念本身就融合了多国文明和智慧的结晶，不是中

---

① 张永红，殷文贵．"人类命运共同体"理念的生成、价值与实现[J]．思想理论教育，2017（8）．

国要独步天下,也不是要输出中国模式,而是中国愿意与世界共同分享发展经验、共同发展和进步。

"人类命运共同体"作为中国特色大国外交的核心理念之一,不是凭空想象,而是古今中外优秀的思想文化和智慧的结晶。中国自古就倡导天下为公、兼济天下的天下情怀,追求和而不同、同舟共济的"和"文化,"人类命运共同体"正是对这种天下情怀与"和"文化的传承和发展。而欧洲的古希腊文明、文艺复兴和启蒙运动等也涌现出了许多杰出的思想家与深刻影响了近现代人类历史进程的著名理论和思想。如"修昔底德陷阱"和"塔西佗陷阱"① 对人类社会发展的忠告,又如卢梭、洛克、孟德斯鸠等提出的天赋人权、三权分立、尊重民主法制和人权等著名学说。"人类命运共同体"之所以会得到国际社会的广泛认同,不仅是因为它符合各国人民的根本利益,更因为它糅合了古今中外的优秀文化和智慧。2016年,中国的全球伙伴关系网络得到了进一步提升和拓展,中国不仅与7个国家新建立了伙伴关系,还与11个国家提升了伙伴关系定位。截至2016年年底,中国与97个国家和国际组织建立了不同形式的伙伴关系②。这也从一个侧面显现了"人类命运共同体"理念的推动作用。

当前在国家关系的双边层面上,中国已经与巴基斯坦建立了"不断充实两国命运共同体内涵"的深刻关系,与土库曼斯坦已成为"合作共赢的利益共同体和守望相助的命运共同体",与哈萨克斯坦正在打造"互利共赢的利益共同体",与柬埔寨正在结成"守望相助的命运共同体",与越南正在形成"具有战略意义的命运共同体",与吉尔吉斯斯坦"树立命运共同体利益共同体意识",与白俄罗斯"打造利益和命运共同体";与非洲国家之间打造"休戚与共的命运共同体",积

---

① "塔西佗陷阱"这一概念最初来自古罗马时代历史学家塔西佗所著的《塔西佗历史》中评价一位罗马皇帝时所说的话:"一旦皇帝成了人们憎恨的对象,他做的好事和坏事就同样会引起人们对他的厌恶。"之后被中国学者引申指称一种社会现象,即当政府部门或某一组织失去公信力时,无论说真话还是说假话、无论做好事还是做坏事,都会被认为是说假话、做坏事。
② 新华社. 王毅:中国将打造更加紧密的全球伙伴关系网[EB/OL]. (2017-03-20). http://www.xinhuanet.com/world/2017-03/20/c_1120661741.htm.

极打造周边共同体,携手建设中国—东盟命运共同体,推动构建中国—拉丁美洲命运共同体以及网络空间命运共同体等;中国还发起成立了亚洲基础设施投资银行(AIIB),出资400亿美元成立"丝路基金"并在2017年"一带一路"高峰论坛上宣布再增资1 000亿元人民币,主动与"一带一路"建设参与国实现国家战略对接和资源优势互补,不仅展开了与俄罗斯的"欧亚经济联盟"、东盟的"互联互通总体规划"、哈萨克斯坦的"光明之路"、土耳其的"中间走廊"、蒙古国的"草原之路"、越南的"两廊一圈"、英国的"英格兰北方经济中心"、波兰的"琥珀之路"等实现国家战略对接,还着手与老挝、柬埔寨、缅甸、匈牙利等国家战略规划形成互补[1]。可以说,上述这一系列的互相衔接符合各国求和平、谋发展的愿望,对于加强中国同世界各国人民的沟通交流,增进国际社会对中国的了解,促进"人类命运共同体"理念在全球的传播和构建具有重要作用。

中国提出的"人类命运共同体"理念改变了国际社会对于国际关系一贯的处理方式,在"人类命运共同体"理念指引下,国际社会奉行的不再是弱肉强食的丛林法则,而是共存共赢的社会法则;国家间的博弈不再是零和博弈;各国再也不能独善其身,而是同呼吸共命运。也就是说,"人类命运共同体"是中国为人类未来发展所提出的中国方案,是中国智慧和中华文明对人类世界与国际关系的全新诠释,是迅速崛起的中国为经济全球化的世界提供的中国思路。

三、国内学界的一致肯定:自信的中国方案

国内学术界对"人类命运共同体"的研究主要围绕提出背景、科学内涵、理论渊源、重要意义等方面展开。笔者查阅了中国知网近10年来的相关研究文献,发现和"人类命运共同体"有关的论文就达到1 244篇,其中,2018年138篇,2017年819篇,2016年201篇,2015年58篇,2014年10篇,2013年9篇,

---

[1] 郭锐,王彩霞. 推动构建人类命运共同体的中国担当[J]. 中国特色社会主义研究,2017(5).

2012年4篇。可见，在刚刚过去的2017年中，"人类命运共同体"的相关研究达到了最顶峰。

第一，学界一致认为，"人类命运共同体"是在全球发展困难重重的背景下提出来的，是解决全球性问题、引领世界发展的客观需要。当下国际政治经济秩序并不公正更不合理，全球社会面对日益复杂、严峻且充满风险与不确定性的生存环境和经济、政治、社会与思想文化等多方面的深刻变革。"人类命运共同体"的构想不仅体现了中国对自身发展模式的坚定自信，也向世界释放出中国坚决推进全球化和多极化、反对贸易保护主义和极右民粹主义的强烈信号。例如：《夯实中美新型大国关系的人文基础》（张志洲，2016）、《推动构建人类命运共同体的中国担当》（郭锐、王彩霞，2017）、《全面打造新时代背景下的人类命运共同体》（杨枝煌，2018）、《构建人类命运共同体 引领世界历史新时代》（段虹，2018）、《习近平"人类命运共同体"思想研究述评》（陈鑫，2018）等。

第二，学界认为，"人类命运共同体"的科学内涵就是，在追求本国利益时兼顾他国合理关切，在谋求本国发展中促进各国共同发展，建立更加平等均衡的新型全球发展伙伴关系，同舟共济，权责共担，增进人类共同利益。例如《习近平人类命运共同体思想研究》（石云霞，2016）、《人类命运共同体：跨越"修昔底德陷阱"的自信、智慧与担当》（黄海，2017）、《习近平"人类命运共同体"理念初探》（殷文贵、张永红，2017）、《构建"人类命运共同体"，破解修昔底德陷阱》（王东，2017）、《"人类命运共同体"理念的生成、价值与实现》（张永红、殷文贵，2017）、《论"人类命运共同体"对"霸权"与"均势"的超越》（张永红、殷文贵，2017）等。

第三，学界还认为，"人类命运共同体"的理论渊源主要有马克思主义共同体思想、中国特色外交理论、中华优秀传统文化等。"人类命运共同体"不仅符合各国人民的根本利益，更糅合了中国春秋战国诸子百家、古希腊雅典政治文明、欧洲文艺复兴及启蒙运动等古今中外的优秀文化和智慧。例如《传统"和"文化与现代新思维——文化哲学视野中的和谐社会》（郭建宁，2006）、《马克思社会共同体理论研究》（马俊峰，2011）、《"穷则独善其身，达则兼济天下"理解献疑》（赵玉娟，2011）、《习近平谈治国理政》（习近平，2014）、《让战争远离人类　让和平永驻世间》（孙思敬，2015）、《〈论语〉与外交》（黄仁国，2016）、《孔子大同之世与马克思的理想社会——"马儒"的人文主义社会理想》（马广利、方汉文，2017）等。

第四，学界还提出了"人类命运共同体"建设的路径和策略问题，如建立国际共识和共同价值，强调和平发展与合作共赢、"一带一路"与共同发展、平等相待与互商互谅、公道正义与共建共享、开放创新与包容互惠、和而不同与兼收并蓄、崇尚自然与绿色发展、求同存异与和谐世界等。例如《让"命运共同体"成为"亚洲共识"》（刘畅，2016）、《"人类命运共同体"：走向"自由人联合体"的当代路径》（杨宏伟，2017）、《人类命运共同体与共同价值：国家间合作共赢体系建构的双驱动》（张师伟，2017）、《人类命运共同体：内涵与构建原则》（王寅，2017）等。

第五，学界认为，"人类命运共同体"的重要意义在于提供了解决事关人类前途命运的重大问题、推动全球治理的中国方案，未来需在拓宽视野、把握重点、丰富方法的基础上强化基础理论、实证、个案、对策、海外等方面的研究。例如《人类命运共同体理论在习近平外交思想中的地位和意义》（陈须隆，2016）、《中国参与全球治理的新问题与新关切》（蔡拓，2016）、《中国方案：对全球治理与经济发展的新态度》（亚·弗·罗曼诺夫，2016）、《"人类命运共同体"思想与新疆域的国际治理》（杨剑、郑英琴，2017）、《论构建人类命运共同体的伦理意义》（王泽应，2017）、《人类命运共同体理论对西方国际关系理论的扬弃》（蒋昌建、潘忠岐，2017）等。

由以上分析可以看出，近年来国内学界对"人类命运共同体"理念是基本一致认同的，从时代背景、理论内涵、实现路径和国际影响等几个主要方面进行了大量的分析和论证。学界认为，在全球的秩序处于转型的发展时期，世界各国联系紧密，社会、经济、文化交往密切，"人类命运共同体"理念是思考人类未来的中国方略,中国在谋求本国发展的同时,需要带动其他国家实现共同发展,建立全新的伙伴关系,以共同应对各种问题,实现风险的共同承担,最终实现整个人类的共同利益。未来,在理论建设上,要从国际社会现实出发,以中国文化精髓推动构建"人类命运共同体"的思想内涵,进一步完善推动构建"人类命运共同体"的理论体系。

四、西方的质疑:中国要重塑世界秩序

2011年开始,中国一跃成为全球第二大经济体,在国际社会中的地位大幅度提升,中国前所未有地靠近世界舞台中心,但是一些西方国家,也包括周边亚太的一些发展中国家,特别是一些和中国长期有领土领海争端的国家,对此显得疑虑重重。这些国家担心,中国是否会在现有国际秩序之外"另起炉灶",中国的"一带一路"倡议也被拿来和20世纪冷战之初美国援助欧洲的"马歇尔计划"相提并论,"人类命运共同体"理念则被西方舆论解读为是要重塑世界秩序,而中美关系也已落入"修昔底德陷阱",冲突无法避免,还提出了各种版本的中国威胁论、中国崩溃论、管理中国论等。

奥利弗·施廷克尔的《中国之治终结西方时代》指出,世界多极化走到2017年,新势力已全面崛起,其中的核心是中国复兴。中国改革开放40年的辉煌成就对全球秩序产生了广泛和系统的影响,中国方案也让世界更多地倾听到东方的声音,中国已成为能够挑战西方领导秩序的国家。后西方时代真正到来。中国之治最为耀眼,它既开启了盛世中国之路,又重塑了全球秩序,正引导并带领着全球治理的新航向。①

郑永年以全球化的研究视角对中国所处的国际政治格局和自身的转型、国际秩序变化和重塑等政治领域的热点问题进行了宏观的描述与细致的分析,并对中国的国际责任、国际战略、内部建设和国际定位进行了理性而深刻的阐述。作者

---

① 奥利弗·施廷克尔. 中国之治终结西方时代[M]. 宋伟,译. 北京:中国友谊出版公司,2017:序言.

对中国发展给予了密切关注,并在深入思考后指出,冷战结束之后,世界秩序一直处于重塑中,在这个过程中,崛起中的中国扮演了最为关键的角色。中国的崛起是一个艰难的过程,这个过程涉及方方面面,例如经济的全球化、国际安全和外交等。其中,中美关系、中国的亚洲地缘政治和中国本身的内部发展最为关键。[1]

赵穗生则认为,国际秩序的改革者有三种不同的形势:第一种是革命的,要把游戏规则整个改变。第二种要改变的是部分游戏规则。第三种要改变的只是它在国际体系当中的地位,而不是游戏规则本身。中国是第三种,也就是说中国在现存的国际秩序当中要改变的不是游戏规则,因为中国还是游戏规则的受益者,要改变的是中国在游戏过程当中的地位、代表权、发言权。中国要改革的是国际秩序当中以中国为代表的发展中国家,或者激进国家的发言权和代表权。这是中美之间全球博弈的焦点。如此中美两国之间就有相当大的合作空间和谈判空间,如果美国能够和中国谈判,让中国有更多发言权,美国让渡一些霸权,这两个国家就可以联手共同塑造现存国际秩序。从中国的角度来讲,中国也应该明确向美国或者向全世界宣布,中国是现存国际秩序的维护者。[2]

据英国《金融时报》网站2016年12月2日报道,1945年以后的世界秩序已经崩塌,长期发展轨迹指向中国。几十年来,西方领导层已经丢失了道德罗盘。人们正在亲眼见证自由主义经济秩序在两方面的失败。首先,它在若干发达国家让工薪阶层失望。这解释了英国脱欧、民粹主义崛起和特朗普的当选。20世纪80年代起,基于"华盛顿共识",国际货币基金组织把很多发展中国家引入歧途,最终导致了1997年的亚洲金融危机。鉴于这些纪录,自由主义秩序立足的道德高地动荡不稳。现在很多国家开始向东看也就不足为奇了。与西方不同,中国有一套方案。中国正致力于用"一带一路"倡议把世界连接起来。中国要用其巨额资金和过剩产能在全世界出资建设基础设施。这项行动规模巨大,在人类

---

[1] 郑永年. 通往大国之路:中国与世界秩序的重塑[M]. 北京:东方出版社,2011:177-192.
[2] 赵穗生. 中国凭什么重塑世界秩序?[EB/OL]. (2017-07-31). http://news.ifeng.com/a/20170731/51537361_0.shtml.

历史上前所未有。中国正在明智地利用自身资源。中国领导人不干预他国事务，而是拿出共赢政策促进各方的发展与进步。在目前条件下，很多西方国家资金严重不足，收入分配问题继续恶化。除非西方调整其道德罗盘，对自身的要务重新排序，否则很难坚持其珍视的价值观。征兆已经非常明显。①

另据《印度斯坦时报》网站2016年12月2日报道，经济学家保罗·克鲁格曼在第十四届《印度斯坦时报》领袖峰会上发表演讲时说，二战结束后的秩序正受到威胁，为了维护这一秩序，中印等新兴经济体必须发挥重要作用。要维护战后秩序，决策者必须认识到破坏一系列规则的后果，并且维护一定程度的美国霸权主义领导力。但现在，人们很少支持精英阶层的共识。无论是从国家规模还是情感倾向上，美国都已经不足以充当仁慈的霸主。美欧竞相比试谁先脱轨。现在，中印等发展中大国必须维护该体制，不要再利用美国的霸权搭便车了。中国有不可持续的高投资率，如何摆脱这种模式而又不引发经济衰退将成为一大挑战。今后几年，美国不会爆发宏观经济危机拖累世界经济，但中国却有可能。②

当今世界各国相互联系、相互依存的程度空前加深，但由于各国社会制度、意识形态、宗教信仰等因素的不同，加之冷战思维的影响，相互间的观念冲突和价值摩擦时有发生。随着中国综合国力的日益增强，当前中国比历史上任何时候都更加接近国际舞台的中心，比历史上任何时候都更加接近中华民族伟大复兴的宏伟目标，引起了世界上不少国家特别是以美国和日本为代表的西方国家的担心，频频给中国制造麻烦和障碍，妄图阻碍和延缓中国的发展。西方国家的质疑本质上是一种价值观的冲突，中国绝不应受西方舆论的左右，应继续坚持自己正确的发展思路。

2015年9月，习近平在访美期间专门指出："中国是现行国际体系的参与

---

① 参考消息网. 外媒：中国"共赢政策"重塑世界秩序[EB/OL]. （2016-12-05）. http://column.cankaoxiaoxi.com/g/2016/1205/1489866.shtml.
② 参考消息网. 外媒：中国"共赢政策"重塑世界秩序[EB/OL]. （2016-12-05）. http://column.cankaoxiaoxi.com/g/2016/1205/1489866.shtml.

者、建设者、贡献者。我们坚决维护以联合国宪章宗旨和原则为核心的国际秩序和国际体系。世界上很多国家特别是广大发展中国家都希望国际体系朝着更加公正合理方向发展，但这并不是推倒重来，也不是另起炉灶，而是与时俱进、改革完善。这符合世界各国和全人类共同利益。"① 换言之，任何新的大国力量的崛起都一定会带来世界秩序的重新分化组合，这是必然的事情，在错综复杂的国际背景下，中国提出"人类命运共同体"这一和平发展、包容开放的理念对减缓自身发展给国际社会造成的冲击就显得尤为紧迫和必要。

构建"人类命运共同体"需要世界各国的协同实践和共同合作。与过去相比，当今世界在高科技推动下变化速度空前加快，西方传统学说已经无法适应新时代的变化要求，难以充分解释当前诸多现象，尤其是当今世界没有任何一种西方学说可以预见到和完全解释中国改革开放 40 年来所取得的巨大成就，甚至有些西方传统学说不但不能有效指导具体实践过程、预测未来发展变迁，反而还会用僵硬的经验去制造中国与西方之间的紧张对立。

因此，尽快建立中国自己的国际政治、经济、哲学、社会学等学科理论体系，提升中国在国际学术界的话语权，对西方传统学说进行重要补充的同时努力促成其向有利于中国的方向转变，已成为当前国内学界最重要的工作。

五、本书的思考：中西方分歧存在求同存异的可能

人类文明的发展是千百年来人类历史发展的结晶，而不同文明的形成，又受到不同经济、政治、社会、文化、地域、宗教的影响，具有独特的、不同层次的多样性。不同文明之间通过文化、经济活动等各种方式进行着联系和交流，促进了人类文明的共同发展和社会的进步。不同的社会文明和价值理念有着与之相适应的不同的制度和机制，这就决定了不同的社会文明和价值理念隔阂与

---

① 习近平. 在华盛顿州当地政府和美国友好团体联合欢迎宴会上的演讲（2015 年 9 月 22 日，西雅图）[N]. 人民日报，2015 - 09 - 24.

对立的必然性，冲突和摩擦也不可避免。在中西文明不同价值观的博弈中，一些西方媒体和政客总是带着固有的傲慢与偏见看待中国问题，忽视了中国民族的尊严，伤害了中国民众的情感，加剧了中西文明不同价值观的冲突。但价值观上的差异并不等于文明不可融合和交流。在国际关系中，与他国存在不一致是正常的，在发展国际关系的过程中，中国一再强调求同存异的原则，也希望自己的朋友越多越好，并致力于通过明确友好的双边关系来妥善处理与他国的分歧。

当前，主导世界体系和国际秩序的理论观点大多还是遵循西方传统学说及其思维模式，国家生存与争权夺利成为国际政治和国际关系的长期主题，霸权主义和强权政治成为一条铁律，根本原因是西方的哲学和人性基本逻辑在于人性恶和对权力的推崇以及对实力扩张的狂热追求。古往今来的人类社会似乎也都是按照这一历史逻辑演进的，战争与和平问题成了人类社会至今最无解的难题。福山在冷战后提出"历史终结论"，认为冷战最终以资本主义和民主制度的全面胜利而结束，两种社会制度和意识形态的对抗最终以一方战胜另一方而使矛盾得到消解，历史就此走向终结。亨廷顿差不多在同一时间提出了"文明冲突论"，认为地缘冲突会在冷战后从以国家为中心转向以文明为中心，历史会在新的矛盾中延续。他们的观点均遭到了中国学者的强烈反驳，不论黑格尔还是福山，认为历史会终结的看法是把世界历史看作一成不变的静态过程，而实际上世界历史是动态变化的。而亨廷顿认为非西方文明最终会战胜西方文明的"文明冲突论"也体现了美国为首的西方的冷战思维，与中国所主张的世界多极化与和平发展及国家间交流合作的理念相差很大。

那么，中西方之间在国家发展理念上到底有没有求同存异的可能呢？笔者认为，当下的国际政治经济现实为此提供了充分的可能。在全球化不断发展的当今国际社会，世界各国已经进入了互相需要、互相依赖的新时代，谁也无法完全不顾他国利益孤立地发展，以不同的文明和价值观为基础的意识形态已经不再是阻碍世界各国人民交往的根本因素。因此，只有通过政治、经济、文化、体育等各种形式的交流，才可以减少不同文明和价值观的冲撞，创建一个和谐的世界。中国提出构建"新型国际关系"就是要实现两国不以冲突和对抗的方式解决双方之间的矛盾与分歧。一方面需要西方媒体在报道中国问题上保持公正和客观，获得中国民众的信任；同时在与西方国家和其他价值观的沟通中，中国民众也需要通过适当的交流方式消除与它们的隔阂，缓解中外文明不同价值观的碰撞。中国需要一个和平的世界，与国际社会共同繁荣和发展，实现和平发展道路的民族复兴，为此提出了"和平发展""和谐社会""和谐地区""和谐世界""人类命运共同体"等概念，对化解"中国威胁论"和反华情绪的消极影响有着积极的现实意义。

求同存异，以人类本位的生存利益为重，勇敢地、坚定地迈向"人类命运共同体"，是中国政府基于对历史和现实的深入思考所给出的"中国答案""中国方案"。2015—2017年，短短两年多的时间里，习近平先后60多次反复阐释命运共同体思想的主张。2015年9月，习近平在第七十届联合国大会一般性辩论发表演讲指出："不同文明凝聚着不同民族的智慧和贡献，没有高低之别，更无优劣之分。文明之间要对话，不要排斥；要交流，不要取代。人类历史就是一幅不同文明相互交流、互鉴、融合的宏伟画卷。"① 2017年1月，习近平在联合国日内瓦总部发表演讲时强调："每种文明都有其独特魅力和深厚底蕴，都是人类的精神瑰宝。不同文明要取长补短、共同进步，让文明交流互鉴成为推动人类社会进步的动力、维护世界和平的纽带。"② 也就是说，中国一直坚持的是交流合作的原则，从来都认为国与国之间合作和矛盾、相似点和不同点都是共存的，不合作只会让矛盾和分歧扩大化，只有交流和合作才会进一步缩小、化解矛盾与分歧。

---

① 习近平. 携手构建合作共赢新伙伴　同心打造人类命运共同体——在第七十届联合国大会一般性辩论时的讲话（2015年9月28日，纽约）[N]. 人民日报，2015-09-29.
② 习近平. 共同构建人类命运共同体——在联合国日内瓦总部的演讲（2017年1月18日，日内瓦）[N]. 人民日报，2017-01-20.

在世界历史的长河中,各国人民创造了多姿多彩的文明,尽管各种文明形态不一、大小不同,但都是人类劳动和智慧的结晶,都值得我们热爱、尊重和传承。有学者认为,"人类命运共同体"坚守的正是这样一种兼容并蓄、求同存异的文明价值观,它超越国家、地区、民族以及宗教之间的隔阂、冲突与纷争,强调宽容而不是狭隘,融合而不是分歧,合作而不是斗争,是一种真正意义上的"价值共同体"①。还有学者认为,到目前为止,全球共有190多个国家、约70亿人口,如何以平等、对话的姿态,本着"全球一体""人类一家"的共生、共荣的宗旨,唇齿相依,友好携手,为了全人类共同的繁荣、发展和美好生活的共同福祉,彻底改变以往霸权主义思维主导下的旧的发展观,共同开创、拥有一个美好的未来,考量着国际社会的智慧②。

综上所述,"人类命运共同体"的理论和实践,本质上是对基于全球责任共担基础上的新的"全球正义"的践行,是人类社会迄今为止体现了真正公平和正义的崭新的秩序,必将得到世界上越来越多国家的接受和认同。接下来本书将围绕"人类命运共同体"的核心内涵和其政治、经济、哲学、文化意义,以及中西方关于"人类命运共同体"的理念之争的内涵及实质、"人类命运共同体"的构建路径等主要问题展开详尽的分析。

---

① 张永红,殷文贵."人类命运共同体"理念的生成、价值与实现[J].思想理论教育,2017(8).
② 袁祖社."共享发展"的理念、实践与人类命运共同体的价值建构[J].南京社会科学,2017(12).

第二章

"人类命运共同体"是中国特色大国外交理念的核心

DAGUOWAIJIAO

习近平在党的十九大上明确提出"全面推进中国特色大国外交",确定了新时代中国外交的基本方针,就是要坚持和平发展道路,推动构建"人类命运共同体"。近年来随着中国的迅速发展和实力的不断提升,中国的国际话语权有了明显增强,提出的一系列外交新理念在国际社会引起了强烈的反响,它们构成了中国特色大国外交体系,其中最核心的理念就是构建"人类命运共同体"。也就是说,中国特色大国外交,是要塑造、培养中国作为一个大国所应具有的外交体系和外交能力,而构建"人类命运共同体"自然成为中国特色大国外交的重中之重。

"构建人类命运共同体,推进中国特色大国外交"这一重大外交战略的提出,说明中国对国际政治经济秩序的看法在不断发生着变化。中国一向主张多极化,但王缉思、仵胜奇认为,20世纪90年代以来,随着世界政治经济局势日益错综复杂化,中国看待世界从"建立新秩序",逐渐到当前的"积极推动国际政治经济秩序朝着更加公正合理的方向发展",从将原有秩序推倒重来到现在在融入原秩序基础上去影响和修正原秩序,这是一个重大的变化,显示出中国对融入国际社会的决心和信心①。当今世界,随着经济全球化深入发展,新兴市场国家和发展中国家整体实力增强,国际力量对比朝着有利于维护世界和平方向发展,但全球化也面临民粹主义、贸易保护主义等各种逆全球化现象的严峻挑战,中国必须紧跟瞬息万变的国际政治经济局势,随时对自己的政策作出必要的调整。

一、近年来中国特色大国外交的新变化

进入 21 世纪,中国经济快速发展,显著提升了自身的国际地位,有力改变了中国面临的外部环境,中国与世界的关系正在发生深刻而显著的变化,中国对国际事务的参与、对世界的影响在不断加深,世界对中国的需要、对中国发展的影响也在不断增加。2014 年 11 月,习近平在中央外事工作会议上强调指出,中国必须有自己特色的大国外交,对外工作要有鲜明的中国特色、中国风格、中国气派②。5 年来中国特色大国外交不断呈现出新特点。中国前所未有地靠近世界舞台中心,前所未有地接近实现中华民族伟大复兴的目标,前所未有地具有实现这个目标的能力和信心,这 4 个气势磅礴的前所未有是对中国当前国际地位的精辟总结。

(一)更强调坚持走和平发展道路的底线与原则

党的十八大以来,以习近平为核心的党中央更加明确强调中国的和平发展道路绝不能放弃自己的正当权益,绝不能牺牲国家核心利益;强调中国要走和平发展道路,其他国家也都要走和平发展道路。中国向世界明确表达,只有世界各国和各地区都走和平发展道路,大家才能共同发展,国与国才能和平相处。对和平发展道路的新发展,表达了中国对世界的善意期望,希望中国的和平发展能有一个良好的外部环境,希望其他国家能够理解和支持中国的和平发展事业;同时也向国际社会清晰传达了中国的战略底线,希望其他家尊重中国的核心利益而不

---

① 王缉思,作胜奇. 中美对新型大国关系的认知差异及中国对美政策[J]. 当代世界,2014(10).
② 新华网. 习近平出席中央外事工作会议并发表重要讲话[EB/OL]. (2014-11-29). http://www.xinhuanet.com/politics/2014-11/29/c_1113457723.htm.

要出现对华战略误判。有学者指出，面临越来越复杂艰巨的外部考验，需要不断创新外交理论与实践，有效维护并拓展中国的国家利益，在复杂国际环境下妥善处理与外部世界的关系，通过积极参与全球治理进一步彰显中国不断提升的大国责任和大国形象。坚持走和平发展道路的底线和原则，体现了中国坚持独立自主和平外交的一贯承诺和对世界和平与发展的大国责任担当，同时也表达了中国坚定维护国家核心利益的意志和决心。① 比如，中美关系的健康发展特别需要美国清晰认识并尊重中国的核心利益和战略底线，单边霸凌政策让中国受伤害的同时最终也会伤害到美国自身利益；朝鲜半岛要实现长久和平，需要来自中国和半岛北南双方的不懈努力，更需要美国摒弃霸权思维与先发制人的行为逻辑。

在发展的方式上，中国坚决反对历史虚无主义，坚决反对殖民主义和霸权主义以大欺小、以强凌弱的行径，坚持创新、协调、绿色、开放和共享的发展理念，这不仅仅是中国的发展经验，也是中国贡献给世界的中国智慧和中国方案。习近平在世界经济论坛2017年年会上指出，增长动力不足是当今世界经济面临的根本性问题。为此，必须突破传统发展思想的束缚，勇于创新发展理念，在创新中发展，在发展中创新，努力打造富有活力的经济增长模式，重拾各国人民的信心。正如习近平此前曾说过的："大家一起发展才是真发展，可持续发展才是好发展。要实现这一目标，就应该秉承开放精神，推进互帮互助、互惠互利。"② 同时，在全球环境污染和生态破坏日益严重的背景下，必须坚定不移地走绿色、低碳、循环、可持续发展道路，认真履行《联合国气候变化框架公约》的要求，共筑全球生态文明体系。总之，开放而不是自我封闭、合作包容而不是唯我独尊是发展的必要前提。

（二）更积极主动参与全球治理、彰显大国责任意识

全球化时代，各国相互联系、相互依存达到了人类社会发展历史上史无前例

---

① 罗建波. 中国特色大国外交：新理念、新战略与新特色[J]. 西亚非洲，2017（4）.
② 习近平. 携手构建合作共赢新伙伴　同心打造人类命运共同体——在第七十届联合国大会一般性辩论时的讲话（2015年9月28日，纽约）[N]. 人民日报，2015-09-29.

的空前高度，就像习近平所说的："没有一个国家能凭一己之力谋求自身绝对安全，也没有一个国家可以从别国的动荡中收获稳定。弱肉强食是丛林法则，不是国与国相处之道。穷兵黩武是霸道做法，只能搬起石头砸自己的脚。我们要摒弃一切形式的冷战思维，树立共同、综合、合作、可持续安全的新观念。"[1] 随着中国的快速发展及其与外部世界联系越来越紧密，中国日益从一个区域性大国变成世界性大国，在维护自身利益、参与全球事务方面更加具有战略远见、更加注重开拓进取、更加积极有所作为。尤其是近年来中国作为一个发展中大国更为积极全面深入地参与全球治理，在推动世界经济增长、实施国际发展援助、减少贫困、维护国际安全以及应对全球气候变化等领域，承担了与自身实力和国际影响相称的国际责任。例如，中国在参与解决苏丹南、北冲突问题上，积极致力于推进苏丹的和平进程，担当了危机调停人和稳定者的角色[2]；中国宣布建立 200 亿元的"中国气候变化南南合作基金"，携手各国达成包括《巴黎协定》在内的重要成果，推动 2020 年后全球气候治理进入一个前所未有的新阶段；中国在二十国集团杭州峰会上率先批准《巴黎协定》，表达了中国对全球治理的坚定支持，得到了联合国的高度赞赏；中国加大了对外人道主义援助的力度，在 2014 年 3 月西非爆发埃博拉疫情后，率先紧急施援，向疫区相关国家派遣了 1 200 多名医护人员，提供了 4 轮价值超过 1.2 亿美元的援助[3]。

中国通过参与全球治理，不仅推动着既有重大国际机制的改革和完善，也与相关国家一道积极创建新的国际组织、国际机制和国际规则，在国际体系的塑造和全球话语体系的建设中发挥了"参与者""建设者"和"塑造者"的角色。一方面更加积极主动地维护国家安全和领土主权特别是海洋权益，在一定程度上有效地改变了中国长期面临的被动局面；另一方面积极参与全球治理，为世界发展

---

[1] 习近平. 携手构建合作共赢新伙伴　同心打造人类命运共同体——在第七十届联合国大会一般性辩论时的讲话（2015 年 9 月 28 日，纽约）[N]. 人民日报，2015 - 09 - 29.
[2] 刘贵今. 理性认识对中非关系的若干质疑[J]. 西亚非洲，2015（1）.
[3] 罗建波. 中国特色大国外交：新理念、新战略与新特色[J]. 西亚非洲，2017（4）.

和全球治理贡献中国力量和中国智慧，同时也增加了中国在若干重大国际问题上的话语权与在重大国际机制中的地位和影响力。在 2015 年中非合作论坛约翰内斯堡峰会上，津巴布韦总统穆加贝感慨："中国不仅从来就不曾殖民非洲，而且正在做着那些非洲国家期待前殖民者应该做而没有做的事情。"[1] 肯尼亚总统肯雅塔也讲道："一些别有用心的人把中国对非援助与过去西方殖民主义相提并论，这完全与事实不符。"[2]

（三）更体现执政为民、以民为本的思想

"民为邦本""仁者爱人""民为贵"……自古以来，中华文化就有着深厚而久远的民本思想传承，中国共产党继承并发扬了传统民本思想，明确树立"立党为公、执政为民"的理念，始终强调全心全意为人民服务，把维护最广大人民的根本利益作为一切理论和奋斗的最高目标。以人为本、以人民为中心的思想是中国共产党治国理政的根本思想理念。对外工作是国家整体工作的重要组成部分，其重要目的之一是维护好国家不断增长的海外利益，保护好中国人在海外的生命和财产安全，维护好国家和公民在海外的形象与尊严。中国秉持"外交为民"方针，建立健全境外公民和机构安全保护工作机制，在撤侨、营救在海外遭到绑架或劫持的同胞，以及处理涉及中国公民利益和安全的重大突发事件等方面发挥了重要作用。例如：2015 年，外交部门从爆发内战的也门撤回 600 多名同胞，从遭受强震的尼泊尔接回 5 600 多名滞留的中国公民，营救近 20 名在国外遭绑架或劫持的同胞。2016 年，中国从局势动荡的南苏丹撤离公民千余人，成功营救被索马里海盗劫持 4 年之久的船员，妥善处理上万起涉及中国公民利益和安全的重大突发事件。[3] 换言之，坚持以人民为中心的民本思想，是中国特色大国外交最本质的特征。

---

[1] 新华网.津巴布韦总统：中国在非洲攫取原材料的说法是歪曲[EB/OL].（2015 - 12 - 08）.http://world.huanqiu.com/hot/2015 - 12/8111474.html.
[2] 新华网.肯尼亚总统批驳"中国在非推行'新殖民主义'"谬论[EB/OL].（2015 - 12 - 05）.http://www.xinhuanet.com/world/2015 - 12/05/c_1117367213.htm.
[3] 罗建波.中国特色大国外交：新理念、新战略与新特色[J].西亚非洲，2017（4）.

中国外交的主要任务是维护并增进中国的国家利益，彰显大国责任；实现中华民族伟大复兴，积极推动建设"人类命运共同体"。当今世界最富有的1％的人口拥有的财富量超过其余99％的人口财富的总和，全球仍然有7亿多人口生活在极端贫困之中，收入分配不均、贫富悬殊、南北差距等问题日益突出。有学者指出，民本问题不仅是中国的问题，更是世界各国政府共同面临的问题。中国倡导"人类命运共同体"就是倡导世界上每个人的基本生存权利和个人尊严被尊重，倡导世界各国共同发展和进步，成功实现自身13亿多人口的减贫与发展本身就是对世界发展的重大贡献，中国在实现自身发展的同时还积极推动世界的和平与发展，是中国对世界的又一重大贡献。[①]

中国以自己的实际行动和成功实践告诉世界，打造"人类命运共同体"，各国就应以发展为中心，努力提高本国人民的生活水平，不断缩小贫富差距，努力营造可持续发展的新格局。

（四）为世界树立文明交往典范并贡献中国智慧

进入21世纪以来，以西方为中心的全球话语体系已难以反映世界日益多元化发展的现实，中国作为一个快速发展且拥有古老历史文化的新兴大国，话语权越来越得到彰显。中国在反思苏联模式并合理借鉴西方发展经验的基础上，实现了后发国家对发达国家的弯道赶超，形成了走向现代化的一种新模式，中国在推动经济发展、提升政府治理能力、减少贫困等方面积累的成功经验，为那些长期处于发展困境的发展中国家提供了借鉴和榜样。例如：在中东，中国与中东国家通过情报共享、跨境追逃、金融监控等方式开展反恐合作；在非洲，中国通过双边产能合作，推进非洲大陆实现"非洲制造"；等等。

打造"人类命运共同体"，必须坚持正确义利观，摒弃西方一直主导的零和博弈、恃强凌弱的冷战旧思维，世界各国只有在追求自身合理利益的同时顾及他国利益关切，才能够达成长久性持久性的合作共赢新局面。有学者认为，当今世

---

① 张永红，殷文贵."人类命运共同体"理念的生成、价值与实现[J]. 思想理论教育，2017（8）.

界的一切国际制度不应成为大国和强国实现自身利益最大化的"合法工具",而应成为世界各国共同参与、在发展中妥善解决全球性问题的制度性规范。因此,"人类命运共同体"的构建可以使世界各国平等地共享人类发展的成果,是实现国际社会公平正义的重要途径,是对西方国际关系理论的思维超越,彻底打破了西方国家一直主导的利益主导国与国关系的传统观念。① 换言之,"人类命运共同体"所倡导的通过互利合作实现共享共赢的方式是千百年来人类从来没有走过的道路,它未来的成功实践将开辟人类历史的新纪元。

诚如习近平所言:"如果居高临下对待一种文明,不仅不能参透这种文明的奥妙,而且会与之格格不入。历史和现实都表明,傲慢和偏见是文明交流互鉴的最大障碍。"② 打造"人类命运共同体",必须坚持和而不同、兼收并蓄的文明观,不论哪种文明,都是人类社会实践的产物,都值得尊重,人类文明都是平等的,不能对任何文明抱有偏见。长期以来,中国本着和平、发展、公平、正义、民主、自由的价值观,始终以维护世界和平与促进共同发展为根本宗旨,坚决反对霸权主义和强权政治,绝不干涉他国内政,在国际事务中主张通过政治谈判化解彼此争端。推动构建"人类命运共同体"的新主张,集中体现了中国传统"和合"文化的精髓。

当代中国外交理念和实践的创新与发展,以"和"为原则与世界各国发展关系,不断加强与世界各国的对话并深化战略互信,以冷静平和的心态和协商解决的方式化解矛盾,这就运用中国智慧回答破解了困扰国际政治和世界发展的若干重大难题。"人类命运共同体"是以和平发展超越西方"国强必霸"传统崛起模式,以"新型大国关系"破解新兴大国和既有大国之间的"修昔底德陷阱"大国政治悲剧,以合作共赢理念超越西方大国的零和博弈冷战思维,以新安全观推动世界实现持久和平,以义利并举打造南南合作的新理念,以追求国际公平正义实

---

① 郭锐,王彩霞. 推动构建人类命运共同体的中国担当[J]. 中国特色社会主义研究,2017 (5).
② 习近平. 在联合国教科文组织总部的演讲(2014 年 3 月 27 日,巴黎)[N]. 人民日报,2014 - 03 - 28.

现国际体系更为公正合理的发展①。

由上述可见，近年来中国外交出现了一些比较明显的变化，中国提升自身国际影响力和话语权的主动性大大增强，中国与世界的联系更加密切，"人类命运共同体"理念已经成为中国特色大国外交最集中的概括，越来越得到世界各国的高度认同。

二、"人类命运共同体"体现了中国特色大国外交的新特征

面对中国的快速发展，国际社会特别是美英等西方国家单方面地以历史经验为理由，担心中国会以武力方式实现崛起，在崛起之后称霸世界。21世纪初期，中国就已经适时提出了和平发展的理念，中国致力于通过和平方式实现发展，在实现自身发展的同时推动世界的和平与繁荣。党的十八大后，习近平进一步强调，走和平发展道路是中国对国际社会关注中国发展走向的回应，更是中国人民对实现自身发展目标的自信和自觉。这种自信和自觉，源自几千年来中华民族"以和为贵"的文化传统，以及对和平与发展时代主题和世界发展潮流的正确判断，对自身发展目标和发展外部环境的清醒认识。2017年10月召开的党的十九大进一步明确了和平发展与和平崛起的既定国策，2018年3月召开的"两会"更是把"人类命运共同体"写进了宪法。

"人类命运共同体"体现了中国特色大国外交的新特征，具体来看，主要表现在以下几个方面：

（一）倡导可持续的安全观，建立合作共赢的新型国际关系

构建以合作共赢为核心的新型国际关系，就是要抛弃我赢你输的零和博弈旧思维，奉行双赢、多赢、共赢的新理念，反对弱肉强食的丛林法则和穷兵黩武的霸道做法，树立共同、综合、合作、可持续安全的新观念，走出一条"对话而不对抗，结伴而不结盟"的国与国交往新路。

---

① 罗建波. 中国特色大国外交：新理念、新战略与新特色[J]. 西亚非洲，2017（4）.

当今世界并不太平。习近平在 2014 年 5 月亚信第四次峰会的主旨讲话中，首次系统阐述了以"共同、综合、合作、可持续"为核心理念的"亚洲安全观"①。习近平随后在 2015 年 9 月联合国发展峰会上，呼吁要争取公平的发展，让发展机会更加均等，不能一个国家发展、其他国家不发展，一部分国家发展、另一部分国家不发展②。习近平在 2016 年初访问阿盟总部时说，"一带一路"建设倡导不同民族、不同文化要"交而通"，而不是"交而恶"，彼此要多拆墙、少筑墙，把对话当作"黄金法则"用起来，大家一起做有来有往的邻居③。中国倡导新安全观，就是反对美国等个别大国追求一己绝对安全、奉行强权政治、强化势力范围的传统做法，呼吁各国通过平等发展、相互尊重和合作共赢实现世界的长治久安与和平共处。换言之，新型国际关系的实质就是要以合作取代对抗，以共赢取代独占，在追求本国利益时兼顾别国合理关切，推动各国实现互利合作、共同发展。这是对中国国际秩序观的重要创新和发展，开辟了国际关系发展的新愿景。

（二）坚守义利兼顾的"正确义利观"，走公平开放、全面创新的发展之路

中国是当今所有大国中率先提出"正确义利观"这一理念的国家，对消除其他发展中国家对中国崛起的质疑具有重要作用。"正确义利观"就是要把中国利益同广大发展中国家的整体利益联系起来，体现了中国帮扶发展中国家的无私仁义、维护世界和平与发展的国际正义以及推动构建"人类命运共同体"的国际责任。

公平开放、全面创新的中国特色的发展观，就是要推动各国成为全球发展的参与者、贡献者，成为世界经济增长的共享者和受益者。2016 年二十国集团杭州峰会聚焦世界经济面临的核心挑战和突出问题，此次峰会邀请了埃及、非盟主

---

① 中国新闻网. 习近平在亚信第四次峰会作主旨讲话（全文）[EB/OL]. (2014-05-21). http://www.chinanews.com/gn/2014/05-21/6196012.shtml.
② 习近平. 谋共同永续发展 做合作共赢伙伴——在联合国发展峰会上的讲话（2015 年 9 月 26 日，纽约）[N]. 人民日报, 2015-09-27.
③ 新华社. 习近平在阿拉伯国家联盟总部的演讲（全文）[EB/OL]. (2016-01-22). http://www.xinhuanet.com/world/2016-01/22/c_1117855467.htm.

席国乍得、"非洲发展新伙伴计划"主席国塞内加尔等一些具有代表性的发展中国家与会,成为二十国集团历史上参与的发展中国家最多、代表性最强的一次峰会。中国向国际社会传递出这样的信号:二十国集团不仅属于这 20 个国家,还属于全世界;关注的不仅是自身福祉,更是全人类的共同发展。2017 年 1 月 17 日,习近平在达沃斯世界经济论坛 2017 年年会开幕式主旨演讲中指出:"我们要坚定不移发展全球自由贸易和投资,在开放中推动贸易和投资自由化便利化,旗帜鲜明反对保护主义。……不断提升发展的内外联动性,在实现自身发展的同时更多惠及其他国家和人民。"[①] 这一理念是基于对人类共同利益和共同愿景的认识,体现了中国对广大发展中国家发展的关注,体现了中国对经济全球化和全球自由贸易的维护,体现了中国推动世界可持续发展和国际公平正义的责任和道义。

国际秩序和国际体系的发展和完善关系到世界的和平与发展,关系到人类的未来和世界人民的共同福祉。中国近年来积极参与国际多边体系的重要努力,就是要在国际规则制定中发出更多的中国声音,维护和拓展中国的发展利益,携手各国构建公平公正合理的国际体系,推动世界更为有效地应对各种全球性问题,提升新兴大国和发展中国家在国际制度安排中的地位,最终推动国际秩序和国际体系向更加公正、合理的方向发展。

三、中国特色大国外交的实质和内涵

2013 年以来,中国发展速度明显加快,力度也明显加大,对世界经济发展的贡献越来越大,取得了举世瞩目的成就,2017 年 10 月召开的中共十九大更是规划了中国未来 30 年的发展蓝图。中国在经济发展方面的强劲表现和国际影响力的不断提升也让中国外交呈现出了明显的变化,更加关注周边稳定和发展中国

[①] 习近平. 共担时代责任 共促全球发展——在世界经济论坛 2017 年年会开幕式上的主旨演讲(2017 年 1 月 17 日,达沃斯)[N]. 人民日报,2017 - 01 - 18.

家地位提升问题,更加关注国际政治经济秩序的修正和全球化国际治理问题等。具体来看,中国特色大国外交的实质和内涵主要表现在以下几个方面:

(一)构建新型大国关系是中国特色大国外交的重要支撑

当今世界有 200 多个国家和地区,有大国和小国、强国和弱国、富国和穷国之分,国家之间千差万别,它们都是国际政治经济格局中的重要组成部分,依据联合国宪章的精神都是平等的,但客观而言,因实力的差距和对世界经济发展贡献大小的不同,大国的地位和作用是毋庸置疑的。中国的和平崛起梦想能否实现,关键也要取决于大国关系的基本稳定。例如,在处理中美关系这一当今世界最重要的一对双边关系的问题上,中国反对西方"修昔底德陷阱"的过时观念,明确提出构建"不冲突不对抗、相互尊重、合作共赢"的中美新型大国关系,但是因为中美政治理念的根本差异在很多问题上的分歧比较大,特别是特朗普上台后中美关系出现了一系列严重的挫折和麻烦。对此,习近平在 2016 年 11 月 9 日电贺特朗普当选美国总统时指出:中美两国在维护世界和平稳定、促进全球发展繁荣方面肩负着特殊的重要责任,拥有广泛的共同利益。发展长期健康稳定的中美关系,符合两国人民根本利益,也是国际社会普遍期待。期待中美秉持不冲突不对抗、相互尊重、合作共赢的原则,拓展两国在双边、地区、全球层面各领域合作,以建设性方式管控分歧,推动中美关系在新的起点上取得更大进展,更好造福两国人民和各国人民。[①] 再如,中俄关系对于中国也非常重要,习近平就任国家主席后的首次出访便选择了俄罗斯,近年来中俄高层互访也日益频繁,中俄两国在全球治理的几乎所有问题上都相互帮助、相互支持、高度一致,中国秉持"结伴而不结盟"的原则以及"不选边站队"的姿态,不仅深化了与俄方在能源、高铁、航天航空等大项目合作中的互利合作,还通过不断深化的战略互信推动了国际格局的战略平衡及大国关系的基本稳定,两国关系达到了历史上空前的高

---

① 新华社. 习近平致电祝贺特朗普当选美国总统[EB/OL]. (2016 - 11 - 09). http://cpc.people.com.cn/n1/2016/1109/c64094 - 28848778.html.

度，成为当今世界大国关系的典范。此外，中欧关系、中国同金砖国家的伙伴关系、中国同其他各大国关系也得到了更为均衡的发展。

（二）周边外交优先是中国特色大国外交的重要依靠

中国外交的基本出发点是稳定周边、立足周边、走向世界，周边是基础，只有周边稳定了，中国才有基本的安全感，才能集中精力做好自己国内的事情，也才有可能向世界更远的地区伸展力量，在全球治理中发挥更大的作用。同时，与世界主要大国的合作与竞争也都离不开中国周边国家的支持。因此，处理好与周边其他国家的关系对中国的发展是至关重要的。

2013年10月底，中央召开了中华人民共和国成立以来的首次周边工作会议，习近平在会上发表重要讲话，对周边外交工作进行了全面的规划和部署，他明确强调：做好周边外交工作，是实现"两个一百年"奋斗目标、实现中华民族伟大复兴的中国梦的需要。无论从地理方位、自然环境还是相互关系看，周边对我国都具有极为重要的战略意义。思考周边问题、开展周边外交要有立体、多元、跨越时空的视角。我国的周边环境发生了很大变化，我国同周边国家的经贸联系更加紧密、互动空前密切。这客观上要求我们的周边外交战略和工作必须与时俱进、更加主动。①"远亲不如近邻"，习近平的讲话说明党中央对当前的中国周边关系高度重视，视中国与周边国家关系的稳定为中国外交的基石，为中国外交的发展指明了努力的方向。

习近平提出了我国周边外交的基本方针，就是坚持与邻为善、以邻为伴，坚持睦邻、安邻、富邻，突出体现亲、诚、惠、容的理念。要坚持睦邻友好，守望相助；讲平等、重感情；常见面，多走动；多做得人心、暖人心的事，使周边国家对我们更友善、更亲近、更认同、更支持，增强亲和力、感召力、影响力。要诚心诚意对待周边国家，争取更多朋友和伙伴。要本着互惠互利的原则同周边国

---

① 钱彤. 习近平在周边外交工作座谈会上发表重要讲话[EB/OL]. (2013-10-25). http://politics.people.com.cn/n/2013/1025/c1024-23332318.html.

家开展合作，编织更加紧密的共同利益网络，把双方利益融合提升到更高水平，让周边国家得益于我国发展，使我国也从周边国家共同发展中获得裨益和助力。要倡导包容的思想，强调亚太之大容得下大家共同发展，以更加开放的胸襟和更加积极的态度促进地区合作。这些理念，首先我们自己要身体力行，使之成为地区国家遵循和秉持的共同理念和行为准则。[1] "亲、诚、惠、容"这 4 个字其实是中国在政治、经济和文化方面处理周边关系的基本政策的高度浓缩和概括，即淡化政治制度和意识形态方面的分歧，更亲切更真诚对待周边国家，在经济上给周边国家更多的优惠，在文化上对周边国家更多地包容，以打造中国良好稳定的周边态势，中国可以集中精力进行国内的发展。

习近平在讲话中还提出了中国发展同周边国家关系的具体举措，着力深化互利共赢格局。要统筹经济、贸易、科技、金融等方面资源，利用好比较优势，找准深化同周边国家互利合作的战略契合点，积极参与区域经济合作。要同有关国家共同努力，加快基础设施互联互通，建设好丝绸之路经济带、21 世纪海上丝绸之路。要以周边为基础加快实施自由贸易区战略，扩大贸易、投资合作空间，构建区域经济一体化新格局。要不断深化区域金融合作，积极筹建亚洲基础设施投资银行，完善区域金融安全网络。要加快沿边地区开放，深化沿边省区同周边国家的互利合作。[2] 近年来，中国—东盟自贸区建设稳步推进，澜沧江—湄公河合作机制正式启动，上海合作组织的合作继续深化拓展，中国同中亚国家实现了战略伙伴关系的全覆盖，同南亚国家关系得到全面增强。

亲不亲，关键在民心。习近平强调要全方位推进人文交流，深入开展旅游、科教、地方合作等友好交往，广交朋友，广结善缘；要对外介绍好我国的内外方针政策，讲好中国故事，传播好中国声音，把中国梦同周边各国人民过上美好生

---

[1] 钱彤. 习近平在周边外交工作座谈会上发表重要讲话[EB/OL]. (2013-10-25). http://politics.people.com.cn/n/2013-10-25/c1024-23332318.html.
[2] 钱彤. 习近平在周边外交工作座谈会上发表重要讲话[EB/OL]. (2013-10-25). http://politics.people.com.cn/n/2013-10-25/c1024-23332318.html.

活的愿望、同地区发展前景对接起来,让命运共同体意识在周边国家落地生根;等等。这些都显示出党中央对周边工作的高度重视。

(三)重视"一带一路"建设对发展中国家作用是中国特色大国外交的重要内容

"一带一路"建设是提升中国对外开放水平、拓展中国影响空间,促进沿线各国互利共赢、共同发展的重大举措,是党的十八大以来中国外交理论与实践创新的重要成果。自 2013 年提出"一带一路"倡议以来,中国现已同沿线 40 多个国家和国际组织签署相关合作协议,迄今已有 100 多个国家及国际组织表达了积极支持和参与的态度,越来越显示出"一带一路"倡议重要的战略意义和世界影响。在当前世界经济持续低迷,各种形式的反全球化、逆全球化思潮甚嚣尘上之时,"一带一路"建设的稳步推进不但有助于各国的经济发展,也对维护世界政治经济格局的稳定、提升世界各国对抗贸易保护主义的信心具有重要作用。

"一带一路"沿线国家绝大多数是发展中国家,借助发展中国家的外交支持,中国能够更为有效地缓解某些西方大国及个别周边国家基于中国发展模式的不信任而在战略和安全层面对中国进行的防范与遏制,从而改善和优化中国面临的国际环境。习近平就任国家主席后的首次出访就包括非洲三国,表明党的十八大后党中央从一开始就高度重视包括非洲在内的发展中国家的重要地位。2014 年中国提出推动非洲的"三网一化"建设,2015 年中国政府在中非合作论坛约翰内斯堡峰会上进一步提出推动非洲发展和中非"十大合作计划",即中非工业化、农业现代化、基础设施、金融、绿色发展、贸易和投资便利化、减贫惠民、公共卫生、人文、和平与安全合作计划[①]。中国同样重视发展与中东国家的关系,2016 年年初习近平在阿盟总部发表《共同开创中阿关系的美好未来》演讲时指出,中国在中东不找代理人,而是劝和促谈;不搞势力范围,而是推动大家一起加入"一带一路"朋友圈;不谋求填补"真空",而是编织互

---

① 王新俊.中国与非盟签署推动非洲"三网一化"建设谅解备忘录[EB/OL].(2015-01-28).http://news.cri.cn/gb/42071/2015/01/28/6891s4856170.htm;《经济参考报》.中非"十大合作计划"促非洲转型发展[EB/OL].(2015-12-07).http://world.huanqiu.com/hot/2015-12/8116626.html.

利共赢的合作伙伴网络①。

中国需要秉持"正确义利观",继续在国际上为发展中国家伸张正义,维护发展中国家的整体权益,提升发展中国家的整体国际影响力。中国也需要继续增进与发展中国家的互利合作与共同发展,在推动发展中国家实现共同发展的同时,提升新兴大国和发展中国家在世界发展领域的话语权。

(四)积极参与全球治理是中国特色大国外交的重要趋势

党的十八大以来,全球治理成了中国外交的重要舞台。中国在推动世界减贫、应对全球气候变化、参与联合国维和行动,以及解决地区热点和难点问题上贡献了越来越多的力量,提供了越来越多带有中国理念的公共产品。

中国是联合国安理会五常中派出维和人员最多的国家,也是联合国维和行动的第二大出资国。中国在 2015 年进一步宣布设立总额为 10 亿美元的中国—联合国和平与发展基金,承诺加入联合国维和能力待命机制并组建 8 000 人维和待命部队。中国还致力于推动当前重大国际机制的改革和完善,积极呼吁增加发展中国家在世界银行和国际货币基金组织等重大国际机制中的代表权与话语权,同时发起组建了一系列以发展中国家为主体,以共商、共建、共有、共享为特点的国际组织及合作机制。如:继续深化上合组织的合作、推动中国—东盟自贸区建设、拓展中非合作论坛机制和中阿合作论坛机制、推动中海(海湾国家)自贸区谈判、重启亚太自贸区建设、与拉美国家搭建中拉合作论坛机制,实现了多边机制在发展中国家的全覆盖。中国倡导创立亚洲基础设施投资银行和金砖国家新开发银行,更是开创了发展中国家组建多边金融机构的先河。

中国特色大国外交借助于"一带一路"建设的不断成功拓展及"人类命运共同体"理念越来越被世界所理解和认同,不断呈现出中国独特的外交魅力和智

---

① 新华社. 习近平在阿拉伯国家联盟总部的演讲(全文)[EB/OL]. (2016 - 01 - 22). http://www.xinhuanet.com/world/2016 - 01/22/c_1117855467.htm.

慧，在给世界各国带来了经济福利并在发展模式上贡献了中国智慧和中国方案的同时，中国的朋友也越来越多，对中国面临的外部压力带来的缓冲作用也越来越明显。

当下中国东部方向的东海、南海、台湾地区恰好是美国等少数西方国家力图遏制中国发展的重要区域，一系列长期存在的棘手热点、难点问题如果处理不好很可能会激化直至演变成冲突，如何打破封锁、冲出海洋、走向世界，已经成为中国崛起必须突破的重大难题。中国需继续坚持现有的外交新思路，兼顾和西方大国关系以及与发展中国家关系之间的平衡，努力在拓展自身的国际影响力和修正不公正的国际政治经济秩序、推动全球化等方面有所作为。

中国不断推动国际机制的创新和完善，已经由国际体系的"参与者"和"跟跑者"成为国际体系的"塑造者"和"领跑者"，在全球治理体系中的话语权和影响力不断提升，和以往相比，这是中国外交理念的重大突破。

四、"人类命运共同体"理念未来践行的趋势和影响

关于什么是"人类命运共同体"，为什么要构建"人类命运共同体"，怎么样才能构建"人类命运共同体"，国内外还存在着一些模糊认识和困惑心态，只有使各国政府和人民达成广泛共识，才能推动全球治理体系朝着更加公正合理的方向转型。

董俊山在其《构建人类命运共同体的困惑与破解》一文中对国内外针对"人类命运共同体"构建的顾虑作了系统的归纳，主要有以下几点：一是国家利益的阻碍，认为国与国之间的关系，利益是永恒的，友好是暂时的，每个国家外交决策和选择都是以国家利益为转移的，构建"人类命运共同体"从历史与现实的角度看是困难的。二是国家实力的阻碍，认为人类社会遵循的是丛林法则，各国之间的冲突和矛盾只能靠实力说话，现在任何一个国家都没有足够的实力和能力影响世界各国对外关系发展。三是意识形态的阻碍，认为冷战结束了，但各国间特别是大国间意识形态对立和斗争仍然十分尖锐，民族国家的思维模式、宗教信

仰、文化传统、历史发展各不相同,这种意识形态的撕裂短期内无法减少、消除与弥合。四是治理能力的阻碍,认为全世界没有统一的具有最高权威的立法机构和执法体系,即使某些国家达成了默契和一致的解决方案,也难以让所有国家自觉自愿、不折不扣地信守执行,最终可能停留在口头上和纸面上。五是历史因素的阻碍,认为许多国家之间在历史交往中积累了错综复杂的恩怨,深层次民族矛盾和利益冲突一时难以化解,种族纠纷、教派之争、权力内斗都对建设"人类命运共同体"造成严重威胁。①

另外,近两年来新出现的以极右民粹主义、无政府主义为代表的逆全球化现象确实对世界政治经济格局的稳定产生了严重的负面影响,地区冲突不断,不少国家对"人类命运共同体"构建前景信心不足在所难免,更需要中国以和平稳定的力量,推动世界朝着正确的方向发展。

(一)推行"人类命运共同体"理念,不仅有助于克服和解决当今日趋严重的全球性问题,而且有助于推动世界各国共同繁荣发展和文明进步

如今,人类社会即将进入21世纪第三个10年,中国作为世界第二大经济体开始走向国际舞台中央,随着互联网、大数据、云计算等迅猛发展带动着世界范围新一轮科技革命和产业革命,强力推动传统国际关系向现代全球治理转变,着手构建以合作共赢的"人类命运共同体"为核心的新型国际关系日益成为世界各国政府和人民的共同追求与必然选择。

尽管当今世界的确还存在贸易霸凌单边主义、民粹主义等逆全球化现象,但世界已经进入全球化时代且世界各国已经共处于相互依存、休戚与共的国际社会大家庭并具有追求和平繁荣发展的共同利益诉求,这也是不争的事实。中国提出的"人类命运共同体"理念为全球治理提供了中国智慧和中国方案,不同国家、不同民族、不同文化的政府应该排除各种障碍,采取一致行动,形成共同应对挑

---

① 董俊山. 构建人类命运共同体的困惑与破解[EB/OL]. (2017-05-15). http://theory.people.com.cn/n1/2017/0515/c40531-29276938.html.

战的共识，这样"人类命运共同体"的世界大同美好图景才有可能实现。

"人类命运共同体"的构建，体现了中国作为世界负责任大国的历史担当，代表了中华民族对人类美好未来前景的宏伟构想，是当今世界最公正合理的国际关系、国际秩序理念，必将得到越来越多国家的认可与接受。

（二）构建"人类命运共同体"，就是要维护联合国宪章宗旨和原则，反对零和博弈，坚持和平发展、合作共赢的基本原则

全球治理规则要变得更加公正合理，离不开对人类各种优秀文明成果的吸收。弱肉强食、丛林法则不是人类共存之道，穷兵黩武、强权独霸不是人类和平之策，赢者通吃、零和博弈不是人类发展之路。和平而不是战争，合作而不是对抗，共赢而不是零和，才是人类社会和平、进步、发展的永恒主题。

第一，应坚持以和平发展为主题，确立人类和平发展理念，坚持走和平发展道路，坚决反对使用或威胁使用武力，既坚定维护国家主权和正当权益，又坚持通过对话协商以和平方式处理国际争端，妥善处理发展与生态环境的关系，实现各国和平发展、均衡发展、绿色发展、可持续发展，满足各国人民加快经济发展、提升生活水平的强烈愿望。第二，应坚持以合作共赢为核心，摒弃零和游戏、你输我赢的旧思维，树立双赢、共赢的新理念，在竞争中合作，在合作中共赢。平等相待、互商互谅，反对干涉别国内政，在追求自身利益时兼顾他方利益，在寻求自身发展时促进共同发展，走"对话而不对抗，结伴而不结盟"的国与国交往新路。第三，应坚持和平、发展、公平、正义、民主、自由等全人类共同价值，求同存异、和而不同、聚而不同。各国和各国人民共同享受发展成果，国家不分大小、强弱、贫富，一律平等。在维护和拓展各自正当国家利益的同时，既承认人类共同利益是客观存在，又承认各国国情的复杂性、多样性，接受各国利益的差别性不平衡性，在解决矛盾冲突时服从服务于人类共同利益，为推动人类社会发展进步做出应有贡献。第四，应坚持以共同安全为基石，牢固树立共同、综合、合作、可持续安全的新观念，增进各国互信与协作，明确"一荣俱荣、一损俱损"的观念，采取共同行动，应对传统和非传统安全威胁，应对安全

难题，化解危机挑战，走共建、共享、共赢的安全之路。第五，应反对"文明冲突论"或"文明优越论"，坚持以交流互鉴为桥梁，尊重不同地理区域、历史文化、社会制度、经济规模、发展阶段的国家的文明特质，传播"人类命运共同体"的核心理念和核心利益，实现不同文明共同繁荣发展，增强人民友好往来，推动人类社会进步。①

正如习近平指出的：丰富多彩的人类文明都有自己存在的价值。要理性处理本国文明与其他文明的差异，认识到每一个国家和民族的文明都是独特的。不要看到别人的文明与自己的文明有不同，就感到不顺眼，就要千方百计去改造、去同化，甚至企图以自己的文明取而代之。不同国家、民族的思想文化各有千秋，只有姹紫嫣红之别，而无高低优劣之分。②

由上述可见，中国的"人类命运共同体"理念是人类社会迄今为止最注重公平公正、相互尊重、共享共赢和包容性的理念，必将得到世界各国的拥护和支持。

（三）构建"人类命运共同体"适应时代发展的必然要求，符合历史演变的内在逻辑，是人类创造新型文明的重要阶梯

今天，全球化浪潮席卷世界每个国家、人类每个领域、地球每个角落，经济全球化、市场全球化、信息全球化、创新全球化、人才全球化、网络全球化立体展开、全面推进。诚如习近平所言："当今世界，相互联系、相互依存是大潮流。随着商品、资金、信息、人才的高度流动，无论近邻还是远交，无论大国还是小国，无论发达国家还是发展中国家，正日益形成利益交融、安危与共的利益共同体和命运共同体。"③ 也就是说，人类社会必将进入全球化，任何国家或国家集

---

① 董俊山. 构建人类命运共同体的困惑与破解[EB/OL]. (2017-05-15). http://theory.people.com.cn/n1/2017/0515/c40531-29276938.html.
② 杨依军，梁淋淋. 习近平主席妙语论文明[EB/OL]. (2014-09-24). http://news.cntv.cn/2014/09/24/ARTI1411570313712721.shtml.
③ 习近平. 共倡开放包容 共促和平发展——在伦敦金融城市长晚宴上的演讲（2015年10月21日，伦敦）[N]. 人民日报，2015-10-23.

团、任何国际势力、组织和个人都不能阻止人类社会浩浩荡荡的全球化进程。

但是，随着时代发展，工业革命形成的国际关系模式和全球治理体系已经不能适应时代的需要，在面对全球性的重大金融危机和贸易保护主义等逆全球化现象挑战与冲击时明显反应迟缓滞后、应对乏力。对此，习近平一针见血地指出："世界潮流，浩浩荡荡，顺之则昌，逆之则亡。要跟上时代前进步伐，就不能身体进入21世纪，而脑袋还停留在过去，停留在殖民扩张的旧时代里，停留在冷战思维、零和博弈老框框内。"① 因此，国际社会要求淘汰不符合现代文明要求的国际政治观念、变革全球治理体系的呼声越来越高，共同应对全球性问题挑战并构建"人类命运共同体"的意识已经在国际社会得到了广泛的认同。

（四）构建"人类命运共同体"，是人类社会一项长期、复杂而又艰巨的历史过程，绝非一蹴而就、一步到位

当前人类社会面临诸多难题和挑战，国际金融危机深层次影响继续显现，形形色色的保护主义明显升温，地区热点此起彼伏，霸权主义、强权政治和新干涉主义有所上升，传统安全领域威胁和非传统安全领域威胁相互交织，对国际秩序和人类生存都构成了严峻挑战，维护世界和平、促进共同发展依然任重道远。不过，世界各国既然已处于一个命运共同体之中，你中有我、我中有你，一荣俱荣、一损俱损，休戚与共、唇齿相依，那么，全球性挑战就自然需要各国合作来共同应对，全球治理不但需要大小国家共同参与，更是世界主要大国应承担的全球责任和国际义务。只有国际社会携手共同努力，"人类命运共同体"构建才可能实现。

联合国是当代世界最具普遍性、代表性、权威性的国际组织。20世纪90年代，联合国支持成立了由28位国际知名人士组成的"全球治理委员会"，推动全球治理概念得到国际社会广泛接受。2013年6月，习近平在会见时任联合国秘

---

① 习近平. 顺应时代前进潮流　促进世界和平发展——在莫斯科国际关系学院的演讲（2013年3月23日，莫斯科）[N]. 人民日报，2013-03-24.

书长潘基文时指出，联合国承载着各国人民的期望，肩负着诸多重大使命，当今世界正在发生深刻复杂变化，解决全球性难题和挑战，需要联合国广大会员国携手努力。联合国要抓住和平与发展的主题，高举公平正义的旗帜，讲公道话，办公道事。零和思维已经过时，我们必须走出一条和衷共济、合作共赢的新路子。① 2015 年，联合国大会通过以维护二战成果和战后国际秩序为主旨的纪念世界反法西斯战争胜利 70 周年决议，安理会一致通过打击恐怖主义的决议，巴黎气候变化大会达成有约束力的 2020 年后气候变化协议，伊朗核问题取得历史性突破等，事实证明，当前全球治理已经取得了重要进展。

中国作为世界最大的发展中国家，坚决维护以联合国宪章宗旨和原则为核心的国际秩序，积极参与制定海洋、网络、气候变化等领域治理规则，推动改革不公正不合理的全球治理体系，为维护国际公平正义、构建全球治理新格局做出了积极的贡献。2015 年 12 月 31 日，习近平在新年贺词中说："世界那么大，问题那么多，国际社会期待听到中国声音、看到中国方案，中国不能缺席。"② 这说明，世界需要听到中国的声音，中国也已经做好了充分的准备为全球治理贡献更多的中国智慧。

在全球治理体系变革和全球规则制定方面，中国应发挥主导作用，提供创新思路和新方案。中国坚持走和平发展道路，欢迎各国搭乘中国"快车"，共享中国发展机遇、发展成果，中国倡导的"人类命运共同体"一定会为构建全球治理新格局做出更大贡献。

---

① 吴乐珺. 习近平会见联合国秘书长潘基文[EB/OL]. (2013 - 06 - 19). http://politics.people.com.cn/n/2013/0619/c1024 - 21900385.html.
② 曾伟. 习近平新年贺词："获得感"温暖有力 "坚持梦想"催人奋进[EB/OL]. (2015 - 12 - 31). http://politics.people.com.cn/n1/2015/1231/c1001 - 28001757.html.

第三章

"人类命运共同体"的政治学和经济学思考

"人类命运共同体"提出的一些重要理念，如互利合作、共存共荣共赢、义利统一等，对人类以往的政治学、经济学理论是一种崭新的补充，在如何处理国家间关系的问题上更是一种超越。如强弱实力有差距的国家间只要互相尊重、互利合作也能构建命运共同体，这是对马克思所说的实力差异导致国家间冲突理论的创新和发展。又如现实主义理论大师摩根索曾经提出了著名的权力政治论，认为任何国家的发展都是为了谋求强权最终必然导致与他国的利益摩擦和冲突，这是现代国家间关系无法摆脱的历史宿命，但中国提出的"人类命运共同体"构想却打破了这个怪圈，中国以自己的发展实践向世界各国证明，大国的崛起并不是都会威胁他国，也可以是和平的崛起，中国不但不会追求霸权，而且会造福于整个世界。还如"人类命运共同体"理念突破了现实主义的零和博弈论，认为经济全球化的世界，各国是一荣俱荣、一损俱损的，并非如西方学者所言，你之所得即为我之所失，世界各国完全可以成为利益共享、合作共赢的命运共同体。

另外，西方学者一直强调和担忧的所谓的中美关系"修昔底德陷阱"和"金德尔伯格陷阱"问题，"人类命运共同体"理念否定了"修昔底德陷阱"论所认为的新旧大国必有冲突的观点，相反认为，只要彼此尊重、互相合作，新旧大国之间是一定能和平共处的，而中国近年来在国际社会中承担了越来越多的国际责任，对世界政治经济的稳定和对全球化的推动作用越来越重要，更证明"金德尔伯格陷阱"问题的不存在。

一、"人类命运共同体"的政治学意义

政治学有一个非常漫长的发展历史，无论是以古希腊的修昔底德的"新旧大国冲突说"、欧洲中世纪晚期的马基雅弗利的"君主论"、霍布斯"自然状态说"、卢梭的国际关系"强者法则"、康德的"永久和平论"、克劳塞维茨的"国际冲突思想"、黑格尔的"历史及国家理论"、霍布森的"帝国主义理论"以及马克思的"阶级斗争理论"等为代表的早期政治学说，还是以汉斯·摩根索、卡尔、沃尔兹、吉尔平、基辛格等人为代表的现实主义学说，权力政治和权力引发的国家间冲突问题都是研究的核心和出发点。它们的结论也都基本相似，即国家保护自己的唯一方式就是不断追求权力，国家的强大必然伴随着不断的扩张以及对权力无休止的欲望，势必与其他国家的利益产生直接冲突，因此，世界的战争和冲突是无法避免的。而中国提出的"人类命运共同体"理念从根本上突破和解决了上述学说无法克服的关于权力的难题：中国作为一个世界大国历史上第一次提出了绝不称霸、绝不追求强权、绝不走西方国家殖民老路的和平崛起理念，而且中国不但不追求权力，还愿意主动让渡出一部分权力，带动世界上更多国家一起发展。人类社会几千年的历史走到今天，权力第一次和国家的发展脱钩，这是对以往所有政治学说的重大超越。

（一）是对汉斯·摩根索"权力政治论"的修正

汉斯·摩根索是美国芝加哥大学的著名政治学教授，被称为现代西方现实主义国际政治理论的奠基人，在他之后的现实主义理论虽然又经历了诸多发展和创新，出现了结构现实主义、新现实主义等众多新的流派，但摩根索作为经典现实

主义大师仍然是无法被轻易超越的，他提出的现实主义六个原则和权力政治论观点仍然是当下世界范围内国际政治研究的核心与基本出发点。诚如美国著名学者斯坦利·霍夫曼所言："如果说国际政治学真的有什么缔造者的话，摩根索是当之无愧的一个。"①

摩根索在其代表性巨著《国际纵横策论——争强权，求和平》中指出，国际政治，像所有政治那样，是争取强权的斗争。不管国际政治的终极目的是什么，强权总是其直接目的。政治家和各民族只要力图运用国际政治手段实现自己的目标，那就是通过谋求强权来实现。因此，国际政治必然是强权政治。②他这部55万多字的巨著中，从头到尾都是关于权力问题的表述，如：政治现实主义的六个原则；国际政治即争强权；国家强权的本质是控制他国行动的能力；限制一国强权的因素是均势、国际道德与世界舆论、国际法；通过裁军与和解求得世界和平；外交具有重要作用；等等。

王逸舟对摩根索丰富的权力政治论理论体系进行了细致系统的观察、分析和研究，并做了全面的总结和概括。他认为，摩根索的权力政治论的核心观点是政治的本质是一种利益的冲突，国家间政治就是争夺权力和财富的斗争，国际关系里的所有政治问题都可归结为权力问题，国际政治必然是权力政治，由于各国以不同形式争夺权力，国际关系充满了竞争、冲突和战争的阴影，解决权力竞争造成的国际冲突或不稳定局面的最有效办法是权力均衡政策；所有国家都有一种把自己国家的模式推广到更大范围的冲动，很少有国家能够抵制这种冲动，但是某个国家的道德可能适用于特定的国家，但并不一定适合于更大的范围。③

中国提出的"人类命运共同体"理念主要从以下两个方面修正了摩根索的观

---

① Stanley Hoffmann. An American Social Science：International Relations[M]//James Der Derian. International Theory, Critical Investigations. New York：New York University Press, 1995：216.
② 汉斯·摩根索. 国际纵横策论：争强权求和平[M]. 卢明华，等译. 上海：上海译文出版社，1995：36、43.
③ 王逸舟. 西方国际政治学：历史与理论[M]. 上海：上海人民出版社，1998：74-76.

点：一是，国家间关系并不一定是你死我活的权力斗争，可以和平共处、共同发展，"修昔底德陷阱"就是个伪命题，世界各国完全可以建立互相尊重、合作共赢的政治经济命运共同体。国际社会要合作不要对抗，要建立起平等相待、互商互谅的伙伴关系，营造公道正义、共建共享的安全格局。世界各国一荣俱荣、一损俱损，是一个命运共同体，在追求本国利益时必须兼顾他国合理关切，唯有此才能实现互利共赢和双赢。世界各国要实现互利共赢就必须加强合作、增进交流，在谋求本国发展中促进各国共同发展，"以邻为壑"的零和博弈的冷战思维只会让世界经济充满各种矛盾和纷争。世界各国既然在一个命运共同体之中，就应休戚与共、同舟共济，平等享有权利，共同承担国际责任和义务，建立更加平等均衡的新型国际关系和更加公正合理的国际政治经济秩序。二是，还可以建立文化和文明的命运共同体，应尊重世界各国、各民族文明的多样性，不要强行对外输出自己的模式和输入别国的模式。文明交流和而不同、兼收并蓄。不同国家、不同文明、不同宗教、不同族群之间应该在理解和尊重彼此差异的基础上进行对话和互动，避免因价值观不同而导致的冲突。① 西方一些学者提出的文明冲突的问题已经不适应当下的国际政治现实，只会引发国家间的紧张关系，只有摒弃文化霸权思想，才能构建真正和谐的国家间关系和族群关系。

中国所提出的"人类命运共同体"理念深刻洞察当下世界各国紧密相互依存的现实，看到了联合国为代表的国际组织在制约权力被滥用方面所发挥的积极作用。尽管当下的国际政治经济秩序还存在一些不公正不合理的地方，但是以中国和俄罗斯为代表的世界多极化力量越来越强大，所以今后国际政治经济发展的趋势不再是以追求权力为主，而是以追求合作为主。"人类命运共同体"理念代表了世界政治经济未来发展的方向。

（二）是对"修昔底德陷阱"的突破，批驳了西方零和博弈的冷战思维

中国所提出的"人类命运共同体"理念有效突破了"修昔底德陷阱"的历史

---

① 张红. 从"人类命运共同体"到"一带一路"[J]. 领导之友，2017（18）.

宿命，严正驳斥了西方零和博弈的冷战思维。

以中美关系为例。2013年6月8日，习近平在同美国总统奥巴马的"庄园会晤"时，用一句话对中美新型大国关系做了概括：不冲突、不对抗、相互尊重、合作共赢。王缉思等学者认为，"不冲突、不对抗"就是要客观看待彼此的战略意图，坚持做伙伴，不做对手；通过对话合作而非对抗冲突的方式，妥善处理矛盾和分歧；而相互尊重就是要尊重各自选择的社会制度和发展道路，尊重彼此核心利益和重大关切，求同存异，包容互鉴，共同进步；合作共赢就是要摒弃零和思维，在追求自身利益时兼顾对方利益，在寻求自身发展时促进共同发展，不断深化利益交融格局[①]。

习近平的表述准确反映了中国对美国、对自身、对国际关系、对历史经验的认知已经发生了重大变化，这些变化不仅深刻影响到了中国的外交决策，也对世界政治经济格局的稳定产生了深远的影响。这主要表现在以下三个层面：

首先，中国不认为中美之间的差异、矛盾和分歧是先天不可调和的，而是认为通过双方的共同努力，以合作促共同发展，不用对抗的方式解决矛盾分歧，中美完全可以在现实中和平共处。2013年9月20日，外交部部长王毅访美期间在美知名智库布鲁金斯学会发表《如何构建中美新型大国关系》演讲，阐发了习近平关于构建中美新型大国关系的内涵。王毅说，不冲突不对抗，是构建中美新型大国关系的必要前提，就是要顺应全球化潮流，改变对中美关系的负面预期，解决两国之间的战略互不信，构建对中美关系前景的正面信心。相互尊重，是构建中美新型大国关系的基本原则。只有相互尊重对方人民选择的制度与道路，相互尊重彼此的核心利益与关切，才能求同存异，进而聚同化异，实现两国的和谐相处。合作共赢，是构建中美新型大国关系的必由之路。中美只有始终坚持合作，不断加强合作，才能实现共赢，而这个共赢，不仅是中美的共赢，还应当是世界

---

① 王缉思，仵胜奇. 中美对新型大国关系的认知差异及中国对美政策[J]. 当代世界，2014（10）.

各国的共赢。① 2015年10月，习近平在英国伦敦金融城市长晚宴上发表演讲时进一步指出：当今世界，开放包容、多元互鉴是主基调，相互联系、相互依存是大潮流，和平、发展、合作、共赢是主旋律。各国应该彼此和谐相处、平等相待、互尊互鉴、相互学习。冷战思维、阵营对抗已不符合时代要求。世界各国需要以负责任的精神同舟共济、协调行动。② 从以上来看，中国对如何处理中美关系的立场非常鲜明，强调中美双方应加强高层互访和战略沟通，促进务实合作和增加政治互信，妥善处理矛盾和管控分歧。

其次，中国认为美国用历史经验和冷战旧思维及零和博弈的僵硬思维来看待中国的崛起，是对中国的误读，中国崛起的终极目标绝不是要威胁他国和称霸世界，"修昔底德陷阱"对于中国而言是个伪命题。2013年1月和3月，习近平分别在北京和莫斯科的重要讲话中明确指出："纵观世界历史，依靠武力对外侵略扩张最终都是要失败的，这就是历史规律"③；"旧的殖民体系土崩瓦解，冷战时期的集团对抗不复存在，任何国家或国家集团都再也无法单独主宰世界事务。……国际力量对比继续朝着有利于世界和平与发展的方向发展。这个世界，各国相互联系、相互依存的程度空前加深，人类生活在同一个地球村里，生活在历史和现实交汇的同一个时空里，越来越成为你中有我、我中有你的命运共同体"④。2014年5月，习近平在亚信第四次峰会作主旨讲话时指出："'明者因时而变，知者随事而制。'形势在发展，时代在进步。要跟上时代前进步伐，就不

---

① 中国新闻网. 王毅在美国布鲁金斯学会就中美关系发表演讲（全文）[EB/OL]. (2013-09-21). http://www.chinanews.com/gn/2013/09-21/5304030.shtml.
② 习近平. 共倡开放包容 共促和平发展——在伦敦金融城市长晚宴上的演讲（2015年10月21日，伦敦）[N]. 人民日报，2015-10-23.
③ 新华社. 习近平主持中央政治局集体学习 绝不做损人利己以邻为壑的事情 任何外国不要指望我们会拿自己核心利益做交易[N]. 人民日报（海外版），2013-01-30.
④ 习近平. 顺应时代前进潮流 促进世界和平发展——在莫斯科国际关系学院的演讲（2013年3月23日，莫斯科）[N]. 人民日报，2013-03-24.

能身体已进入21世纪,而脑袋还停留在冷战思维、零和博弈的旧时代。"① 2015年9月,习近平访美时强调,"世界上本无'修昔底德陷阱',但大国之间一再发生战略误判,就可能自己给自己造成'修昔底德陷阱'"②。同年10月,习近平在英国伦敦再次强调:"中国坚持走和平发展道路,不接受'国强必霸'的逻辑。任何人、任何事、任何理由都不能动摇中国走和平发展道路的决心和意志。"③ 也就是说,中国的立场非常坚定和明确:中美要打破"崛起国与守成国必然冲突"的历史魔咒,摒弃冷战思维与零和博弈,建立基于"务实合作和建设性处理分歧"的大国关系新模式。

最后,中国已经成为捍卫全球化多边体系的中坚力量,并对当今和平与发展的国际大背景下大国之间和平共处而非冲突挑战和对抗的前景保持乐观心态。中美应相互尊重各自社会制度和发展道路,共同致力于构建21世纪新型大国关系。

习近平多次指出,"走和平发展道路,是中国对国际社会关注中国发展走向的回应,更是中国人民对实现自身发展目标的自信和自觉。这种自信和自觉,来源于中华文明的深厚渊源,来源于对实现中国发展目标条件的认知,来源于对世界发展大势的把握"④"中国已经多次向国际社会庄严承诺,中国将坚定不移走和平发展道路,永远不称霸,永远不搞扩张。'君子一言,驷马难追。'我们说话是算数的,实践已经证明中国是说到做到的"⑤。

从以上来看,中国提出的"人类命运共同体"理念是包含层层递进的非常丰富的理论体系的,如针对中美、中俄这样的大国关系,中国的方案是,"不冲突

---

① 中国新闻网. 习近平在亚信第四次峰会作主旨讲话(全文)[EB/OL].(2014 - 05 - 21). http://www.chinanews.com/gn/2014/05 - 21/6196012.shtml.
② 习近平. 在华盛顿州当地政府和美国友好团体联合欢迎宴会上的演讲(2015年9月22日,西雅图)[N]. 人民日报,2015 - 09 - 24.
③ 习近平. 共倡开放包容 共促和平发展——在伦敦金融城市长晚宴上的演讲(2015年10月21日,伦敦)[N]. 人民日报,2015 - 10 - 23.
④ 习近平. 在德国科尔伯基金会的演讲(2014年3月28日,柏林)[N]. 人民日报,2014 - 03 - 30.
⑤ 新华社. 习近平接受金砖国家媒体联合采访[N]. 人民日报,2013 - 03 - 20.

不对抗、相互尊重、合作共赢"，"结伴而不结盟、合作共赢"；而在周边关系问题上，中国的方案则是"亲诚惠容"，"以邻为善、以邻为伴、睦邻安邻富邻"，"正确义利观"，"更多考虑对方利益，不要损人利己、以邻为壑"；从亚洲和全球角度，中国还提出了"共同、综合、合作、可持续安全"的新安全观，奉行"结伴不结盟"原则，广交朋友并与世界各国努力构建全球新型伙伴关系，与世界各国一起努力共同开创持久和平与发展繁荣的良好局面，这是对人类社会和平发展理念的重大贡献。

（三）跨越了现实主义无政府性质的樊篱

自有文明史以来，国家社会间非安全性生存之冲突、紧张局面的形成与持续化，原因是多方面的，启蒙哲学家霍布斯所谓的"自然状态"指出了其中的一个原因。霍布斯指出，当人类社会不存在最高权威时必然会出现"自然状态"，也就是充满暴力和战争的无政府状态，一种"所有人反对所有人的敌对状态"。在这种状态下，每个人都以自我为中心，任何他人都可能威胁自己，自我保护和生存成为人的首要目标，人唯一可以依据的安全，是其自身的力量，自我保护和生存的法则是自然状态中的唯一法则，最强者的权利是这一状态下的最高权利。[①] 现代国际关系中，受自然状态论的影响，"无政府状态"作为国际关系的常态，成为国家之间互不信任的重要根源，而"安全困境"只是其无法避免的逻辑后果而已（即某一国家增强自我安全的行为会不自觉地导致降低他国安全，从而使他国为了自身的安全而竭力增加自己的实力，以至卷入安全竞争的恶性循环中）。因此，霍布斯所谓的"自然状态"其实也成了现实主义理论的主要出发点和依据。

著名的进攻性现实主义大师约翰·米尔斯海默在其《大国政治的悲剧》一书中也明确提出了引发大国冲突的 5 个无法避免的命题：国际体系处于无政府状态；大国本身具备某些用于进攻的军事力量，为其彼此伤害甚至摧毁提供必要的

---

① 王逸舟. 西方国际政治学：历史与理论[M]. 上海：上海人民出版社，1998：15-16.

资本；国家永远无法把握其他国家的意图；生存是大国的首要目标；大国是理性的行为体。大国总是在寻找机会攫取超出其对手的权力，谋求最大限度地占有世界权力，最终目标是获得霸权。①

温特对国际政治的建构主义解读却和现实主义理论根本不同，他不认为国际关系的无政府性是先天的无法改变的，相反认为，国际政治的性质到底是和平还是暴力冲突是国家间后天观念互动的结果，只要国家间能够达成合作的观念共识，国际秩序是能够保持和平稳定的。在温特看来，"社会共有知识"是社会成员通过互动产生的共同观念和共同具有的理解与期望。文化结构由联合的信仰、理解、感觉、认同或者由体系成员共有的知识构成，国家体系中的文化结构建构了国家。② 在霍布斯无政府文化结构下，国家间建构的是敌人关系的集体认同，国家间的相互定位是你死我活的敌人，敌人是没有生存和自由权利的，一国的生存是以他国的死亡为前提的，这是人人为敌的典型的安全困境③；而洛克无政府文化结构下，国家间相互定位是"竞争对手"而不是敌人，国家不再以消灭对方为目的，国家之间的主要关系是竞争关系，即使有暴力，也被限定在"生存和允许生存"的国际法框架内④，这是当下国际政治现实的基本形态；康德无政府文化结构中，国家间的相互定位是"朋友"，温特说，"只有在以朋友关系界定的康德文化下，国家间才能真正建构积极的集体认同关系，实现充分持久的国际和平与安全"⑤，但是实际上，这种世界大同式的理想的国际关系模式，在当前引起国际矛盾和冲突的基本要素尚未排除的情况下，是根本无法实现的。建构主义国际体系的3种模式如表3-1所示。

---

① 约翰·米尔斯海默. 大国政治的悲剧[M]. 王义桅, 唐小松, 译. 上海: 上海人民出版社, 2014: 33-34.
② 约·拉彼德, 弗·克拉托赫维尔. 文化和认同: 国际关系回归理论[M]. 金烨, 译. 北京: 人民出版社, 2003: 72-74.
③ 何英. 美国媒体与中国形象[M]. 广州: 南方日报出版社, 2005: 220.
④ 亚历山大·温特. 国际政治的社会理论[M]. 秦亚青, 译. 上海: 上海人民出版社, 2000: 352.
⑤ 孙溯源. 集体认同与国际政治——一种文化视角[N]. 现代国际关系, 2003 (1).

表 3-1 建构主义国际体系的 3 种模式

项　目	霍布斯式国际体系	洛克式国际体系	康德式国际体系
角色认同结构	敌　人	对　手	朋　友
核心内容	敌　意	竞　争	友　谊
角色行为	自助和无限使用暴力、安全困境以及权力政治	主权、有限暴力、重视绝对收益以及军事作用弱化	非暴力和互助原则下的多元安全共同体和集体安全体系

资料来源：郭树勇. 建构主义与国际政治[M]. 北京：长征出版社，2001：110；杨广. 国际体系的形成、稳定和变化——图解温特《国际政治的社会理论》[J]. 欧洲，2002（5）.

较之于现实主义无政府国际政治的悲观理论，以及温特建构主义的后天观念文化建构国际政治的理论，中国提出的"人类命运共同体"理念则更进一步，指明了人类社会未来前进的方向。一方面，"人类命运共同体"理念一针见血地指出了当前全球化大背景下世界各国越来越紧密合作、相互依存的现实。人类社会走到近代以后，霍布斯式人人互相敌对的国际体系曾经两度将世界拉入世界大战的深渊，事实证明，敌对只能带来矛盾、冲突甚至战争，不符合当前世界各国的共同利益。在世界经济一体化、国际政治利益越来越错综复杂的今天，世界各国谁也无法完全摧毁别国而自身不受伤害，更不可能通过消灭别国获得自身发展。这就从根本上摧毁了霍布斯式"自然状态"存在的基础和前提。另一方面，今天的世界各国更多需要的不是敌对而是合作，环境、气候、贸易、恐怖主义、核扩散、军备竞赛、跨国犯罪等众多的全球性棘手难题需要世界各国和国际组织通力合作、共同解决。诚如中国所倡导的，世界已经成为一个一荣俱荣、一损俱损、谁也离不开谁的命运共同体，自私自利、损人利己、以邻为壑的行为将会遭到越来越多国家的反对，最终必伤人伤己。世界各国唯有加强合作和互相尊重，而不是互相敌对，才有可能实现"共存共荣共赢"。

（四）体现了建构主义观念对身份和利益的建构

目前学术界对于中美关系的解读陷入两难的境地。现实主义者认为，中美之间巨大的差异是无法回避的，在目前中国还不完全具备和美国全面抗衡的实力和能力的情况下，中国应该尽可能保持低调，尽力避免与美国正面冲突和直接对抗，为自身的发展赢得宝贵的时机，但近几年来中国的外交强势态度有可能导致严重的负面作用，更加激化原本就存在的美国为首的西方对中国崛起的疑虑和戒心，导致中美之间陷入更多的摩擦和冲突，最终也会影响到中国自身的发展，大大增加中国崛起的成本和难度。理想主义者则认为，中国已经成为全世界超过128个国家的最大贸易伙伴的事实说明，中国已经成为世界上最重要的力量之一，美国为首的西方根本无法阻止中国的强大，已经崛起的中国成为世界多边自由经济体系的坚定捍卫者，中美作为世界最大的两个经济体的相互依赖使得彼此的重要性大大提高，在经济发展优先的国际大背景下，历史上政治制度、意识形态、价值观、军备竞赛等因素频频诱发冲突和战争的概率大大降低。

建构主义认为，共同观念（shared ideas）而不是物质力量决定人类关系的结构，国家间的认同感和利益是通过后天有目的的观念构成的，而并非天然存在的。认同决定着利益，利益以认同为前提，国家利益源于国家的认同，行为体的行为由利益决定，利益由行为体的身份与认同界定[1]。认同进一步构建了文化、规范、利益等因素与国家行为之间相互构成的模式，认同和身份并不是固定不变的，而是一种社会的建构，一定的认同是由人性而不是由社会习俗和实践所确定的，是在社会环境中被建构起来的。社会认同反映了利益，而利益反过来推动国家的行为，并在这种认同中重新塑造国家利益。[2] 从当前的中美关系来看，"领导者和救世主"观念构建了美国的霸主身份，"极权和专制"观念构建了中国的威胁者身份。观念的差异更有可能促使中美走向误解和矛盾的边缘，陷入"修昔底德陷阱"。

---

[1] Samuel Huntington. The Erosion of American National Interest[J]. Foreign Affairs，1997，Vol. 76，Issue 5.

[2] Martha Finnemore. National Interests in International Society[M]. Ithaca：Cornell University Press，1996：2.

以中美在南海的争端为例，中美在南海问题的博弈，更多的是一种观念的差异，在国际法和对南海关键问题的阐述上存在着不同的见解与看法，导致中美彼此误解和猜疑。一方面，中美对于法理的认识存在着不同，美国更善于把本国的观念和意志特别是本国的国内法法律化形成国际认同的普世价值，甚至凌驾于国际法之上，而中国坚决反对美国的这种颐指气使、蛮横无理的做法，坚持要求各国互相平等、共同接受国际法的约束。另一方面，中美双方对于国际法的解读确实存在着差异，而对于一些根本性的概念，如南海九段线，中国应该给出明确的解释和定义，模糊性和不确定性的确容易受到国际社会的误解。这就需要深入了解中美双方的话语习惯，构建稳定的话语概念，加强中美对话研究，从而逐步减少中美之间的误解和摩擦。① 因此，在处理中美关系时，如何避免因为对话语的不同理解造成双方误解和猜疑，就显得更加重要。

"人类命运共同体"理念的提出，既看到了当下国际政治经济领域现实主义所关注的矛盾和冲突等现实问题，也保持了理想主义的乐观成分，认为国家间的合作是国际治理的根本前提和方向，更与建构主义的观念建构国家身份和利益以及国家间关系的观点有相似之处，反对用零和博弈、冷战思维、"修昔底德陷阱"等观点对当下的国际政治经济现实进行过于悲观的解读。事实证明，战后至今的国际制度安排是战后国际秩序被重新建构，并从无序逐渐走向有序的重要原因。

二、"人类命运共同体"的经济学意义

从早期的政府对经济完全放任不管的重商主义到政府对经济有限干预的凯恩斯主义，从主流的思想到中右翼和新左派，从关于生产、分配、财富的纯粹经济学到经济学和政治学的完全相互渗透与融合，从亚当·斯密、约翰·穆勒到卡尔·马克思，从保罗·萨缪尔森到保罗·克鲁格曼，当前政治经济化、经济政治化现象的深刻发展趋势已经让国际政治经济学（IPE）这门学科的研究变得越来

---

① 李阳阳. 从建构主义看中美"修昔底德陷阱"[D]. 南京：南京大学，2017.

越重要。"人类命运共同体"就是一个重要的政治理念，但政治过程的背后永远包含着经济的因素，特别是在人类社会已经进入经济全球化时代的现实大背景下，分析"人类命运共同体"这一政治理念的内涵就更加无法绕开其经济学意义的梳理。如："人类命运共同体"提出的互利合作、共存共荣共赢、义利统一等重要理念，对人类以往的经济学理论是一种崭新的补充，突破了现实主义的零和博弈论，认为经济全球化下的世界各国是一荣俱荣、一损俱损的，并非如西方学者所言，你之所得即为我之所失，世界各国完全可以成为利益共享、合作共赢的命运共同体。

（一）从"一带一路"到"人类命运共同体"是经济全球化的纵深拓展

"一带一路"建设是构建"人类命运共同体"具体实践的中国方案，5年来已经取得了阶段性的丰硕成果，目前还在向纵深继续拓展过程中。"一带一路"建设涉及当今世界60％的人口和30％的GDP，当前已有四大洲100多个国家和国际组织参与其中，40多个国家和国际组织与中国签署了合作协议。2015年中国对"一带一路"相关国家投资达到189.3亿美元，同比增长38.6％，是全球投资增幅的2倍。另据统计，2014—2016年，中国与"一带一路"沿线国家的贸易总额超过3万亿美元，中国企业在"一带一路"沿线20多个国家已经建设了56个经济贸易合作区，涉及多个领域，累计投资超过185亿美元，为东道国创造了近11亿美元税收和18万个直接就业岗位。

现阶段，"一带一路"建设正朝着打造复合型区域基础设施网络的方向快速推进，"一带一路"建设作为"人类命运共同体"理念的最重要实践，已经成为当下国际合作的重要共识和战略方案，事实越来越清楚地证明，只有坚守和平发展、互利共赢、包容开放、共享共通的开放的政策，才能更好地获得经济的发展和进步。中国以"一带一路"为契机的发展理念和经验已经成为越来越多的国家的共识，更成为国际社会共同抵御以民粹主义和贸易保护主义为代表的各种反全球化思潮、增强全球政治和经济秩序治理能力的可供参考的最佳方案。具体来看，当前"一带一路"建设已有多个标志性工程落地实施，如雅万高铁、中老铁路、中泰铁路、亚吉铁路、匈塞铁路、比雷埃夫斯港、瓜达尔港等重大项目进展顺利。作为"一带一路"旗舰项目,中巴经济走廊(CPEC)建设成果丰硕,双方确立了"1+4"合作布局,成立了中巴经济走廊远景规划联合合作委员会,共同确立了能源、交通基础设施、瓜达尔港、产业合作等重点领域项目合作。

此外,中国还在积极推动中蒙俄、新欧亚大陆桥等经济走廊建设。作为"一带一路"建设最重要的融资渠道的亚洲基础设施投资银行2016年1月正式开业以来,截至2018年6月,成员国数量已经扩容到87个,已经为"一带一路"建设参与国提供了超过53亿美元的基础设施资金。由中国筹资设立的丝路基金截至2018年5月已签约19个项目,承诺投资达70亿美元。

从"一带一路"到"人类命运共同体",体现了经济全球化的纵深拓展过程,中国的发展是全球化最稳定的助推力量,中国自身也是全球化的受益者。如果没有经济全球化不断向世界各地区所有国家的纵深拓展,没有国际分工体系的全球不断延伸,没有全球贸易的持续活跃,没有产业链在全球范围内的不断高效转移,没有科学技术、资金和管理经验以及人才不断升级换代和在全球范围内的大规模流动,中国是不可能取得今天如此出色的成就的,更不可能给世界贡献什么中国智慧和方案。所以,作为全球化最大的受益者之一,中国一定会坚定不移地继续捍卫全球化和自身改革开放来之不易的成果,坚决反对极右民粹主义、贸易保护主义等各种反全球化的倾向,将"一带一路"的具体实践和"人类命运共同体"理念坚决推行到底,继续为推动国际政治经济秩序的公平合理化和卓有成效的全球治理发挥更大的影响力。

(二)"人类命运共同体"是从经济自由主义到经济民族主义再到经济世界大同的理念延伸

经济自由主义(economic liberalism)亦称"自由放任",即要求自由地发展经济、反对国家干预的经济理论与政策的总称。其基本观点如下:① 经济活动的目的在于实现个人利益和社会福利的最大化;② 经济自由是经济活动的最高原则;③ 市场机制的调节能使社会资源的配置达到最优化,市场经济是最好的经济制度，竞争是通向繁荣的唯一途径；④ 反对国家对经济生活的直接干预，国家仅仅起到"守夜人"的作用，经济活动应由私人进行，国家不能进行任何干预；⑤ 在国际上实行自由贸易政策，各国之间的自由经济交往与竞争会使全世界的资源配置达到最优化，并实现全世界的最大福利。也就是说，一个国家最好的经济政策莫过于经济自由主义，应当实行自由经营、自由竞争和自由贸易，对私人经济活动，不要加以任何干涉，国家的作用仅限于维护国家和个人安全。经济自由保证了个人利益和社会利益的结合，为生产力发展开创了巨大可能性。①

经济自由主义最重要的代表人物是亚当·斯密和李嘉图，"自由经济"思想是他们整个经济学说的中心，亚当·斯密在其著名的《国富论》中指出，在商品经济中，每个人都以追求自己的利益为目的，在经济"一只看不见的手"的指导下，即通过市场机制自发作用的调节，各人为追求自己利益所做的选择，自然而然地会使社会资源获得最优配置。20 世纪 30 年代凯恩斯国家干预主义取代了经济自由主义而占据统治地位，但是到了 20 世纪 70 年代，在凯恩斯主义面对石油危机带来的"滞涨"局面而束手无策的形势下，资本主义世界又兴起了新的经济自由主义思潮。这一思潮认为：生产资料私有制是一切市场经济活动的前提，自由贸易是最好的外贸政策，坚决反对政府的过多干预。新自由主义不同于亚当·斯密经济自由主义之处在于，前者主张在国家干预下的经济自由，后者主张实行完全自由放任的经济自由。

经济民族主义（economic nationalism）与上文所述经济自由主义是根本相对立的，它类似于重商主义，指的是一个民族在完成自己取得独立的历史任务后，必须进一步发展自己的经济才能使自己真正地站起来，强调通过政府政策的形式对进口商品建立贸易壁垒，并施加各种各样的保护主义政策以保护其国内产业。经济民族主义对全球化持怀疑甚至否定的态度，认同一个民族国家经济地位的上升要以牺牲另一个民族国家的经济为代价，因而主张国家把追求更多的超额

---

① 梁小民，等. 经济学大辞典[M]. 北京：团结出版社，1994：462.

利润当作最重要的政治目标之一，不应该为抽象的世界福利而牺牲本国利益。经济民族主义更关注的是民族国家在世界经济体系中的相对获益而不是全球的绝对获益和世界的共存共荣。在全球化和各国经济越来越紧密融合的时候，一些国家担心外国日益强大的竞争力会通过贸易或者投资给本国经济带来影响，这也助长了一种经济民族主义和保护主义情绪，当下从美国到欧洲，从拉美到亚洲，以反外国并购为特征的经济保护主义力量正在不断凝聚，成为反经济全球化的一股逆流。已经持续一年多的美国以平衡贸易逆差为名实则精准打击中国 2025 高新技术产业发展的中美贸易战，其实就是经济民族主义最鲜活的例证，其实质是美国单边主义和双重标准以及自私自利的美国优先策略。

表 3-2　2018 年以来中美贸易争端一览（截至 2019-05-15）[①]

时　间	美国制裁措施	中国反制措施
2018 年 1 月	美国政府宣布"对进口大型洗衣机和光伏产品分别采取为期 4 年和 3 年的全球保障措施，并分别征收最高税率达 30% 和 50% 的关税"	
2018 年 2 月	美国政府宣布"对进口中国的铸铁污水管道配件征收 109.95% 的反倾销关税"	
2018 年 2 月 27 日	美国商务部宣布"对中国铝箔产品厂商征收 48.64% 至 106.09% 的反倾销税，以及 17.14% 至 80.97% 的反补贴税"	
2018 年 3 月 9 日	特朗普正式签署关税法令，"对进口钢铁和铝分别征收 25% 和 10% 的关税"	
2018 年 3 月 22 日—23 日	美国政府宣布"因知识产权侵权问题对中国商品征收 500 亿美元关税，并实施投资限制"	中国对价值 30 亿美元的美国产水果、猪肉、葡萄酒、无缝钢管和另外 100 多种商品征收关税

---

① 参见中国商务部 2018 年第 34、38、39、44 号公告和国务院关税税则委员会税委会公告〔2018〕8 号、税委会公告〔2018〕6 号等相关公告。

续　表

时　间	美国制裁措施	中国反制措施
2018年4月4日	对中国输美的1 333项500亿美元的商品加征25%的关税。次日，美国总统特朗普要求美国贸易代表办公室依据"301调查"，额外对1 000亿美元中国进口商品加征关税	2018年4月2日起，中国对原产于美国的7类128项进口商品中止关税减让义务，在现行适用关税税率基础上加征关税
2018年4月5日	特朗普要求美国贸易代表办公室依据"301调查"，额外对1 000亿美元中国进口商品加征关税	中国对原产于美国的大豆等农产品、汽车、化工品、飞机等进口商品对等采取加征关税措施，税率为25%，涉及2017年中国自美国进口金额约500亿美元
2018年4月17日	美国商务部部长罗斯宣布，对产自中国的钢制轮毂产品发起反倾销和反补贴调查（即"双反"调查）；美国商务部还初裁从中国进口的通用铝合金板存在补贴行为	商务部决定对原产于美国的进口高粱，原产于美国、欧盟和新加坡的进口卤化丁基橡胶（也称卤代丁基橡胶）实施临时反倾销措施。自2018年4月18日起，进口经营者在进口原产于美国的进口高粱时，应依据裁定所确定的各公司保证金比率（178.6%）向中华人民共和国海关提供相应的保证金。2018年4月20日起，进口经营者在进口原产于美国、欧盟和新加坡的卤化丁基橡胶时，应依据裁定所确定的各公司倾销幅度（26.0%—66.5%）向中华人民共和国海关提供相应的保证金
2018年5月29日	美国白宫宣布将对从中国进口的含有"重要工业技术"的500亿美元商品征收25%的关税。其中包括与"中国制造2025"计划相关的商品	
2018年6月15日	美国政府发布了加征关税的商品清单，将对从中国进口的约500亿美元商品加征25%的关税，其中约340亿美元商品自2018年7月6日起实施加征关税措施，其余约160亿美元商品加征关税开始征求公众意见	国务院关税税则委员会发布公告决定，对原产于美国的659项约500亿美元进口商品加征25%的关税，其中对农产品、汽车、水产品等545项约340亿美元商品自2018年7月6日起实施加征关税，对其余商品加征关税的实施时间另行公告。

续　表

时　间	美国制裁措施	中国反制措施
2018年7月6日	对6月15日公布的第一批清单上818个类别、价值340亿美元的中国商品加征25%的进口关税	中国于同日对同等规模的美国产品加征25%的进口关税，对原产于美国的659项约500亿美元进口商品中的农产品、汽车、水产品等545项约340亿美元商品加征25%的关税
2018年7月10日	美国政府公布进一步对华加征关税清单，拟对约2 000亿美元中国产品加征10%的关税，其中包括海产品、农产品、水果、日用品等项目	
2018年8月2—3日	美国贸易代表声明称拟对约2 000亿美元中国产品加征税率由10%提高至25%	中国对原产于美国的5 207个税目约600亿美元商品，加征25%、20%、10%、5%不等的关税
2018年8月8日	美国贸易代表办公室（USTR）公布第二批对价值160亿美元中国进口商品加征关税的清单，8月23日起生效。最终清单包含了2018年6月15日公布的284个关税项目中的279个，包括摩托车、蒸汽轮机等产品，将征收25%关税	中国决定对160亿美元自美进口产品加征25%的关税，并与美方同步实施
2018年8月23日	美国在"301调查"项下对自中国进口的160亿美元产品加征25%关税	中国在世贸组织起诉美国"301调查"项下对华160亿美元输美产品实施的征税措施。同时自本日12时01分起正式对约160亿美元自美进口产品加征25%的关税
2018年9月24日	美国对2 000亿美元中国输美产品加征10%的关税	
2019年5月10—13日	美国对2 000亿美元中国输美商品加征的关税从10%上调至25%	中国对原产于美国约600亿美元进口商品提高加征关税税率：对附件1所列2 493个税目商品，实施加征25%的关税；对附件2所列1 078个税目商品，实施加征20%的关税；对附件3所列974个税目商品，实施加征10%的关税。对附件4所列595个税目商品，仍实施加征5%的关税

续 表

时 间	美国制裁措施	中国反制措施
2019年5月15日	美国商务部15日宣布，将华为公司及70家关联企业列入出口限制名单，禁止美国企业向华为公司供应产品，中美贸易战进一步升级	

如图 3-2 所示，迄今为止，中美双方已经进行了 11 轮经贸高级别磋商，中美两国元首也在 2018 年年底的阿根廷会晤中达成了良好共识，但美方仍一意孤行对中国极限施压。从一年多来中美之间高密度的经贸摩擦来看，全球领域内多边自由贸易体系和单边贸易保护主义之间的较量日趋白热化，经贸问题越来越受到政治因素的干扰。加征关税无法解决问题，相互尊重为基础的合作和协商才是正确出路。中国提出的"人类命运共同体理念"，恰恰体现了从经济自由主义到经济民族主义再到经济世界大同的理念延伸。

首先，"人类命运共同体"理念从内涵上超越了经济自由主义。无论是亚当·斯密为代表的经济绝对自由主义还是凯恩斯等人为代表的政府有限干预基础之上的经济相对自由主义，他们的自由理念都是为了维护资本主义制度和资产阶级的根本统治地位，打上了深刻的意识形态属性和阶级烙印。而"人类命运共同体"所倡导的多边自由贸易体系对所谓的自由的理解更加理性和客观，更强调世界各国的权利和义务得到公平公正对待，大家共同维护现存多边贸易体系，真正做到利益共享、互利合作、共同繁荣，所有国家才有可能在共同的发展和进步中获得真正的经济自由红利。也就是说，"人类命运共同体"的理念超越了民族国家的传统阶级局限性，尤其是克服了资本主义私人所有制的弊端，因而是人类社会几千年历史走到现在，唯一彻底实现了真正公平公正、平等互利、共享共赢的伟大构想。"人类命运共同体"构建真正实现的那一天，马克思、恩格斯当初的共产主义社会设想也将变成现实。

其次,"人类命运共同体"理念从外延上否定了经济民族主义。如前文所述,经济民族主义其实就是贸易保护主义、重商主义、零和博弈的代名词,它往往悲观地看待国家之间的经济联系,总是用你之所得即为我之所失的旧思维来处理国家之间的经济关系,势必引发国际关系的冲突,更与当下全球化的经济现实根本相背离。"人类命运共同体"理念从根本上否定了经济民族主义的狭隘性,认为今天的世界各国已经处于一荣俱荣、一损俱损、谁也离不开谁的命运共同体之中,任何一个国家如果无视于这样的国际现实,继续用零和博弈旧眼光和损人利己、自私自利、以邻为壑的传统观念去处理与他国的经贸关系,最终不仅会伤害到全球多边自由贸易体系,也一定会让自己的经济利益受到损害。

再次,"人类命运共同体"理念从未来发展前景来看对经济世界大同理念也是一种超越。近年来国内外学界关于经济全球化的问题有许多的研究和探讨,基本认为,全球范围内零关税、零贸易壁垒以及所有经济发展相关的要素都能自由流动、互通有无的全球化实现的那一天,也就是经济世界大同真正到来的时候。从具体理念上来说,"人类命运共同体"理念和这种经济世界大同观是有一定的相近性的,但"人类命运共同体"理念更加全面。不同于经济世界大同观更多地还是强调经济层面的世界一体化的实现,"人类命运共同体"理念不只是关注经济要素的全球自由流动问题,更关注公正合理的国际政治经济秩序的构建和全球经济治理问题,尤其强调世界各国应该在互利合作、共享共赢、权责共担、义利均衡等原则基础上加强合作。也就是说,只有世界各国能真正共享同一公平公正合理的国际经济秩序,"人类命运共同体"所倡导的世界各国共享共赢局面才能实现。

(三)"一带一路"倡议和"人类命运共同体"绝非西方的"马歇尔计划"

当今时代,依托快速发展的科学技术,人类获得了巨大的创富能力,全球经济社会发展空前繁荣。但是全球范围内财富的增长、集聚和享有并不平衡,由于制度和意识形态等所造成的人为对抗以及全球正义实践的有限性,实现发展机会、发展能力、发展成果的全球全民共享,依然困难重重。当今世界很多地方还长期遭受着饥饿、疾病、失业、歧视以及恶劣的生存环境等严酷现实。据权威资料统计，40 年前联合国确认的大部分集中在非洲、亚洲和南太平洋的最不发达国家和地区有 24 个，目前已经增加到 50 多个，这些国家和地区的人民在温饱都无法实现的情况下，根本谈不上参与、享受全球化和信息化等人类文明的先进成果。就如袁祖社在其文中所说的，"人类命运共同体"之共享发展的理念和实践所关切的，是世界上所有国家和民众不同的利益诉求与共同的福祉，是对他们在"人类命运共同体"中所应有的相对充足的物质和精神生活需要最大限度的满足，是对其幸福感与"获得感"的实际承诺①。

从 2013 年秋习近平在中亚和东南亚首次提出共建"丝绸之路经济带"与打造"21 世纪海上丝绸之路"（"一带一路"）的倡议开始，到 2017 年 3 月《推动共建丝绸之路经济带和 21 世纪海上丝绸之路的愿景与行动》的发布，"一带一路"逐渐从最初的中国外交新动议转化为拥有纲领性文件的世界外交新行动，初步形成了以"互联互通"为基本内涵，从点到线、由线到面的大区域大合作的国际新秩序新格局。中国对所有拥有"一带一路"合作意愿且愿意真诚合作的国家都衷心欢迎，与所有诚意合作的国家共同商讨、共同建设、利益共享、多方共赢，不但促进了沿线国家的经济发展，也为全球治理和新型国际关系的构建贡献了中国智慧和中国方案。诚如习近平所言："中国倡导的新机制新倡议，不是为了另起炉灶，更不是为了针对谁，而是对现有国际机制的有益补充和完善，目标是实现合作共赢、共同发展。中国对外开放，不是要一家唱独角戏，而是要欢迎各方共同参与；不是要谋求势力范围，而是要支持各国共同发展；不是要营造自己的后花园，而是要建设各国共享的百花园。"②

"一带一路"倡议提出以来，从最初遭到部分国家的质疑，到现在随着一个个项目的实施和完成，日益得到沿线多个国家的积极响应和广泛支持，甚至还有

---

① 袁祖社."共享发展"的理念、实践与人类命运共同体的价值建构[J]. 南京社会科学，2017（12）.
② 习近平. 中国发展新起点　全球增长新蓝图——在二十国集团工商峰会开幕式上的主旨演讲（2016 年 9 月 3 日，杭州）[N]. 人民日报，2016-09-04.

非沿线国家也表示了浓厚的参与热情和兴趣。这正是与冷战初期带有明显政治目的的"马歇尔计划"最大的不同之处。美国在二战后提出"马歇尔计划"帮助欧洲战后重建,是有其政治考量的,真正的目的是要一个强大的欧洲充当美苏冷战的缓冲器,而中国的"一带一路"倡议不是为了建立冷战式的势力范围,而是真正希望造福于世界,让世界各国分享中国改革的成果,充分体现了"开放包容、共享共赢、平等共商、合作共建、互惠互利"的原则。

(四)"人类命运共同体"呈现了一条不同于西方的崭新的经济发展之路

无论是全球社会还是特定民族国家,只有把满足最广大民众的最重要的需求、实现其根本利益、不断改善其生活境遇、不断提高其生活水平和质量的目标始终放在首位,才能够切实调动人民的积极性,创造更大的财富,平等地分享发展成果。

从当前世界来看,地区之间、国家之间,经济社会发展的不平衡所导致的全球性贫困依然存在。比如《2013 年世界社会发展报告》披露的材料表明,一个瑞典穷人的收入是一个刚果民主共和国穷人收入的 200 倍;在乍得,一个富人家的孩子上小学的机会是穷人家孩子的 7 倍……诸如此类的一系列数字,客观地、真实地展现了国家与国家之间和一个国家内部在经济、社会上的不平等的存在[①]。由此可见,只有坚持"人类命运共同体"的共享发展理念,并通过世界各国的共同努力,才能逐渐缩小地区与国家间的发展差距,从根本上消除贫穷,最终实现全人类共同富裕的目标。

"人类命运共同体"是中国的和平理念,包含着人类对世界大同理想社会的美好期望,"一带一路"的具体成功实践让世界各国看到了世界大同社会实现的可能性。从近代以来的世界历史来看,西方国家为了一己私利进行殖民掠夺和发动战争,给世界各国人民带来了深重的灾难,在西方经典的国际关系理论中,国家的强

---

① 黄莉玲.《2013 年世界社会发展报告》关注不平等现象[EB/OL].(2014 - 02 - 10). http://www.mofcom.gov.cn/article/i/dxfw/gzzd/201402/20140200482938.shtml.

大和对利益及权力的永恒追求与兼顾他国利益之间是个无法解决的棘手难题。但日益强大的中国却提出了和西方完全不同的理念和方案，即在维护自身国家利益的前提下，同时关注全人类的利益，"和而不同，美美与共"。"人类命运共同体"理念让世界不再是大国间冲突和较量的场所，而是和谐互信共赢共享的百花园。

"一带一路"是世界共赢构想，是 21 世纪最为伟大的发展倡议，它覆盖了地球上 2/3 以上宜居人口的陆地，惠及了地球 2/3 以上的人口，联通了地球上的主要陆地和海洋。从 2013 年到现在的 5 年多来，各种制度、行动和规范正在一步步稳步地落实，不断有新的国家加入进来，不断有项目建成，也不断有新的项目动工，在"一带一路"框架下，沿线各国的经济发展获得了难得的机遇，区域间的贸易和经济得以联通，民心得以相通，文化得以融合，国家间得以利益共赢、价值共享、责任共担。总之，以"一带一路"为契机，世界更加接近"人类命运共同体"的世界大同理想社会。

第四章

"人类命运共同体"的文化思考和哲学内涵

自 1800 年以来，全球人口从 10 亿人增长至目前的 74 亿人，但多数发展中国家长期摆脱不了贫穷落后的困境。"人类命运共同体"反映了人类共同发展的诉求。

英国历史学家汤因比说过："避免人类自杀之路，在这点上现在各民族中具有最充分准备的，是两千年来培育了独特思维方法的中华民族。"[①] 这种"独特思维方法"就是中华传统文化所强调的天人合一、仁者爱人、以和为贵、和而不同，其核心是"和"。诚如叶小文所言，中国提出建设"命运共同体"，是为世界谋、为天下谋，是快速发展的中国"内和乃求外顺，内和必致外和"的逻辑延伸，是中国作为一个对世界负责任的"利益攸关者"的神圣责任，也是中华民族作为一个有深厚文化底蕴的古老民族发自内心的"千年一叹"[②]。

---

① 汤因比，池田大作. 展望二十一世纪——汤因比与池田大作对话录[M]. 荀春生，朱继征，陈国梁，译. 北京：国际文化出版公司，1985：序言.
② 叶小文. 对"命运共同体"的文化思考[N]，光明日报，2015 - 10 - 15.

第四章 "人类命运共同体"的文化思考和哲学内涵

习近平在博鳌亚洲论坛 2018 年年会开幕式上的主旨演讲中强调，作为大国要承担更大的责任，以"共商、共建、共享、共赢"为原则，秉持正确义利观，维护世界和平、促进共同发展，建立以互利共赢为核心的新型国际关系，以此为基础建立国际格局新秩序。面向未来，要相互尊重、平等相待，要对话协商、共担责任，要同舟共济、合作共赢，要敬畏自然、珍爱地球。[①] "人类命运共同体"强调"命运相连，休戚与共"，为了和平、发展、合作、共赢的共同愿景，一起应对共同的危机、共同的挑战，各国只有相互尊重、平等相待，才能合作共赢、共同发展。

一、"人类命运共同体"的文化思考

"人类命运共同体"理念不仅为当前世界政治经济格局的稳定贡献了中国智慧和中国方案，冲破了以往人类政治经济学理论的束缚，而且具有深刻的文化意义。

"人类命运共同体"理念主张世界各国彼此尊重、文明互鉴共赏，这就与西方文明近代以来推行的外侵性的殖民文化和近年来反复强调的"文明冲突论"完全不同——前者带来了 300 年来世界各个殖民地的深重苦难，后者则造成了当前东西方文明的对立，只有"人类命运共同体"理念是充分照顾、尊重和理解了世界各国文明的差异，从根本上符合各国人民的精神诉求和价值取向以及当前世界发展的大势，因此也一定会得到世界各国人民的广泛认同。同时，"人类命运共同体"理念拥有中国五千年浓厚的历史文化沉淀，中国自古以来以和为贵、天人合一的思想传承至今继续影响着中国当前的外交决策，这也是与西方文明最大的不同之处，所以中国的思想理念是人类社会自我救赎的最后的"诺亚方舟"。

中国改革开放 40 年来所取得的超越国际社会想象的巨大成就也充分证

---

① 新华社. 习近平在博鳌亚洲论坛 2018 年年会开幕式上的主旨演讲[EB/OL]. (2018-04-10). http://www.xinhuanet.com/politics/2018-04/10/c_1122659873.htm.

明，福山的结论是武断的，资本主义制度先天的缺陷和不足使其根本不可能成为人类历史最后的终结者，若人类历史真如福山所言，真有一个最后的制度或者真需要一个最后的终结者的话，那也绝不会是现今的资本主义制度，而应该是中国所提出的"人类命运共同体"所代表的更理想的世界政治经济及文明形态。

（一）文明是融合不是冲突：对亨廷顿"文明冲突论"的再批驳

习近平指出："今天，我们也生活在一个矛盾的世界之中。一方面，物质财富不断积累，科技进步日新月异，人类文明发展到历史最高水平。另一方面，地区冲突频繁发生，恐怖主义、难民潮等全球性挑战此起彼伏，贫困、失业、收入差距拉大，世界面临的不确定性上升。……面对经济全球化带来的机遇和挑战，正确的选择是，充分利用一切机遇，合作应对一切挑战，引导好经济全球化走向。"① "总体而言，经济全球化符合经济规律，符合各方利益。同时，经济全球化是一把双刃剑，既为全球发展提供强劲动能，也带来一些新情况新挑战，需要认真面对。……我们要积极引导经济全球化发展方向，着力解决公平公正问题，让经济全球化进程更有活力、更加包容、更可持续，增强广大民众参与感、获得感、幸福感。"② 习近平的这些论述告诉世界各国人民，我们生活在一个文明多样性的世界，各种文明之间不应该是对立和冲突的，只有互相包容、互相融合才能共同发展和进步。而亨廷顿"文明冲突论"反映了西方文明之下白人中心主义和白人至上主义思想，是帝国主义旧殖民心态的再现，反映了西方某些人内心深处对当今世界各国联系越来越密切的疑虑和敌视心态。

亨廷顿在其名著《文明的冲突与世界秩序的重建》中详细解读了他对西方文明和非西方文明之间冲突的理解，表达了他对西方文明不断衰落、中国儒家文明

---

① 习近平. 共担时代责任　共促全球发展——在世界经济论坛2017年年会开幕式上的主旨演讲（2017年1月17日，达沃斯）[N]. 人民日报，2017-01-18.
② 习近平. 深化伙伴关系　增强发展动力——在亚太经合组织工商领导人峰会上的主旨演讲（2016年11月19日，利马）[N]. 人民日报，2016-11-21.

和伊斯兰文明为代表的非西方文明迅速崛起的深刻担忧与不甘心。他在书中宣称,"非西方文明的核心国家将携起手来抵制西方的支配权……伊斯兰文明和中华文明在宗教、文化、社会结构、传统、政治和根植于其生活方式的基本观念上,存在着根本的不同。……但是在政治上,共同的敌人将产生共同的利益。伊斯兰社会和华人社会都视西方为对手,因此它们有理由彼此合作来反对西方",因此西方必须通过不扩散政策等保持其军事优势,对其他非西方社会施加人权和民主压力推广西方的政治价值和体制,限制非西方国家移民或难民的入境人数以保护西方社会的文化、社会和种族的完整。[①]

王逸舟在其《西方国际政治学:历史与理论》一书中对亨廷顿的"文明冲突论"作了高度概括:① 当今世界,文明差异日益明显,文明是人类历史的主线,经济全球化固然拉近了世界各国各民族各文化的距离,但文明意识的与日俱增和宗教原教旨主义的复兴也让文明的差异更加突出;② 文明的冲突将取代意识形态及其他形式的冲突,成为未来左右全球政治的最主要的冲突,未来最重要的冲突将发生在文明间的断层线上,相较于民族国家间的传统的意识形态冲突,文明差异导致的冲突往往更持久、更不容易解决;③ 与上述冲突相对应的是,也有一些文明之间可以出现彼此内部良好的整合,但是成功的政治、经济和国防制度的整合,多数只会在同一性质的文明内部发生,如二战后以基督教文明为基础的欧洲的整合;④ 文明的冲突导致现今的国际关系日趋非西方化,彼此实力的差异,军事、经济与制度等方面的竞争,文化的差异,价值观与信仰的不同等将是西方文明和非西方文明间的冲突之源;⑤ 在冷战后"西方对抗非西方"的状况中,尤其是儒教国家同伊斯兰国家的结合,将是西方面临的头号威胁,西方世界尤其是美国的决策者要控制伊斯兰和儒教国家的军事扩张,扩大并巩固西方文明体系,避免异质文明间的重大战争[②]。

---

① 塞缪尔·亨廷顿. 文明的冲突与世界秩序的重建[M]. 周琪,等译. 北京:新华出版社,1999:201 - 202.
② 王逸舟. 西方国际政治学:历史与理论[M]. 上海:上海人民出版社,1998:257 - 261.

我国学术界对亨廷顿的观点存在复杂的争论，大多数学者认为，亨廷顿的许多观点，特别是他研究国际政治的方法论，在学术上有其独到之处，但他的文明冲突论的结论有失偏颇，有为美国当权者谋划称霸世界之嫌。特别是亨廷顿将儒家文化列为未来最主要的文明冲突力量，声言中国文明将对世界构成挑战，这是亨廷顿带着"有色眼镜"看待中国文明，其观点的症结在于西方文明仍以一种居高临下的"征服"和"敌视"姿态看待中国文明及其发展，具有强烈的西方中心主义倾向。其一，亨氏耸人听闻的观点、学说是建立在其白人至上的利益要求和西方中心主义的价值选择之上的，其所代表的利益观和价值观，可能给世界各国及未来国际社会带来什么样的"价值标准"和"秩序结构"，值得中国学界和决策部门高度警惕和重视。其二，亨氏的主要观点提醒中国决策者关注在冷战中形成的国际政治诸要素还会在后冷战时期发挥什么样的作用，美国的战略思想动态和实际战略选择将会走向何方，文明这一"软要素"的国际政治地位和价值到底如何等。其三，亨氏的"文明冲突论"客观上引发了学界对世界秩序重构的深刻思考，未来能否有文明的和谐，并最终生长出一个共同的"人类文明"？为什么世界中的文化（文明）不会由这样的"冲突"向着那样的"和谐"而升华？

马克思辩证唯物论指出，万事万物都不是静态的、一成不变的，而是动态的、不断发展变化的，是相生相长的。在过去、现在和将来的漫长历史长河中，文明有相互的冲突，更有和谐共存，文化在冲击中交流、融合和生长。中华文化与文明就是一个相互交流、和谐发展的过程，中国本身的文明史充满了不同文明的交融和生长，正因为文化（文明）的交融，中国文化才自强不息，在为人类社会发展做出巨大贡献的同时，也极大地促进了世界各国文明的交流与和谐发展。对此，习近平指出："实现中国梦必须走中国道路。这就是中国特色社会主义道路。这条道路来之不易，它是在改革开放 30 多年的伟大实践中走出来的，是在中华人民共和国成立 60 多年的持续探索中走出来的，是在对近代以来 170 多年中华民族发展历程的深刻总结中走出来的，是在对中华民族 5 000 多年悠久文明的传承中走出来的,具有深厚的历史渊源和广泛的现实基础。"① "不忘历史才能开辟未来,善于继承才能善于创新。优秀传统文化是一个国家、一个民族传承和发展的根本,如果丢掉了,就割断了精神命脉。……努力实现传统文化的创造性转化、创新性发展,使之与现实文化相融相通,共同服务以文化人的时代任务。"② 因此,在警惕亨廷顿"文明冲突论"的消极影响的同时,中国更要进一步向世界传播自己的先进文化,扩大中华文化的影响力,将中国能够促进和谐的文明关系的国际政治理论与方略,运用到未来世界新秩序的构建中去。从这个角度来看,"人类命运共同体"理念的提出正当其时。

(二)儒家文化和文明不同于西方文明,具有和平包容特质

以"人类命运共同体"和"一带一路"倡议为标志的中国特色大国外交具有浓厚的中国传统文化底蕴,尤其表现在对分别以"中国梦"和"美国梦"为代表的中西方理念之间差异性的理解上。

儒家文化和文明不同于西方文明,具有和平包容特质。儒家以"人"为本位,从人的角度来观照人生、社会和宇宙,强调人要在现实世界提升品德,以达到理想世界,从而形成了人本主义的传统。在董建清看来,儒家思想对中国文化的影响很深,以天下为己任的责任思想,仁、义、礼、智、信的忠孝思想,己所不欲、勿施于人的宽恕思想,修身、齐家、治国、平天下的伦理思想等,到现在还是中国人的主流思想③。道家是整个道家众多庞杂流派的统称概念。老庄、道教都只是道家众多学派之一。道家以"自然"观照人,用自然性质、自然原因、自然原理来观照、解释人生、社会和宇宙,强调人的一切作为都要合乎事物的本来面貌和变化规律,构成一种自然主义传统。叶舒宪认为,"老庄哲学"作为道家最著名的代表,以自然为本,天性为尊,法天心而无心弗志而为,以清静而使

---

① 习近平. 在第十二届全国人民代表大会第一次会议上的讲话[N]. 人民日报,2013-03-18.
② 习近平. 在纪念孔子诞辰2565周年国际学术研讨会暨国际儒学联合会第五届会员大会开幕会上的讲话(2014年9月24日)[N]. 人民日报,2014-09-25.
③ 董建清. 儒家思想的和谐观与构建和谐社会[J]. 学术评论,2007(1).

人退欲消妄，以己之虚无澄他人之妄心而为，主张清虚自守，齐物而侍，以至"不为物累逍遥天下"，2 000多年来，成为中国人的精神家园①。董平、盛宁认为，佛教则以"解脱"来观照众生，宣扬众生要通过修持，从迷惑、妄念、烦恼、痛苦和生死轮回中解脱出来，最终超越生死和苦、断尽一切烦恼，进入自由自在的"涅槃"理想境界，得到解脱，这是千百年来中国人忍辱负重品性的由来②。

以中美对"中国梦"和"美国梦"的理解差异为例，帕特里克·曼迪斯认为，"中国梦"与"美国梦"在历史文化、哲学基础和全球秩序层面有很大差异。在历史文化层面，美国立国之愿景是实现自由、平等、共同富裕的"美国梦"，而中国的愿景则混合了两种理念：一种是以德治国的儒家和谐社会，另一种是在中国共产党带领下实现工业现代化。儒家思想的深厚历史积淀使得"中国梦"的实现具有"美国梦"所没有的文化传统优势和实现的良好现实基础。从邓小平到习近平，中国正在实行以促进草根民主和经济发展，实现儒家传统与民主体系相融合的社会主义。在哲学基础层面，"美国梦"的基础是《独立宣言》中所说的三项天赋权利，即生命权、自由权和追求幸福的权利。"中国梦"的动力则是推动中国向现代化转型，习近平进一步将其归结为实现中华民族伟大复兴。在全球秩序层面，过去数千年的历史中，中国通过陆上或海上丝绸之路，不断向世界传播以儒家和平仁爱为核心的传统文化，但是近代以来却深受殖民侵略之苦；美国则是在反对英国殖民统治的基础上建立起来的，不断发展内外贸易，进而主导全球一体化。"中国梦"与"美国梦"可能会越走越近。美国花了200多年才走到今天，新中国成立至今才60多年，"中国梦"也定能实现。③

---

① 叶舒宪. 道家伦理与后现代精神[EB/OL]. (2003-10-05). http://www.chinesefolklore.org.cn/web/index.php? NewsID=2974.
② 董平,盛宁. 佛法与众生法的协和：从佛教中国化论人间佛教及其价值取向[J]. 世界宗教研究, 2016（5）.
③ 帕特里克·曼迪斯. 和平的战争：中国梦与美国命运如何共塑新的太平洋世界秩序[J]. 对外传播, 2014（3）.

从曼迪斯教授上述精辟的分析中可以清楚地得出以下结论：首先，"美国梦"更关注个人的权利和价值的体现，推崇个人奋斗精神；而"中国梦"首先关注的是国家与民族的强大和繁荣，只有国家强大了，每个人的美好梦想才能真正实现。其次，"美国梦"只有 200 多年的历史，深受近现代以来文艺复兴、法国大革命、启蒙运动思想及马克斯·韦伯资本主义新教伦理思想的影响，有种自命不凡、居高临下的天生的优越感；而"中国梦"则深受中国自身五千年深厚文化底蕴的熏陶以及近代以来深重民族屈辱史的影响，具有扎实的历史根基和现实基础，复兴古代历史上曾经的荣耀、避免重蹈近代屈辱史的观念更能激发所有中国人的家国情怀，在中国政府的领导下去实现"中国梦"。最后，"美国梦"是为了巩固以美国领导的西方世界为核心的西方秩序，就存在与其他文明的冲突和碰撞问题。而"中国梦"是基于中华民族共同的民族创伤记忆提出来的，对和平和独立及尊严更加感同身受，自己不愿意的事情也不愿意对别人去做，所以"中国梦"的实现是和平的，是与世界其他文明共同成长、和平共处的。诚如习近平所言："我们倡导的富强、民主、文明、和谐、自由、平等、公正、法治、爱国、敬业、诚信、友善的社会主义核心价值观，体现了古圣先贤的思想，体现了仁人志士的夙愿，体现了革命先烈的理想，也寄托着各族人民对美好生活的向往。"[①]

《周易·序卦》："有天地然后有万物，有万物然后有男女，有男女然后有夫妇，有夫妇然后有父子，有父子然后有君臣，有君臣然后有上下，有上下然后礼义有所措。"《论语·颜渊》："一日克己复礼，天下归仁焉。"《论语·学而》："礼之用，和为贵，先王之道斯为美。"在儒家看来，一个人要完善自己的修养，一定要以"义"为质，以"礼"为行动的规范。君子重义，而行其所重又莫非礼仪。如果一个社会人人被教、个个知礼，那社会就会和谐相处、井然有序，人人生活幸福。因此，君子必当敬天崇道、尊祖重孝、仁义忠信、礼乐文明、崇尚人

---

① 习近平. 从小积极培育和践行社会主义核心价值观——在北京市海淀区民族小学主持召开座谈会时的讲话（2014 年 5 月 30 日）[N]. 人民日报，2014 - 05 - 31.

文。有鉴于此，舒大刚在其文中不由得感慨道：值得庆幸的是，千百年来，中国人心目中，对于天地生成之泽的感恩，对于祖先养育之恩的感念，对于先圣先贤教诲之德的感谢，始终没有缺失过①。

由上可见，从"中国梦"到"一带一路"再到"人类命运共同体"，充分体现了中国自古以来的和谐社会以及和谐世界观，古代和谐思想在当下的中国外交实践中仍然继续得到传承。

（三）文明发展具有历史的延续性，历史从来不会被终结只会被超越

人类文明的发展是千百年来人类历史发展的结晶，具有历史的延续性和继承性，而不同文明的形成，又受到不同经济、政治、社会、文化、地域、宗教的影响，具有独特的、不同层次的多样性。不同文明之间通过文化、经济活动等各种方式进行着联系和交流，促进了人类文明的共同发展和社会的进步。实践证明，历史发展绝不会被停止或终结，只会被未来更先进的文明所超越。

马克思在《〈政治经济学批判〉导言》中指出，"说到生产，总是指在一定社会发展阶段上的生产"②。在《剩余价值论》中他说，"与资本主义生产方式相适应的精神生产，就和与中世纪生产方式相适应的精神生产不同"③。在《路易·波拿巴的雾月十八日》中他还说，"在不同的所有制形式上，在生存的社会条件上，耸立着由各种不同情感、幻想、思想方式和世界观构成的整个上层建筑"④。也就是说，文明是一定社会发展的产物，是在一定的社会经济基础上形成和发展起来的，它的内容、性质以及它的产生、发展归根到底要受一定的社会经济基础的决定和影响，并受到社会发展规律的制约。同时，文明具有社会意识形态性，是社会的上层建筑意识形态，要通过哲学、宗教、道德和政治等曲折地反映经济基础的要

---

① 舒大刚.从"三统"到"三本"：中华信仰的形成与普及[J].孔子研究，2015（4）.
② 马克思，恩格斯.马克思恩格斯全集：第46卷（上）[M].中共中央编译局，译.北京：人民出版社，1979：22.
③ 马克思，恩格斯.马克思恩格斯全集：第26卷（1）[M].中共中央编译局，译.北京：人民出版社，1979：296.
④ 马克思，恩格斯.马克思恩格斯选集：第1卷[M].中共中央编译局，译.北京：人民出版社，1972：629.

求。文明在国家和阶级还没有消亡的阶级社会，是一定会打上深刻的阶级烙印和意识形态色彩的。而不同的社会文明、价值理念有着不同的与之相适应的制度和机制，隔阂与对立、冲突和摩擦因而也不可避免。例如：近代以来在中西文明不同价值观的博弈中，一些西方媒体和政客总是带着固有的傲慢与偏见看待中国问题，忽视了中国民族的尊严，伤害了中国民众的感情，加剧了中西文明不同价值观的冲突。中国需要一个和平的世界，与国际社会共同繁荣和发展，实现和平发展道路的民族复兴，中国提出的"和平发展""和谐社会""和谐地区""和谐世界"等概念，对化解"中国威胁论"和反华情绪的消极影响有着积极的现实意义。

文明之间客观上的确存在差异，但价值观的差异并不等于文明不可融合和交流，更不能因为差异的存在而阻止和拒绝交流。在全球化不断发展的当今国际社会，以不同的文明和价值观为基础的意识形态已经不再是阻碍世界各国人民交往的根本因素。千百年来人类各种文明也正是通过政治、经济、文化、体育甚至战争等各种形式不断地互相交流，不同文明和价值观的冲撞才不断减少，以至于发展成今天这个相对和谐的世界。

关于如何理解文明差异的问题，西方最具有代表性的两个著名观点，一是前文已经分析过的亨廷顿的"文明冲突论"，二是福山的"历史终结论"。前者悲观地认为，因为文明的差异越来越明显，未来世界的冲突之源将不再是马克思所说的各国实力发展的不平衡，而是文明的差异导致的文明的冲突，其立论根源是西方中心主义和白人至上主义。后者则乐观地认为，资本主义自由民主制度也许是"人类意识形态发展的终点"和"人类最后一种统治形式"，并因此构成"历史的终结"，因为20世纪最后25年最令人瞩目的变化是，资本主义自由民主制度始终作为唯一一个被不懈追求的政治理想，在全球各个地区和各种文化中得到广泛传播，经济学范畴中的自由原则——自由市场——也在普及①。

---

① 弗朗西斯·福山. 历史的终结及最后之人[M]. 黄胜强，许铭原，译. 北京：中国社会科学出版社，2003：代序.

上述两种观点都存在致命的缺陷，或者说走入了两个矛盾的极端，亨廷顿的"文明冲突论"夸大了文明的差异也就是意识形态对社会变革的能动作用，忽视了生产关系和生产力的矛盾运动才是社会变革的决定性力量，暴露了唯心主义的弊病；福山的"历史终结论"则僵化地看待历史的发展，忽略了资本主义本身所难以克服的痼疾，从而陷入了形而上学的误区。在马克思看来，文明发展具有历史的延续性，人类社会千百年来的发展史其实就是一部文明交往史，世界历史不是静止的、循环往复的，而是动态的、不可逆的、不断向前发展进步的，历史从来不会被终结只会被更好的文明和制度不断超越。资本主义只不过是人类社会漫长发展史当中的一个重要阶段，一定会被真正实现人类彻底解放的更高级别的共产主义制度战胜和超越。

（四）"人类命运共同体"是全球各国最坚实的"诺亚方舟"

"诺亚方舟"是出自圣经中的《创世记》的著名传说。传说由于偷吃禁果，亚当和夏娃被逐出伊甸园，他们的后代子孙越来越多，逐渐遍布整个大地。人们无休止地相互厮杀、争斗、掠夺，人世间的暴力和罪恶简直到了无以复加的地步。上帝看到了这一切，他非常后悔造了人，决定除灭这一切，只有诺亚和家人遵照上帝的指示造出方舟，带着各种生物避过了大洪水。"诺亚方舟"的故事一方面是说人类不能作恶，否则必遭上帝惩罚；另一方面是说像诺亚这样的好人一定会得到上帝的救赎。在《创世记》成书的时候，人类生产力低下、科技落后、对许多自然现象无法作出合理解释，只能寄希望于上帝的拯救，但是今天人类已经进入科技昌明的21世纪，许多自远古时期以来的难解之谜都已经被人类破解，人类完全有信心也有能力通过自己的努力来捍卫地球这一共同家园。因此，与其一味被动地祈求上帝的拯救，或者造几艘船逃往外太空消极避世，还不如世界各国携起手来共同面对现实和解决问题，逃避不是办法，问题依然存在，再多的"诺亚方舟"也只是治标不治本。

在人类社会当下到底是开放还是封闭发展的十字路口，中国适时提出了"人类命运共同体"理念，坚决维护自由、开放、包容的多边经济体系，坚持用积极主动负责任的态度去面对当前全球政治经济领域所出现的各种问题，坚决主张世界各国应携手合作、密切沟通、互商互谅、共同面对、共创共建一个共享共赢的繁荣的新世界。如果世界上真的有"诺亚方舟"的话，那么，"人类命运共同体"将是中国为世界各国打造的最坚实的"诺亚方舟"。

"人类命运共同体"给世界开出的药方就是平等互利、合作共赢、共建共享。中国是最大的发展中国家，也是最大的社会主义国家，近年来国力有了显著增长，在国际上的影响力越来越大，中国的成功离不开全球化的时代和世界各国对中国的助力，但也让他国感到巨大的压力。因此，正确理解世界政治经济格局中的权利和义务，即通常所说的"义利观"，对中国和世界都很重要。

张宗磊对比了孔子和墨子的"义利观"，他认为，孔子重义罕言利，主张"君子喻于义，小人喻于利"，强调以义制利，以义节利。而墨子恰好相反，他尚利贵义，主张"兴天下之利，除天下之害"，把利人与否看作义与不义之标准，提倡尚利就是贵义，贵义就是尚利，以利为本，义利并举的义利合一观。① 习近平也指出：义，反映的是我们的一个理念，共产党人、社会主义国家的理念。这个世界上一部分人过得很好，一部分人过得很不好，不是个好现象。真正的快乐幸福是大家共同快乐、共同幸福。我们希望全世界共同发展，特别是希望广大发展中国家加快发展。利，就是要恪守互利共赢原则，不搞我赢你输，要实现双赢。我们有义务对贫穷的国家给予力所能及的帮助，有时甚至要重义轻利、舍利取义，绝不能唯利是图、斤斤计较。② 由此可见，儒家的义利观对中国的对外决策具有重要的影响，它要求中国任何一项对外决策都必须考虑对其他国家的影响，兼顾权利和利益与义务及责任间的平衡关系。只有坚持互利共赢、合作共享、共富共建，让越来越多国家分享到中国发展的红利，才能赢得更多国家的理解和尊重，从而拥有更加稳定和平的国际环境。

---

① 张宗磊. 孔子、墨子义利观之比较[J]. 广西社会科学，2001（2）.
② 王毅. 坚持正确义利观 积极发挥负责任大国作用——深刻领会习近平同志关于外交工作的重要讲话精神[N]. 人民日报，2013-09-10.

面对世界经济的增长乏力和逆全球化思潮的强烈冲击,当今世界各国理应同舟共济,共同面临挑战,携手努力创造一个更加繁荣、美好的国际经济、政治和文化新秩序。而世界大国应起到责任担当与示范作用,成为人类走向命运共同体、共享全球发展成果的驱动者与领跑者。

二、"人类命运共同体"的哲学内涵

如前文所述,"人类命运共同体"理念具有极为丰富的内涵,不仅表现在政治、经济和文化上,也表现在哲学上。它在哲学的两个重要概念上有创新和发展,一个是凸显了中国哲学自古以来就蕴含的一分为多的世界观,突破了近代以来由欧美国家所主导的以"势力范围"为核心的二元对立的国际关系思维。儒家和道家主张君为轻、民为贵、仁义治国和崇尚自然的思想深刻影响着千百年来中国对世界的认知。也就是说,中国人的思维是发散性的,而西方人的思维是直线性的,前者带来的是中华文明几千年来与周边地区的和谐共生,后者则带来的是一分为二的世界,是近代以来野蛮的殖民侵略战争。另一个是突破了他我和自我、主体和客体、本位主义和个体主义等狭隘界限。"人类命运共同体"以整个人类为共同体,淡化了每个民族国家的自我、主体、本位主义和个体主义个性,把全人类上升到了最高的他我和客体境界,这就与近代以来的西方本位主义和中心主义彻底区别开来。苏长和指出,观念和思维会影响一个国家对世界的看法与实践,对于构建"人类命运共同体"来说,世界需要一种新的国际政治思维。只有用一分为多的思维才能跳出"文明与野蛮""朋友与敌人""民主与专制"这种简单化、刻板化的思维,中国哲学认为应该在保持"多样性"的基础上形成秩序。[1]

尽管当前对"人类命运共同体"的理解还存在两种旧的思维方式,例如:

---

[1] 第一财经日报. 中外学者阐释人类命运共同体:蕴含中国哲学思维[EB/OL]. (2017-12-11). http://money.163.com/17/1211/13/D5CMHI9S002580S6.html.

"修昔底德陷阱"这样的霸权主义思维,以及只承认个人、民族、国家而不承认人类的共同体的民粹主义、民族主义和个人主义这样的个体还原主义,但"人类命运共同体"解决国际问题的独特优势仍是毋庸置疑的。

（一）老庄思想及相互依存论的中西合璧和当代诠释

老庄思想为华夏文明的发展贡献了许多杰出的哲学智慧,千百年来深刻影响着中国人对世界、对国家的看法以及为人处世的观念,参与构成了中国处理同其他文明之间关系的独特思维模式,即天人合一、以和为贵等,中国提出的"人类命运共同体"理念所具有的深厚的中国文化的历史底蕴中就包含有老庄思想的可贵因素。

1."人类命运共同体"与老庄思想

老子《道德经》的核心思想是"人法地、地法天、天法道、道法自然",要求人类顺应"自然之道",返璞归真,遏制过分的权利欲和占有欲,以"自然""无为"作为社会、人生的理想状态。

《庄子》认为世间不存在确定不变的是非标准,不承认任何绝对权威,怀疑批判现实一切秩序,绝对追求自由、逍遥无为的境界。强调"无名""无功""无己""无累",人只有去常知、忘情欲,摆脱名利外物的困扰,超越自我的存在,才能达到在内心虚静明觉的状态下的一种逍遥自得,一种人与大自然融为一体后的忘我境界,也才能实现精神的完全自由和开放独立的人格。

老庄学派主张德行合一,以己推人,自化,人人化则天下化,以出世的精神做入世的事情,其实代表了一种与世无争、淡泊名利的人生观、价值观、世界观和生活态度。

"人类命运共同体"理念传承了老庄的人与自然和谐的哲学思想。不同于西方文明中的"主客体分离"的"二元论",中国历来尊崇物我相与、阴阳平衡、众生平等理念,中国人看待世界强调将主体融于客体,将自己融入世界,去领悟这个世界,讲究阴阳和谐、融合共生,共同存在于一个统一体之中。习近平指出：我们既要绿水青山,也要金山银山。宁要绿水青山,不要金山银山,而且绿水青山就是金山银山。① "绿水青山就是金山银山，建设美丽中国"还被写进了党的十九大报告。中国积极参与全球环境治理，并大力加强对国内环境的整治，禁止进口洋垃圾等，这更是老子"道法自然"和谐思想的淋漓尽致的再现。赵可金对此评价道，中国的崛起不必然牺牲其他国家的利益，中国的发展也不能离开其他国家的发展，国家与国家和谐相处共同存在于一个有机体之中。中国在处理国际事务上的防御态势和温和倾向，积极谋求"君子和而不同"的合作共赢逻辑符合中国5 000多年的历史文化心理。这一点构成了独特的中国风格，也是中国倡导人类命运共同体思想的认识论基础。②

而庄子的人与大自然融为一体后的逍遥自得忘我境界以及完全自由的精神和开放独立的人格也能在"人类命运共同体"的构建中得到实现。一方面，自由的前提是要改变不自由的因素，是共享。人类的共同命运、共同利益成为每个人必须关注和考虑的切身利益及切身命运问题。坚持命运共同体思维，人类才有光明的前景。当今世界，狭隘的国家利益越来越成为构建全球治理机制的最大束缚。贸易保护主义问题、领土争端问题、资源争夺问题等，很大程度上都是狭隘的国家利益观在作祟。因此，坚持共享观，就必须摒弃狭隘的国家安全观，摒弃以大欺小、以强欺弱、弱肉强食、随意践踏国际法的强权政治和霸权主义。另一方面，真正的个人自由建立在物我一致的基础上，对象不是"我"的自由的束缚和限制，而是"我"的自由的条件和实现。诚如马克思、恩格斯所言，"只有在共同体中，个人才能获得全面发展其才能的手段，也就是说，只有在共同体中才可能有个人自由"③。

2. "人类命运共同体"与"桃花源"

"人类命运共同体"理念为世界谋划了一个美好的蓝图：平等相待、互商互

---

① 杜尚泽，丁伟，黄文帝. 弘扬人民友谊共同建设"丝绸之路经济带"——习近平在哈萨克斯坦纳扎尔巴耶夫大学发表重要演讲[EB/OL]. （2013－09－08）. http://politics.people.com.cn/n/2013/0908/c1024－22842900.html.
② 赵可金. 人类命运共同体思想的丰富内涵与理论价值[J]. 前线，2017（5）.
③ 马克思，恩格斯. 德意志意识形态，马克思恩格斯选集：第1卷[M]. 北京：人民出版社，1995：119.

谅的伙伴关系，公道正义、共建共享的安全格局，开放创新、包容互惠的发展前景，和而不同、兼收并蓄的文明交流，尊崇自然、绿色发展的生态体系①。这个全方位的命运共同体不正是千百年来世界各国人民生生不息追求和奋斗的理想与目标吗？与距今 1 000 多年前陶渊明所描写的"桃花源"有异曲同工之妙。

在《桃花源记》中，陶渊明以虚构的方式，描绘了一幅没有战乱、压迫、剥削，人人劳动、平等自由、道德淳朴、宁静和睦的社会生活图景——这个幻想中的桃花源世界，对生活在虚伪黑暗、战乱频繁、流血不断的现实世界中的人们来说，无疑是令人神往的。但是，这种理想的境界在当时现实中是不存在的，是作者对不满黑暗现实的一种精神寄托，表现了作者对理想社会的憧憬以及对现实社会的不满，也反映了广大人民追求美好生活的愿望。

"人类命运共同体"理念让陶渊明的理想有了实现的可能。首先，强调各国之间的相互交往、联系愈加密切，逐渐成为一个休戚与共、互利共生的整体。这种共同的家园意识极大地拉近了世界各个不同类型国家和民族之间的距离，正是陶渊明所描写的人与人关系和谐的世外桃源的再现。其次，各国人民、各种文化互相交流、互鉴，追求社会稳定、人民幸福，尊重并支持其他国家独立探索适合本国国情的发展道路，在相互借鉴中促进各国的繁荣发展。这也正是陶渊明笔下所勾勒的人人都安适愉快、自得其乐的美好境界。最后，从全人类的角度重新审视和平、发展、公平、正义、民主、自由等全人类的共同价值，在利用和改造自然的过程中，主动保护自然，促进大自然的再生、循环、可持续，从全球、全人类的角度出发，树立"人类命运共同体"意识。人类只有一个地球，一个家园，世界是一个休戚与共的共同体，保护环境不仅仅是一个国家一个民族的事，生态文明的建设更是全人类共同的事业。②《桃花源记》中"良田美池"等美好的生

---

① 习近平. 携手构建合作共赢新伙伴 同心打造人类命运共同体——在第七届联合国大会一般性辩论时的讲话（2015 年 9 月 28 日，纽约）[N]. 人民日报，2015 - 09 - 29.
② 周雯雯，林美卿，赵金科. 论习近平"人类命运共同体"思想的科学内涵和重大意义——基于马克思主义理论视角[J]. 理论导刊，2017（1）.

活环境一定会通过"人类命运共同体"的构建成为普通的现实。

3."人类命运共同体"与相互依存论

随着经济全球化的深入拓展,各国之间越来越相互依存、休戚与共,不管是大国还是小国,发达国家还是发展中国家,都不可能独自发展,各国在政治、经济、文化等各方面错综复杂的联系使世界成为一个"一荣俱荣、一损俱损"的命运共同体,全球化已成为不可逆转的历史潮流。

有关相互依存的著作和文章很多,主要有:罗伯特·基欧汉和约瑟夫·奈的《跨国关系与世界政治》和《权力与相互依赖——转变中的世界政治》、约翰·斯帕尼尔的《国家运用的策略——分析国际政治》、塞约姆·布朗的《世界政治的新势力》、格哈特·马利的《相互依存——全球环境下的美欧关系》、米里亚姆·坎普斯的《相互依存的管理》、理查德·罗斯克兰斯和亚瑟·斯坦恩的《相互依存——神话还是现实》、肯尼思·华尔兹的《相互依存的神话》、爱德华·莫斯的《相互依存的政治学》等。其中以基欧汉和奈的《权力与相互依赖》最具代表性。基欧汉和奈指出,"我们生活在一个相互依存的时代",相互依存就是"彼此之间的依赖",国际社会中不同角色之间互动的影响和制约关系可以是对称的或不对称的。有两个明显发展趋势:一是从经济上的单一相互依存到包括政治、经济、军事和外交在内的复合相互依存;二是从发达资本主义国家内的区域型相互依存到包括发展中国家在内的全球范围的相互依存。[1]霍夫曼认为,相互依存意指"社会的相互渗透","世界经济中不同国家政策的相互联系"[2]。

相互依存论的基本内容可归纳为:能源、人口、环境、粮食、裁军、发展等问题已成为"全球性问题",单靠个别国家的努力已无法解决;各国再也不能闭关锁国,越来越多的国家实行对外开放政策,国际合作的趋势逐步超过国际冲突的趋势,武力解决国际争端的作用日益减弱;谈判逐步取代冷战,均势逐步取代

---

[1] 罗伯特·基欧汉,约瑟夫·奈. 权力与相互依赖——转变中的世界政治[M]. 门洪华,译. 北京:北京大学出版社,2002:158.
[2] 倪世雄. 当代西方国际关系理论[M]. 上海:复旦大学出版社,2004:337.

遏制；主张在国际体系中以平等关系取代等级制，相互依存的趋势将对国家主权和民族利益起溶解作用，推动全人类利益的形成。

"人类命运共同体"和相互依存论类似，也强调世界各国利益与共、联系越来越紧密。2012年党的十八大报告提出要"尊重和维护各国人民自主选择社会制度和发展道路的权利，相互借鉴，取长补短，推动人类文明进步。合作共赢，就是要倡导人类命运共同体意识，在追求本国利益时兼顾他国合理关切，在谋求本国发展中促进各国共同发展，建立更加平等均衡的新型全球发展伙伴关系，同舟共济，权责共担，增进人类共同利益"①。2015年9月28日，习近平在《携手构建合作共赢新伙伴 同心打造人类命运共同体——在第七十届联合国大会上一般性辩论时的讲话》中，从全球、全人类的角度出发，提出人类只有一个地球、一个家园，世界是一个休戚与共的共同体，保护环境不仅仅是一个国家一个民族的事，更是全人类共同的事业。

"人类命运共同体"还提出了共享理念，这是对西方相互依存论的发展和创新。共享理念包括全民共享、全面共享、共建共享、渐进共享4个层面，共享发展有一个从低级到高级、从不均衡到均衡的辩证过程。李景源、周丹认为，坚持共享观，就要抛弃贸易保护主义、领土争端、资源争夺等狭隘的国家利益观，摒弃狭隘的国家安全观，摒弃弱肉强食、以大欺小、以强欺弱，随意践踏国际法等强权政治和霸权主义行为②。相互依存论作为西方国家提出的理论，存在明显的缺陷，它刻意忽略了国际相互依存中的不公正现象，特别是发达国家对发展中国家的霸凌现象，而"人类命运共同体"用共享理念揭穿了相互依存理论的虚伪性和欺骗性，为全球公正合理秩序的构建指明了方向。

"人类命运共同体"思想的核心是合作共赢，根本目的是让全世界人民共享文明发展成果，终极目标是全人类解放。马克思恩格斯未竟的政治理想将由一代

---

① 胡锦涛. 坚定不移沿着中国特色社会主义道路前进 为全面建成小康社会而奋斗——在中国共产党第十八次全国代表大会上的报告[N]. 人民日报，2012-11-18.
② 李景源，周丹."人类命运共同体"思想的哲学阐释[N]. 光明日报，2017-08-28.

又一代中国共产党人去领导、完成和实现。

（二）从霍布斯无政府状态到洛克的有限合作社会的突破和进步

弱肉强食、强权政治和霸权主义就是以大欺小、以强欺弱，随意践踏国际法等行为，这些都是有其理论和历史渊源的，打上了深刻的早期资本主义烙印，在美国为首的一些西方发达资本主义国家至今仍有其历史惯性。在霍布斯无政府状态下，国家间的相互定位是你死我活的"敌人"，敌人是没有生存和自由的权利的，行为体为了本国的生存、安全和权力而不承认他者作为自由主体独立存在的权利，一国的生存以他国的死亡为前提，在真正的战争中根本不考虑后果，无限制地使用暴力，多采取先发制人、强硬地摧毁或征服的方式对待敌人①。换言之，霍布斯无政府状态就是一种人人自危的纯粹的自助状态的无政府体系，是一种人人相互为敌、除了杀人就是被杀的自然状态下的暴力，其结果必然导致安全困境和无休止的冲突和战争，近代以来给亚非拉很多发展中国家带来深重灾难的殖民掠夺战争，特别是20世纪上半叶先后两次世界大战就是教训。这种思想如今以零和博弈、"修昔底德陷阱"等形态还在影响着当下的世界政治经济格局的稳定。但是，人类社会已经进入了全球化，早已不是300年前的早期资本主义阶段，世界各国日益紧密相互依存，这种落后的过时的危险的理论早已不合时宜，必须纠正和改变。

关于如何构建"人类命运共同体"的问题，中国的基本思路是合作共赢、共建共享。这也是对洛克的有限合作社会的突破和进步，是迄今为止人类社会最好的也是最公正的合作方式。洛克所描述的合作社会比上文所述的霍布斯无政府社会前进了一大步，国家间相互定位是"竞争对手"而不是敌对关系，在相互承认和尊重对方生存权利的前提下，国家间既对抗又竞争，既竞争又合作，不再如霍布斯无政府社会那样以消灭对方为生存的理由。这被视为是文明社会的对抗，而不是霍布斯无政府社会那样的野蛮人之间的对抗，在尊重彼此主权的原则下，各

---

① 何英. 美国媒体与中国形象[M]. 广州：南方日报出版社，2005：220.

国相互承认对方的生存权，相互的存在不再给对方的安全造成威胁，在国际法的约束下，自助体系中的国家不以杀戮和夺取对方生命的方式实现自身安全，即使使用暴力解决争端，其程度也被限制在"生存和允许生存"的界限内。① 国际关系中的各个行为体已经达成共识，即战争和武力不再是国家间关系的必需，相互承认主权和领土完整等。17—19世纪欧洲长达200年的和平均势格局就是这种洛克式合作社会的体现。但是洛克把其合作社会的实现一厢情愿地寄希望于国家特别是一些主要大国对权力渴望的自我约束，并不能解决大国和小国之间合作的不平等性以及小国如何从大国那里获得自身安全保证的问题，这就增加了合作的不确定性，因而其合作社会注定只能停留在有限的层面而无法更进一步。

"和也者，天下之达道也。"世界上有200多个国家和地区、2000多个民族，不同的历史和国情，孕育了不同文明，只有尊重差异、包容多样，以和为贵，与人为善，己所不欲、勿施于人，各文明才能和睦相处。构建"人类命运共同体"，需要我们用"和"文化去思考和解决人类面临的共同难题，努力建设一个和平、和谐的世界。中国所提出的"人类命运共同体"理念之所以能超越洛克的有限合作社会，关键就在于解决了洛克无法解决的大国小国合作的不平等性问题。就像赵可金说的，相比近代西方倡导的构建自由民主世界的思想，中华文明中的"和合"思想基础上所生长出来的构建人类命运共同体的思想更为丰富和包容。其蕴含着的天人合一的宇宙观、协和万邦的国际观、和而不同的社会观、人心和善的道德观，为全球治理烙上鲜明的中国风格，提供了可行的中国方案。②

（三）不同于柏拉图的理想国、罗尔斯的正义社会及康德的理想社会

柏拉图、苏格拉底、修昔底德等杰出的哲学家和政治思想家为人类社会的演进和现代国家治理模式的形成贡献了卓越的政治智慧，但是受阶级和历史的局限，他们的思想和观点也都存在或多或少的不足。中国提出的"人类命运共同

---

① 亚历山大·温特. 国际政治的社会理论[M]. 秦亚青, 译. 上海: 上海人民出版社, 2000: 352.
② 赵可金. 人类命运共同体思想的丰富内涵与理论价值[J]. 前线, 2017 (5).

体"理念既是对柏拉图的理想国、后来的罗尔斯的正义社会及康德的理想社会的传承，更是对它们的发展和超越。

1."人类命运共同体"与柏拉图的理想国

柏拉图在他的传世巨著《理想国》中完整描绘了他心目中理想国家的模样。他指出，除了智慧、勇敢、节制之外，还有公正，凑成了国家的全部美德[①]，而"公正显然是指一个人应当占有并关注理应属于自己的东西"[②]。在他看来，"某人生来适合做手艺人或商人，但由于某种有利条件，比如他有钱或者能控制选票或者身强力壮，从而敢于试图闯入卫士阶层，或者卫士阶层的某些人本来不够资格，但一心想在卫士的参议院里取得一个席位。这样一种改变社会地位和工具的做法或者使所有这几种工作集中在一个人身上的企图会使共和国灭亡"，"当每个阶层——商人、助手、卫士——在共和国中各持自己的适当职务并从事自己的工作的时候，这就是公正，这就会使社会公正"[③]。

柏拉图心目中的理想的国家就是要符合至善理念的国家，是一个人人幸福、个个愉快、并不是让少数拥有特权的人独享福利的国家，是每个阶层在共和国中各持自己的适当职务并从事自己的工作的公正的社会。也就是说，只有在理想国中才能真正实现公正。但是，公正由谁来界定？如何能保证权利不被滥用？国家并不会天生具有美德，个人的美德更不会自动上升为国家的美德，仅仅靠美德就可以把一个非公正的社会变成公正的社会？还有，每个人只做一份工作就能实现社会公正，那么什么都不做的特权阶层呢？未免有平均主义大锅饭嫌疑。对这些问题柏拉图并没有作出解释，因此，他的理想国只是一种乌托邦。

马克思认为，"人们奋斗所争取的一切，都同他们的利益有关"[④]。"人类命运共同体"理念则在传承了柏拉图"理想国"公平正义理念的基础上，具体提出

---

① 柏拉图. 理想国[M]. 张造勋，译. 北京：北京大学出版社，2010：92.
② 柏拉图. 理想国[M]. 张造勋，译. 北京：北京大学出版社，2010：94.
③ 柏拉图. 理想国[M]. 张造勋，译. 北京：北京大学出版社，2010：94.
④ 马克思，恩格斯. 马克思恩格斯全集：第1卷[M]. 中共中央编译局，译. 北京：人民出版社，1956：82.

了义利观原则，指出必须建立一套国际社会普遍认同和接受的规则，鼓励能者多劳，对每个国家参与国际治理的权利、义务和责任作出明确的界定和规范，而不是用理想化的美德来进行国际治理，只有国际社会中的每个国家都公平地享受义务和权利并承担必要的国际责任，国际秩序才会是公平正义的。换言之，一个真正公平正义的社会必须能确保权利不被滥用和不会产生人为的新的不公正。

"君子喻于义，小人喻于利"。"利，就是要恪守互利共赢原则，不搞我赢你输，要实现双赢。我们有义务对贫穷的国家给予力所能及的帮助，有时甚至要重义轻利、舍利取义，绝不能惟利是图、斤斤计较。"① "这就决定了我们在处理国际关系时必须摒弃过时的零和思维，不能只追求你少我多、损人利己，更不能搞你输我赢、一家通吃。只有义利兼顾才能义利兼得，只有义利平衡才能义利共赢。"② "中国人民深知实现国家繁荣富强的艰辛，对各国人民取得的发展成就都点赞，都为他们祝福，都希望他们的日子越过越好，不会犯'红眼病'，不会抱怨他人从中国发展中得到了巨大机遇和丰厚回报。中国人民张开双臂欢迎各国人民搭乘中国发展的'快车'、'便车'。"③ 国家领导人的上述讲话告诉我们，坚持正确义利观，就是要以共同利益为优先，抛弃狭隘的自私心理，积极推动权利、机会和规则平等，建设开放包容、共享共赢、公平均衡的经济全球化。基于人类利益共识的"人类命运共同体"理念因而具有强大的生命力和感召力。

2. "人类命运共同体"与罗尔斯的正义社会

二战以来，资本主义社会发生了一系列错综复杂的深刻变化，引发了一批学者对正义问题的进一步关注和思考。约翰·罗尔斯的《正义论》就是其中杰出的代表，由它引发的各类争论，更是推动了战后国际关系理论新一轮深刻的发展。

---

① 王毅. 坚持正确义利观 积极发挥负责任大国作用——深刻领会习近平同志关于外交工作的重要讲话精神[N]. 人民日报，2013-09-10.
② 新华网. 习近平在韩国国立首尔大学的演讲（全文）[EB/OL]. (2014-07-04). http://www.xinhuanet.com/world/2014-07/04/c_1111468087.htm.
③ 习近平. 共担时代责任 共促全球发展——在世界经济论坛2017年年会开幕式上的主旨演讲（2017年1月17日，达沃斯）[N]. 人民日报，2017-01-18.

罗尔斯在否定了功利主义和直觉主义功利观的基础上，把正义观的规定视为社会发展的基石。他认为，如果一种正义原则要想在一个社会中通行，关键就是人们能否接受并相信它。如果众人没有一种正义的心理氛围和文化环境，一种正义原则就不可能被接受，正义是社会体制的第一美德，正如真实是思想体系的第一美德一样。① 在此，他进一步提出了著名的两个正义原则：第一，每一个人都有平等的权利去拥有可以与别人的类似自由权并存的最广泛的基本自由权。第二，对社会和经济不平等的安排应能使这种不平等不但可以合理地指望符合每一个人的利益，而且按照公平的机会均等的条件，与向所有人开放的地位和职务联系在一起。②

虽然罗尔斯的正义论构建的正义社会要比柏拉图的理想国更贴近战后资本主义发展的现实，比理想国的抽象表述和过于突出的主观唯心主义多了些客观理性分析和现实表达，特别是提出了建立正义社会的两个著名原则。但和柏拉图的理想国一样，这两个原则仍然带有太多的理想主义色彩，具有较多的道德主义因素，无法回答以下重要问题：在财富和收入的分配绝对不平等的资本主义社会，平等原则如何才能实现？不能保证公平和平等，又如何实现自由和正义？问题的关键在于，它们都是孤立地看待正义问题，为了构建一个正义的社会而去寻找正义的可能，脱离了基本的社会政治经济基础和生产力与生产关系的矛盾运动，因此，注定它们只能是理想化的、乌托邦式的。

柏拉图的理想国和罗尔斯的正义论为代表的以"个体"为本位的思维方式已经严重背离了当下全球化的以下基本现实，即人类的共同命运、共同利益成为每个人必须关注和考虑的切身利益、切身命运问题。因此，只有从"类主体"出发，坚持命运共同体思维，人类才有光明的前景。

马克思说，"人是类存在物"。人不仅把他自身的类以及其他物的类当作自己

---

① 约翰·罗尔斯. 正义论[M]. 谢延光，译. 上海：上海译文出版社，1991：5-6.
② 约翰·罗尔斯. 正义论[M]. 谢延光，译. 上海：上海译文出版社，1991：66.

的对象，而且把自身当作现有的、有生命的类来对待，把自身当作普遍的、自由的存在物来对待。人的类特性就是"自由的有意识的活动"。① 人从来都不是孤立的存在，而与自然、社会、自身发生千丝万缕的联系。类存在的本质是自由的生命活动，真正的个人自由建立在物我一致的基础上，对象不是"我"的自由的束缚和限制，而是"我"的自由的条件和实现。② 马克思、恩格斯认为，只有在共同体中，个人才能获得全面发展其才能的手段，只有在共同体中才可能有个人自由。③ "人类命运共同体"理念正是建立在全人类的基础上，把世界每个国家和每个地区都纳入了命运共同体之中，符合马克思所说的人的类本质的内在要求，顺应了世界发展的潮流，因而一定会得以成功构建。

3. "人类命运共同体"与康德的理想社会

哲学家康德是著名的理想主义者，在他的《永久和平论》中，他认为现实世界里道德和政治是能够合二为一的，人类永久和平必将到来。每个国家的公民体制都应该是共和制，每个国家在"自由、平等和所有人都服从法律"的基础上，依据"世界公民权利"的观念建立起自由国家的联盟④。正是因为人向善的本性，国家间最终会建立起符合历史进步的安排。历史将呈现出一幅由乱到治的和谐景象和一种安宁、安全的状态。必须建立一个各民族的联盟，在这个联盟中，每一个国家，都可以不依靠自己的力量或者自己的法律裁决，而只是依靠这个各民族的大联盟，依靠以联合起来的意志的法律为根据所做出的决定，来获得自己的安全和权利。⑤

康德所勾勒的理想社会与前文所提到的霍布斯"人人互相敌对"的暴力状态

---

① 马克思. 1844年经济学哲学手稿[M]. 中共中央编译局，译. 北京：人民出版社，2000：56-57.
② 李景源，周丹. "人类命运共同体"思想的哲学阐释[N]. 光明日报，2017-08-28.
③ 马克思，恩格斯. 马克思恩格斯文集：第1卷[M]. 中共中央编译局，译. 北京：人民出版社，2009：570-571.
④ 康德. 永久和平论[M]//康德. 历史理性批判文集. 何兆武，译. 北京：商务印书馆，1991：98-103、104-118.
⑤ 康德. 关于一种出自世界公民意图的普遍历史的观念[M]//李秋零. 康德书信百封. 上海：上海人民出版社，1992：254、262-263.

无政府社会以及洛克的"国家间互为既竞争又合作的对手"的有限合作社会更前进了一步，是更高级的阶段；国家间的相互定位是"朋友"，国家间不使用战争或战争威胁方式来解决争端，朋友间相互承担义务，任何一方的安全受到第三方威胁时，双方将共同作战，结果形成安全共同体或集体安全。这时，行为体已经完全抛弃了前述霍布斯和洛克式的无政府社会性质，建立起了朋友关系的集体认同，互为朋友的国家间的友谊让彼此互相保护，建立了永久和平的共同体，国际社会不再是自助的无序的，而是有良好秩序的可控的，康德其实已经给我们描述了一种世界大同的人类社会理想状态。

康德的理想社会比柏拉图的理想国和罗尔斯的正义社会少了许多抽象的空洞的哲学表述与主观主义色彩，多了严肃的国际政治表达，但是，这种理想主义的世界大同在国家和阶级还远没有消亡，当前引起国际矛盾和冲突的政治、经济、利益、民族、宗教等基本要素依然存在，世界政治经济格局严重不稳定、国际治理秩序和规则严重不合理的情况下，还是根本不可能实现的，因而注定也只是人类一厢情愿的乌托邦式的美好愿望。

"人类命运共同体"理念则很好地解决了康德的理想社会等前述几种理想社会形态所存在的缺陷和不足，找到了治愈当前全球治理棘手难题的现实途径，让前述3种乌托邦空想终于变成了现实可以实现的愿望。如：相互尊重、平等相待的国际权力观，就克服了当前国家实力不平衡的问题，人类共处同一个命运共同体的理念和必须合作才能解决难题的现实淡化了单一民族国家的权力诉求，特别是让大国和小国共处于责权利平等的地位，这是显著的创新和进步；而合作共赢、共同发展的共同利益观则有利于消除和淡化当前特别容易引起国际矛盾和冲突的政治经济利益摩擦、民族宗教矛盾等，各国共同的全球性利益诉求和价值取向容易让一些历史宿敌暂时放下彼此宿怨，共谋发展；相互依存、共同、综合、合作的可持续发展观和公平正义、不同文明兼容并蓄、交流互鉴的全球治理观则有利于促进当下世界政治经济格局的稳定，推动更公正合理的国际治理新秩序的重建。

由上述可见,"人类命运共同体"理念充分彰显了中国的大国责任与气度及远见卓识,有效突破了前人关于国际社会治理的困境,将前人的乌托邦美好愿望一步步变成当下的现实和世界各国人民的共同福祉,因而是人类社会演进至今最好的全球治理方案。随着中国所提出的"一带一路"倡议的不断深入推进,以及"人类命运共同体"理念的不断实践,人类未来真正实现永久和平的梦想一定会成为现实。

(四)对马克思的共产主义世界大同观点的进一步细化、升华和完善

习近平在治国理政实践中非常重视学习掌握和运用马克思主义哲学思想,他曾多次强调:"我们党自成立起就高度重视在思想上建党,其中十分重要的一条就是坚持用马克思主义哲学教育和武装全党。学哲学、用哲学,是我们党的一个好传统。我们党在中国这样一个有着13亿人口的大国执政,面对着十分复杂的国内外环境,肩负着繁重的执政使命,如果缺乏理论思维的有力支撑,是难以战胜各种风险和困难的,也是难以不断前进的。因此,各级领导干部必须不断接受马克思主义哲学智慧的滋养,必须努力把马克思主义哲学作为自己的看家本领,坚定理想信念,坚定正确政治方向,提高战略思维能力、综合决策能力、驾驭全局能力。"① 中国所提出的包含相互尊重、平等相待的国际权力观,合作共赢、共同发展的共同利益观,相互依存、共同、综合、合作的可持续发展观和公平正义、不同文明兼容并蓄、交流互鉴的全球治理观等全球价值观的"人类命运共同体"理念,正是对马克思的共产主义世界大同观的继承、细化、升华和完善。

马克思指出,共产主义社会"以每一个人的全面而自由的发展为基本原则"。在马克思看来,自由人的联合体是人类社会真正的共同体,是代替资本主义社会虚假共同体的必然,高度发达的社会生产力是真正的共同体实现的前提条件。

---

① 新华社. 习近平在中国中央政治局第十一次集体学习时强调:推动全党学习和掌握历史唯物主义 更好认识规律更加能动地推进工作[N]. 人民日报,2013-12-05.

"真正的共同体"具有以下特征：生产资料的所有制形式是公有制，人人各尽所能，各得所需，阶级消失，政权消亡；其宗旨是：每个人自由而全面地发展，每个社会成员在自由发展的同时，与其他社会成员的发展不相互对立、相互排斥①。由此可见，马克思所反复强调的人类社会真正的共同体和自由人的联合体，其实指的就是人类社会发展的最高阶段，真正的世界大同共产主义社会。

马克思和恩格斯曾明确宣布："社会所拥有的生产力已经不能再促进资产阶级文明和资产阶级所有关系的发展；相反，生产力已经强大到这种关系所不能适应的地步，它已经受到这种关系的阻碍；而它一着手克服这种障碍，就使整个资产阶级社会陷入混乱，就使资产阶级所有制的存在受到威胁。资产阶级的关系已经太狭隘了，再容纳不了它本身所造成的财富了。"② 这里明确指出资本主义的生产关系已经不能适应生产力的高度发展，而改变这种现状的根本就是建立社会主义和共产主义制度。1859年，马克思在《〈政治经济学批判〉序言》中又进一步指出："无论哪一个社会形态，在它所能容纳的全部生产力发挥出来以前，是决不会灭亡的；而新的更高的生产关系，在它的物质存在条件在旧社会的胎胞里成熟以前，是决不会出现的。"③ 也就是说，只有当资本主义社会的生产力高度发展，资本主义生产关系所容纳的全部生产力发挥出来以后，真正的共同体时代才会到来。

在《哥达纲领批判》中，论及未来的新制度及其形成，马克思的分析理性且乐观："在共产主义社会高级阶段上，在迫使人们奴隶般地服从分工的情形已经消失，从而脑力劳动和体力劳动的对立也随之消失之后；在劳动已不仅仅是谋生的手段，而且本身成了生活的第一需要之后；在随着个人的全面发展，他们的生产力也增长起来，而集体财富的一切源泉都充分涌流之后，——只有在那个时候，才能完全超出资产阶级法权的狭隘眼界，社会才能在自己的旗帜上写上：各

---

① 马克思，恩格斯. 马克思恩格斯文集：第5卷[M]. 中共中央编译局，译. 北京：人民出版社，2009：683.
② 马克思，恩格斯. 马克思恩格斯文集：第2卷[M]. 中共中央编译局，译. 北京：人民出版社，2009：37.
③ 马克思，恩格斯. 马克思恩格斯文集：第2卷[M]. 中共中央编译局，译. 北京：人民出版社，2009：592.

尽所能，按需分配！"① 在《共产党宣言》中，马克思、恩格斯对未来社会充满美好憧憬："代替那存在着阶级和阶级对立的资产阶级旧社会的，将是这样一个联合体，在那里，每个人的自由发展是一切人的自由发展的条件。"②

也就是说，人类社会的整个演变过程是一个长期的、复杂的历史过程。资本主义阶段，核心动机和价值目的是纯粹性利己；社会主义初级阶段，最广大人民的需要得到充分满足以及普遍有公平正义获得感，兼顾他人和社会共同利益的生产关系的主体性质也发生了较大变化；共产主义社会，社会生产关系的主体的性质实现了根本的质变，"人的自由而全面发展"的世界大同理想社会得以实现③。显然，这是一个没有阶级、没有民族和国家、没有私有制和压迫的真正的"自由人的联合体"，寄托着人们有关共同体之平等、自由、自主性的一切美好愿望，无疑是人类共同体理想在社会发展的更高阶段。

但是，马克思所描绘的共产主义世界大同美好蓝图只是局限于单一民族国家内部，他并没有指出由许多单一民族国家组成的国际社会又该如何达到"自由人的联合体"的高度。按照建构主义的理解，其实国际社会本身就是一种物化的观念建构，也可以以人的属性物化构成国际社会的每个单一民族国家，每个单一民族国家内部的每个人是自由了，但民族国家间的关系，复杂程度远远超过每个单一的民族国家自身，如何把各个不同类型国家组成的国际社会也变成"自由人的联合体"，马克思没有给出答案。而实际上，国际社会的"自由人的联合体"甚至比单一的民族国家的"自由人的联合体"更重要，因为人类进入21世纪以来，经济全球化和跨国资本、信息与互联网技术等向深度、广度扩展，使全球社会之间的联系日益密切，同时也让世界在应对各种挑战和风险时变得更加脆弱，各种全球性难题仅靠任何单一民族国家是根本无法解决的，必需世界各国互相配合、

---

① 马克思，恩格斯. 马克思恩格斯选集：第3卷[M]. 中共中央编译局，译. 北京：人民出版社，1995：305-306.
② 马克思，恩格斯. 共产党宣言[M]. 中共中央编译局，译. 北京：人民出版社，1997：50.
③ 袁祖社. "共享发展"的理念、实践与人类命运共同体的价值建构[J]. 南京社会科学，2017（12）.

协同应对。

就如朱恒鹏、徐静婷所说,"人类命运共同体"理念对马克思共产主义世界大同观最重要的发展和创新就是提出了合作共赢、共建共享观点,即"人们生活在一个共同体中,意味着他们的物质和精神生活在某种程度上是共享的、共有的,共同体成员以不同形式互惠,并且在非工具价值意义上彼此珍视"[①]。"人类命运共同体"强调只有合作才能共赢,这就把世界上每个国家的利益牢牢地捆绑在了一起,大家彼此一荣俱荣、一损俱损,为了发展,大家只能加强互相合作,参与到"人类命运共同体"的构建中来,才能最终共享"人类命运共同体"构建成果。世界上所有国家第一次处于平等的地位,这对推动全球化进展,调动世界各国参与构建"人类命运共同体"的热情,促进全人类共同利益,改善全球治理具有重大作用和影响。

---

① 朱恒鹏,徐静婷. 共享发展、共同体认同与社会保障制度构建[J]. 财贸经济,2016(10).

第五章

"人类命运共同体"的中西方理念之争

"理念"译自希腊语 idea。通常指思想，有时亦指表象或客观事物在人脑中留下的概括的形象。它在西方各派哲学中有不同的涵义。在客观唯心主义哲学中，常译作"理念""相"或"客观理念"，亦有译为"理式"的。柏拉图用以指永恒不变而为现实世界之根源的独立存在的、非物质的实体。[①]

　　中西方因文化历史成长背景的不同，在对世界的认知方面有根本的理念差异。西方人文主义特别是在文艺复兴之后推崇"人是宇宙中心"，追求自我价值的实现，形成独立的人格，同时强调人不应当贬视自己，而应当追求自身价值与幸福。正因如此，西方社会中人与人之间不形成宗法伦理、等级关系，而是平等基础上的契约关系，当社会发展需要把这种契约关系用某种法定形式规范下来时，西方社会就形成了法制社会。同时，个人至上也让西方国家更相信国家的自助和不断扩张才是获得自身安全的唯一途径，从而形成外侵性的文明。而中国文

---

① 辞海编辑委员会. 辞海（第六版缩印本）[M]. 上海：上海辞书出版社，2013：633.

化推崇的是"道法自然"理念，强调天人合一和皇权至高无上以及百姓对皇权的绝对服从和敬畏，儒家的"仁义礼智信，恭宽信敏惠"之所以成为中国古代的统治思想，并作为中国传统文化基因的重要组成部分一直影响到当下中国的对外决策，正是源于建立在以家国为本位的社会伦理秩序的基础之上而形成的自上而下的严格的等级社会，"和合"文化让中国对世界的认知充满理想乐观色彩。

主张互助和他助的"人类命运共同体"是关于人类社会的新理念，与近代以来一直主宰世界的西方自助政治学说有根本的不同，特别是在如何获取国际权力、单一民族国家与国际社会之间的关系、国家利益的界定等方面，两者差异巨大。中国人的传统是重视朋友、和平、和谐和互助，所提出的"人类命运共同体"构想自然也就包括了互利合作、共建共赢、和平发展、繁荣共享等相应的举措。主张自助、不相信合作互助的西方传统政治理念则导致冷战式的同盟加威慑，国家之间追求你少我多、损人利己、你输我赢、一家通吃的零和思维以及贸易保护主义，势必加剧当前本已严峻的全球政治经济发展困境。

构建"人类命运共同体"无法回避中西方在上述传统理念上的客观差异，只有互相尊重、互相理解、求同存异，才能找到化解方法。以下笔者主要从中国是否改变了世界秩序、资本主义是否是世界历史的最后终结者这两个西方主要的质疑对中西方理念之争的根源进行分析。

一、中国会否颠覆原有的世界秩序、挑起冲突、称霸世界

中国崛起究竟会否颠覆原有的国际秩序、挑起冲突、称霸世界？这是近年来西方舆论关注的焦点，特别是随着中国"一带一路"倡议的成功实施和"人类命运共同体"理念的提出，以及近年来中国经济规模的迅速扩大，"中国崛起"话题受到国内外政、学界高度关注，其中不乏疑虑。

2014 年 10 月 7 日，美国国防部副部长罗伯特·沃克在国际关系委员会上做报告称，俄罗斯与中国试图对最近 70 年确定的世界秩序进行重审。对于美国来说，重要的是要确信，中国和俄罗斯将不动用武力来维护自己的利益。中俄两国

都在巩固自己的边境区域，中国和俄罗斯希望改变战后秩序中的一些要素，但他们应该明白，美国可能动用军事手段来应对自己盟国所遭受的威胁。①

诺贝尔经济学奖得主施蒂格利茨在2015年1月号《名利场》杂志上发表了一篇名为《中国世纪》的文章，他指出，依据世界银行等机构发布的统计报告，中国已坐上世界经济头把交椅，按照购买力评价法，中国的国内生产总值（GDP）应在2014年超过美国，成为"世界第一"。随着中国成为"世界头号经济体"，新的全球政治经济秩序正在形成。②

2016年11月3日，德国慕尼黑安全会议主席伊辛格在媒体发表题为《中国雄心改变世界格局》的评论文章，文中指出，中国的再次崛起是我们这个时代最重要的全球战略问题——如何应对也是美国和欧洲最重要的长期任务。没有什么能像中国的雄心壮志和它不断增加的重要性一样能如此大幅度地改变世界秩序，而且没有什么会像太平洋地区的一场军事冲突一样能够给全球带来潜在的灾难性后果。美国与中国，或者中国与其邻国之间爆发冲突绝对不是不可避免的事情，该地区内爆发军事冲突的风险已经有所增加。中国东海和南海的所有领土争端都还悬而未决，中国在该地区内贯彻其利益诉求的态度也越来越坚决。中国的种种做法对国际格局影响的后果已经有所显现。③

2017年12月18日发布的美国《国家安全战略报告》直接指责中国"试图塑造一个与美国价值观和利益背道而驰的世界"。中国体量庞大，对自己的全球使命（global destiny）充满自信，并且极其渴望在数百年屈辱后恢复其应有的地位。中国正利用与先行国际体系接轨所获得的财富和权力，展示自己的实力，包括主张南海主权，以及在贸易条件中加入针对外国政府和公司的审查，声称有权

---

① 李圣依. 美国国防部副部长：中俄正试图改变世界秩序［EB/OL］．(2014 - 10 - 09). http://oversea.huanqiu.com/breaking-comment/2014 - 10/5160459.html? agt = 326.
② 张尼. 国际关系学者热议：中国崛起如何改变世界秩序？［EB/OL］．(2015 - 04 - 12). http://www.chinanews.com/gj/2015/04 - 12/7201357.shtml.
③ 参考消息网. 德媒：中国再次崛起撼动全球格局［EB/OL］．(2016 - 10 - 31). http://www.myzaker.com/article/581726e57f780bad3300e236/.

修改和重新解释游戏规则。中国的这些行动正在挑战美国及其盟友精心制定的战后国际秩序的关键规则和准则。这种令人担忧的趋势表明，中国有意愿挑战国际秩序的各个方面。从中国参与国际机构、遵守国际准则、遵守现行国际法、参与多边协调合作等方面的表现来看，中国的强大和野心使其不可能屈从这种安排。我们应严肃对待中国当前出现的迅速转变。①

另据美国媒体报道，美国国务院已经向各个美国大使馆和领事馆发送了指示，如果中国留学生在机器人、航空和高科技制造业等领域学习，其签证有效期将被限制在1年。而这些领域正是"中国制造2025"计划中强调的部分。另外，美国众议院在2018年5月也通过了一份美国2019财年度国防授权法案的修正案，其中要求美国国防部停止向参加了诸如中国"千人计划"等人才引进计划的科研人员提供资助，目前该修正案正与国防授权法案整体一起，接受参众两院的联合审议磋商，待取得一致之后送交特朗普进行签署。②

那么，一个强大的中国真的如一些西方舆论所言威胁到了世界吗？还是只是某些感觉到威胁的西方既得利益者遏制中国的阴谋？以下笔者将对西方的观点和中国的观点进行对比分析。

（一）西方的观点

西方舆论对中国崛起的疑虑由来已久，各种版本的"中国威胁论"伴随着中国40年改革开放的进程就从来没有消停过，5年来尤其突出表现在对中国"一带一路"倡议和"人类命运共同体"理念的质疑上。其核心观点主要有以下3点：

1. 亨廷顿"文明冲突论"：中国非西方的异质文明是冲突之源

西方传统哲学的观念把文明看成一种"实体"，要划清自己和他人的"边界"，即一种文明与另一种文明的界限（也就是"我们"和"各种他们"的区

---

① 周远方. 兰德公司：若不改革并与中国合作，国际秩序难以为继[EB/OL]. (2018-06-22). http://m.guancha.cn/internation/2018_06_22_460999_2.shtml?from=singlemessage.
② 于宝辰. 白宫报告称中国"经济侵略"主导者曾写《致命中国》[EB/OL]. (2018-06-20). https://www.guancha.cn/internation/2018_06_20_460759.shtml.

别)。出于这种观念，西方人所追求的文明，就是用自己的文明占领全球、排斥其他文明的文明殖民主义(文化帝国主义)。亨廷顿说："憎恨是人之常情。为了确定自我和找到动力，人们需要敌人……对那些与自己不同并有能力伤害自己的人，人们自然地抱有不信任，并把他们视为威胁。一个冲突的解决和一个敌人的消失造成了带来新冲突和新敌人的个人的、社会的及政治的力量。正如阿里·马兹鲁伊所说：'在政坛上，"我们"与"他们"相对立的趋势几乎无所不在。'在当代世界，'他们'越来越可能是不同文明的人。"[1] 爱我的文明，就必须憎恨非我的文明，这种观念的实质是用造就敌人来寻求自己的定位和发展的动力，而且马兹鲁伊想当然地认为世界上所有强大的文明都会像西方文明这样只独爱自己、排斥和仇恨其他文明，这是对拥有5 000多年悠久历史的中华文明缺乏基本了解导致的可笑的偏见。

随着中国国力的增强和在国际舞台上的地位日益提高，中国的崛起让西方国家感觉自己的利益和安全受到了潜在的威胁。如亨廷顿所说："历史上，一个文明权力的扩张通常总是同时伴随着其文化的繁荣，而且这一文明几乎总是运用它的这种权力向其他社会推行其价值观、实践和体制。"[2] "在正在显现的世界中，属于不同文明的国家和集团之间的关系不仅不会是紧密的，反而常常会是对抗性的。但是，某些文明之间的关系比其他文明更具有产生冲突的倾向。……伊斯兰国家和中国拥有与西方极为不同的伟大的文化传统，并自认其传统远较西方的优越。在与西方的关系中，随着其权力和自我伸张性的增强，它们与西方在价值观念和利益方面的冲突日益增多和加剧。"[3] 他认为，"不是在宗教之间，而是在文明之间存在着冲突"[4]，"中国的崛起则是核心国家大规模文明间战争的潜在根源"[5]。也就是说，在他看来，中国文明与西方文明之间必然发生冲突，一种处

---

[1] 塞缪尔·亨廷顿. 文明的冲突与世界秩序的重建[M]. 周琪，等译. 北京：新华出版社，1999：135.
[2] 塞缪尔·亨廷顿. 文明的冲突与世界秩序的重建[M]. 周琪，等译. 北京：新华出版社，1999：88.
[3] 塞缪尔·亨廷顿. 文明的冲突与世界秩序的重建[M]. 周琪，等译. 北京：新华出版社，1999：199-201.
[4] 塞缪尔·亨廷顿. 文明的冲突与世界秩序的重建[M]. 周琪，等译. 北京：新华出版社，1999：236.
[5] 塞缪尔·亨廷顿. 文明的冲突与世界秩序的重建[M]. 周琪，等译. 北京：新华出版社，1999：230.

于强盛时期的文明必然如同西方文明曾经做过的殖民、扩张、称霸行为那样，输出自己的文化，用自己的文化来消灭、代替异己的文化。

在西方文明看来，中国在文明上对西方的威胁甚至要超过在经济和军事上对西方的威胁，因为1840年以来西方文明虽然曾经在经济和军事上打败过中国，因而具有傲慢的心理优势，却从来没有能够征服中国的文明，即便是近代以来派出大量传教士来华传播西方价值观，中华文明都因它悠久的历史底蕴和深刻的思想体系以及对其他文明强大的吸收、消化、同化能力而始终保持自身的独立性。当下以美国为首的西方正试图在世界上强行促进其"自由民主价值"的全球化，维持其军事优势，加强其经济利益，这势必会引起包括中华文明在内的其他文明的强烈抵触。

2."修昔底德陷阱"：中美之间冲突不可避免

所谓"修昔底德陷阱"，最早是由古希腊哲学家修昔底德（见其所著《伯罗奔尼撒战争史》）提出来的，他依据雅典和斯巴达的战争原因得出结论："雅典力量的增长以及由此导致的斯巴达的恐惧使得战争无法避免"，其基本政治逻辑是强国必霸、争霸必战、两败必衰，也即新崛起大国一定会挑战旧大国，冲突无法避免。赫伯特·巴特菲尔德在其所著《历史与人类关系》中也指出："即使没有任何一个蓄意出来危害世界的大恶人的干涉，历史上最大的战争也可能爆发。它最有可能在两个急于避免任何冲突的大国之间爆发。"[①]

出于国内政治因素、意识形态偏见等原因，美国对中国政治制度、发展道路等始终抱着疑虑态度。美国最担心的是中国越来越强大的实力和世界影响对美国地位及其主导的国际秩序的严重挑战，因此，近年来关注的焦点越来越集中在中美关系所谓"崛起大国同守成大国'修昔底德陷阱'对抗"的问题上。

2013年3月11日，时任白宫首席安全顾问托马斯·多尼伦在亚洲协会讲话中声称，随着中国军事现代化步伐加快，中国在亚洲不断扩大的军事存在可

---

① John Herz，Political Realism and Political Idealism[M]. Chicago：Chicago University Press，1951：29.

能会增加美中在西太平洋地区发生军事摩擦或误判的风险。在经济领域，美国要求中国改变出口型经济发展模式，共促国际金融稳定，应对气候变化和能源安全等全球挑战。在网络安全领域，美国强调所谓来自中国的网络商业窃密问题。①

2013年11月20日，时任美国总统国家安全事务助理赖斯在乔治城大学就美国亚太政策发表演讲时指出，美国愿意同中国实施"新型大国关系"，管控不可避免的竞争，在亚洲和其他地区双方利益汇合的领域特别是朝核、伊核等议题上深入开展合作，希望在法治、人权、宗教自由、民主原则、东海争端、南海争端等议题上同中国开展对话②。

除了政界，美国学者对中美关系也有很多质疑的声音。王缉思、仵胜奇对此进行了系统梳理，例如，布鲁金斯学会东北亚研究中心主任卜睿哲说，这种大国关系新模式中，一套包罗万象的基本原则更符合中国的偏好，而通过在具体议题上的互动来汲取经验教训，更符合美国的愿望；乔治·华盛顿大学教授沈大伟认为，中美双方不能沉溺于"漂亮、空洞的口号"，而要实实在在管理好双边关系；美中经济与安全审查委员会外交与能源事务专家凯特琳·坎贝尔、资深军事与安全事务专家克雷格·默里认为，中美新型关系这种"模糊"界定，有利于中国达到如下目的：一是同美方建立沟通管道，提高管控危机的能力，二是给美国施压，要美国尊重中国的"核心利益"，即支持中国的政治体制和国家安全、中国的主权和领土完整、中国的经济和社会发展，三是要求美国停止在中国的专属经济区里开展情报侦察和水温勘察的行动，减少对台军售，放松2000年美国《国防授权法》限制的对华军事合作领域；美国海军战争学院教授迈克尔·蔡斯声称，中方提出实现中美新型大国关系表明，北京要求华盛顿基本按照北京提出

---

① 托马斯·多尼伦. 白宫首席安全顾问在亚洲协会演讲阐释再平衡战略[EB/OL]. (2013-03-15). http://www.guancha.cn/TuoMaSi%C2%B7DuoNiLun/2013_03_15_131934.shtml.
② 海外网. 港媒：赖斯首论亚太政策 再平衡仍是美外交基石[EB/OL]. (2013-11-22). http://roll.sohu.com/20131122/n390602070.shtml.

的条件来顺应北京的利益——很明显不是通过相互调整来实现;詹姆斯敦基金会《中国简报》编辑彼得·马蒂斯称,如果美国接受中国有关构建新型大国关系的提议,那美国就不得不放弃对台承诺,放弃争取人权,放宽对华敏感技术出口,调整美日、美韩同盟,停止支持通过联合国海洋法来解决南海争端等①。

对中美关系持悲观立场,坚持"中美冲突无法避免"观点最著名的学者还是主张进攻性现实主义的约翰·米尔斯海默,他在其最著名的作品《大国政治的悲剧》的第十章,用整整一个章节专门探讨了中国能不能和平崛起的问题。他认为,中国崛起是藏不住的,中国在亚洲的主导地位已经成为既成事实,最终必须用武力或威胁使用武力来取得霸权并解决其面临的争端。中国的邻国如日本、韩国、新加坡、越南都会迅速加入美国领导的制衡联盟来阻止中国崛起。美国对付崛起中国的最佳战略是遏制,还可以减慢中国经济增长以及挖墙脚、在中国内部制造问题来削弱中国,如支持新疆或西藏的分裂分子在中国内部煽动骚乱,但将来中国也有可能最终强大到美国无法遏制它。说儒家思想主张和平,中国是个与众不同、弃现实主义逻辑而按儒家原则行事的大国,并无多少根据。任多大的善良愿望,也不能缓和亚洲或是欧洲有潜在霸主走上前台时要发生的激烈安全竞争,况且很有理由认为中国最终会追求地区霸权。②

从上述来看,美国政界和学界有一些人仍然顽固地坚持冷战思维和你死我活的过时的零和博弈来看待中美关系,与中国所倡导的自由、开放、包容、合作、平等理念格格不入。

3. 零和博弈的冷战思维:中国之所得即为西方之所失

中国近年来的发展势头异常强劲,超出了所有人的预期,当下的中国不仅是亚太周边地区所有国家的最大的贸易伙伴、最大的出口市场,也是世界上其他地

---

① 王缉思,仵胜奇. 中美对新型大国关系的认知差异及中国对美政策[J]. 当代世界,2014(10).
② 约翰·米尔斯海默. 大国政治的悲剧[M]. 王义桅,唐小松,译. 上海:上海人民出版社,2014:404-409、420-424.

区许多国家的最大贸易伙伴、最大的出口市场,甚至是世界上最大的贸易顺差来源地(目前这一数字已达到 128 国)①。但是中国的快速发展与世界上其他国家对中国接受和认知的程度并没有呈现同步正比提升,甚至在一些国家还出现了完全相反的排华、疑华、反华的现象。美欧等西方发达国家担心崛起的中国会挑战现有的国际秩序和规则,因而对中国的崛起抱有戒心;日韩澳等原先实力强于中国或与中国实力相当的国家则对中国崛起抱有复杂心态;中国周边国家特别是印度、东盟当中与中国有领土领海争端的某些国家则对中国的和平发展怀有猜疑和担忧。

西方国家的零和博弈冷战思维尤其体现在对中国军事现代化的异乎寻常的敏感和关注度上,中国军费快速增长和航母为代表的海军力量快速提升以及在南海岛屿的扩建及军事部署行动更是美国政府和军方特别重点关注的问题。

2012 年 1 月,美国防部发表了《维持美国的全球领导地位:21 世纪国防首要任务》的防务战略指针报告。报告称,从长远来看,中国崛起为地区大国将可能以不同形式影响美国的经济与安全,要求中国军事实力的增长必须伴以更加透明的战略意图。②

2014 年 3 月 4 日,美国防部发布了 2014 版《四年防务评估报告》,报告认为,亚太地区越来越成为全球商业、政治和安全事务的中心,但安全环境不容乐观,其复杂性主要体现在:长期存在的主权争端和对自然资源的诉求引起的风险将会导致破坏性的竞争或者爆发冲突;中国持续快速和全面推进国防现代化;等等。有鉴于此,五角大楼采取一系列措施强化在亚太的军事布局,并谋求与中国人民解放军发展持久和实质性的对话,以推动两军在打击海盗、维和、人道主义

---

① Margret Vice. In Global Popularity Contest, U. S. and China-Not Russia-Vie for First[EB/OL]. (2017-08-23). http://www.pewresearch.org/fact-tank/2017/08/23/in-global-popularity-contest-u-s-and-China-not-Russia-vie-for-first.
② 维持美国的全球领导地位:21 世纪国防首要任务[EB/OL]. https://doc.mbalib.com/view/506edd0276bea85ce9e08435d66fb3bf.html.

救援、救灾等具体领域的合作。①

2014 年 6 月,美国国防部发布了年度《与中华人民共和国有关的军事与安全发展》报告。报告对中国增加军事开支、武器研发以及网络安全妄加质疑,称中国公布的国防预算连续 20 多年保持较快速度增长,其中很大部分是用来研发先进武器及提高网络攻击能力。美国将密切关注中国不断发展的军事战略并促使中国的军事现代化计划变得更加透明。②

2018 年 6 月 22 日,华盛顿知名智库哈德逊研究所的主任白邦瑞抛出一个报告,题为《中共对外干预活动:美国和其他民主国家该如何应对》。该报告攻击中共的统一战线,指责中共干预美国选举和竞选资金流向、破坏学术自由、培养乐于同中国合作的美国精英人士、影响美国智库、改变好莱坞和美国媒体的叙事、让华人社区为中共的目标服务等,指责那些"跟共产党跑的西方人",不仅可能会讲中国的好话,还可以帮助中国理解那些北京试图影响的辩论③。

中国近年来成为世界经济发展最重要的引擎,更是多边自由贸易体制的坚定支持者和维护者,为世界上很多国家的经济发展做出了巨大贡献,但同时与这些国家的摩擦反而增多了,这反映了相当多的国家(不仅仅是发达国家,也包括一些发展中国家)担心对中国过度的经济依赖会导致政治上的依附的焦虑心态。这是这些国家的正常反应,也是中国崛起过程必经的阶段,这既说明中国在自身对外宣传、打消他国顾虑方面还有欠缺,中国过去单纯以经济发展促进国家间友好关系的外交理念必须有所改变,同时也反映了其他国家还没有做好面对一个迅速崛起的中国的必要的心理准备。世界需要给中国时间,中国也需要给世界时间。

(二)中国的观点

中国崛起究竟会否颠覆原有的国际秩序?高程表示,中国崛起是内部需求和

---

① 吴心伯. 解读美国 2014 版《四年防务评估报告》[EB/OL]. (2014 - 03 - 12). http://www.cssn.cn/zx/bwyc/201403/t20140313_1027275.shtml.
② 穆东. 美国国防部发布年度中国军力报告[EB/OL]. (2014 - 06 - 06). http://military.people.com.cn/n/2014/0606/c1011 - 25114022.html.
③ 社评:"跟共产党跑的西方人",美国式扣帽子[N]. 环球时报,2018 - 06 - 22.

外部环境共同作用的结果,早前由美国建立的国际秩序已经容纳不下中国的体量,中国所发挥的作用也受到限制。中国提出了"独立自主""开放包容"的国际秩序主张,同时提出了新兴市场国家群体要求增加话语权的诉求,这对美国推行的霸权主义的确形成冲击。崔立如评价说,中国崛起令全球未来的预期产生不确定性,如何在政策上、理论上充分消除这种不确定性的疑虑是中国需要研究的议题,同时,怎样在权力分配中解决公平问题也是一大挑战。①

1. "穷则独善其身,达则兼济天下"、天下为公、大同社会的现代诠释

2014年8月习近平访问蒙古时明确指出:"中国愿意为包括蒙古国在内的周边国家提供共同发展的机遇和空间,欢迎大家搭乘中国发展的列车,搭快车也好,搭便车也好,我们都欢迎,正所谓'独行快,众行远'。我多次讲,中国开展对发展中国家的合作,将坚持正确义利观,不搞我赢你输、我多你少,在一些具体项目上将照顾对方利益。中国人讲求言必信、行必果。中国说到的话、承诺的事,一定会做到、一定会兑现。"② 事实上,近年来中国已经承担起了让周边一些发展中国家搭便车的责任,许多周边国家与中国之间已经存在事实上的不对等的市场开放以及对华长期贸易顺差等(只限于周边国家或最不发达国家,不允许发达国家和大国的这种投机行为)。这种主动让别人"占中国便宜"的行为,体现了"穷则独善其身,达则兼济天下"等儒家思想的影响。

自古以来历史上还从未出现过一个像中国这样的大国,会无条件地主动让别国免费搭自己的便车,更没有哪个大国会在自己强大后依然保持低调谦虚,不以侵略别国、获取更大利益为目标。美国外交学者网站指出,过去5年,中国大幅增加了对联合国维和行动的资金和人员支持。2013年,中国的出资额占联合国

---

① 张尼. 国际关系学者热议:中国崛起如何改变世界秩序? [EB/OL]. (2015 - 04 - 12). http://www.chinanews.com/gj/2015/04 - 12/7201357.shtml.
② 习近平. 守望相助,共创中蒙关系发展新时代——在蒙古国国家大呼拉尔的演讲(2014年8月22日,乌兰巴托) [N]. 人民日报, 2014 - 08 - 23.

维和预算大约 3%，现在则上升到 10.25%。中国还训练了 8 000 名军人作为联合国维和行动待命部队。联合国秘书长古特雷斯称，中国正成为国际冲突"可信赖的调解者"和"搭桥者"。① 2018 年 5 月 28 日奥地利维也纳，中国与联合国外层空间事务办公室共同向世界发出邀请：欢迎世界各国利用未来的中国空间站开展舱内外搭载实验等合作，中国空间站不仅属于中国，也属于世界。这是此类项目首次向所有联合国会员国开放。美国科技媒体 Ars Technica 网站直接指出，中国这种包容性的做法，与国际空间站拒绝中国参与，以及美国政府禁止 NASA 直接参与中国太空计划的做法形成了对比。② 曾经被美国禁止使用国际空间站的中国凭借自身努力在太空领域走到世界前列之时，并没有对其他国家进行技术封锁或遏制，而是邀请各方共享中国的科技成果，帮助其他发展中国家在空间技术方面取得进步。中国的做法向世界表明，美国在太空领域孤立中国的政策是过时、无效和不合理的。当美国还在"封闭"自我，中国的空间外交已打开局面。

中国这种主动让别人"占中国便宜"的行为，在近现代以资本主义生产方式为主建立的国际关系体系中是不可思议和无法想象的，与西方国家的冷战思维、零和博弈及自私自利的贸易保护主义形成了极为强烈的反差，体现了"穷则独善其身，达则兼济天下"、天下为公、大同社会的源远流长的儒家思想的影响。"一带一路""人类命运共同体"等中国智慧和中国方案具有的深厚的中国传统文化的思想底蕴，中国强大后不忘记回报世界的大国担当、底气和实力，以及真心希望更多国家能与中国一同发展进步、共享中国发展红利的大公无私信念，一定会得到世界上越来越多国家的理解、认同和支持。

2. 以和为贵、独乐乐不如众乐乐的中国独特的国际政治大局观

新中国成立近 70 年来，随着中国与世界各国交往越来越密切，各种摩擦和

---

① 严瑜. 外媒：中国以"和合"谋世界大同[EB/OL]. (2018 - 06 - 18). http://news.sina.com.cn/c/2018 - 06 - 18/doc-iheauxvy7746870.shtml.
② 芮思客."我们不一样！" 当美国再次弃约，中国向世界郑重许下一个承诺[N]. 参考消息，2018 - 05 - 30.

矛盾也层出不穷，中国自己对世界的看法也在不断调整和变化，这就需要外交理念与时俱进、不断创新和发展。以习近平为核心的党中央提出"人类命运共同体"理念，是中国古代"和合"文化在当代的创新发展，体现了和平发展、开放包容、兼爱互利的儒道墨等学派的价值取向。

习近平在2014年11月4日主持中央财经领导小组第八次会议时强调，丝绸之路经济带和21世纪海上丝绸之路倡议顺应了时代要求和各国加快发展的愿望，提供了一个包容性巨大的发展平台，具有深厚历史渊源和人文基础，能够把快速发展的中国经济同沿线国家的利益结合起来。要集中力量办好这件大事，秉持亲、诚、惠、容的周边外交理念，近睦远交，使沿线国家对我们更认同、更亲近、更支持。① 也就是说，要通过"一带一路"让更多的国家认同中国的和平发展道路，提升中国的影响力、话语权和国家形象软实力。诚如王东在其文中所言，中国提出的"人类命运共同体"理念体现了多元主体、综合创新的新世界观；天下为公、义利统一、以人为本、以和为贵的新价值观；多元共存、仁者爱人、非攻、合作共赢的新型主体观，是对"修昔底德陷阱"的有效突破。②

"人类命运共同体"理念其实正是孔子等古代著名先哲曾经心心念念、毕生追求的人间大义在当代的成功实践。例如："以和为贵"出自《论语·学而》"礼之用，和为贵"，即礼之运用，贵在能和，主张借礼的作用来保持人与人之间的和谐关系。"独乐乐不如众乐乐"，出自《孟子·梁惠王下》，意思是自己奏乐自己高兴不如大家一起奏乐一起高兴。"协和万邦"则出自《尚书·虞书·尧典》"九族既睦，平章百姓，百姓昭明，协和万邦，黎民于变时雍"，即使天下的国家都协调和顺、和平相处。"兼爱互利"出自《墨子·兼爱中》"兼相爱，交相利"，主张视人若己，兼爱不应当有差别，你爱别人，别人也会对等互报爱你，大到国家之间要兼相爱交相利，小到人与人之间也要兼相爱交相利。"仁者爱人"是儒

---

① 新华网. 习近平主持召开中央财经领导小组第八次会议[EB/OL]. (2014-11-06). http://politics.people.com.cn/n/2014/1106/c70731-25989646.html.
② 王东. 构建人类命运共同体，破解修昔底德陷阱[J]. 中央社会主义学院学报，2017（5）.

家所主张的一种发自内心的对他人的关心和爱护，是将个体高尚的道德修养和境界转化为对他人和社会的终极关怀。"非攻"则是墨家学派的主要思想观点，即反对攻战，反对"大则攻小也，强则侮弱也，众则贼寡也，诈则欺愚也，贵则傲贱也，富则骄贫也，壮则夺老也。是以天下之庶国，方以水火、毒药、兵刃以相贼害也"。

由以上可见，中华文明的文化基因中，从来都没有崇尚武力、追求霸权的暴力倾向，从来没有海外扩张和海上霸权的野心与主张，仁者爱人、兼爱非攻、以和为贵、协和万邦一直都是中国人处理对外关系的基本原则。"人类命运共同体"理念追求的是建设一个持久和平的世界，中国独特的"和"文化特质决定了中国不会走国强必霸的老路，破解了人类无解的难题，找到了崛起和强大与和平之间的平衡。因此，国强必霸、争霸必战、两败必衰的西方传统政治逻辑并不适用于中国。对此，王东指出："中国国情、历史传统、发展道路、现代化发展战略和外交战略、全球战略等，都与古希腊雅典和斯巴达根本不同，自古至今中国从来不称霸，今天更谈不上与美国去争夺什么海上霸权、世界霸权。"[1] 王巧荣也指出，"作为当今世界正在崛起的大国与守成大国，中美两国关系的发展变化对世界和平有着关键性的影响，习近平提出的构建中美'不冲突、不对抗、相互尊重、合作共赢'的新型大国关系，避免了两国陷入'修昔底德陷阱'"[2]。

只要人类的生存与生活有民族、政府、国家的建制，并存在永不停息的利益冲突，就必然导致生存与发展的"安全困境"。那么，怎样才能摆脱你死我活的零和博弈冷战思维？王东认为，关键在于建构一种以和平共处、相互尊重、求同存异为前提，以合作共赢、共享和平发展成果、对话不对抗、结伴不结盟的伙伴关系为目标的新型国际关系。首先，应承认差异、相互尊重、和平共处。尊重差异就是尊重别国不同国情，和平共处是不同国家、不同制度、不同文明、不同宗

---

[1] 王东. 构建人类命运共同体，破解修昔底德陷阱[J]. 中央社会主义学院学报，2017（5）.
[2] 王巧荣. 中国在构建国际新秩序中的角色担当[J]. 人民论坛，2017（25）.

教信仰相处的基本原则。其次，应努力寻找经济利益、语言交流、思想文化上的利益共同点，在不同主体、不同人群、不同国家之间找到共同点，是走向合作共赢的必经之路。最后，应找到建构合作共赢关系、共享和平发展成果的平等合作机制、公平分配机制。①

实践证明，与西方的以利为先、零和博弈、唯我独尊、自私自利的冷战思维和霸权行径相比，中国的以义为先、合作共赢、共同发展为导向的"一带一路"倡议、"亲诚惠容"周边外交理念、"人类命运共同体"理念更加符合当前世界政治经济发展要求。

3. 以民为本、迥异于西方的合作平等非征服文明理念

不少西方人根据自己的历史和文化来解释与其历史、文化、思维方式不同的人的行为，以此论证中国崛起后必然像他们自己过去那样殖民、扩张和称霸。他们认为人类文明只可能有一条发展道路，也就是他们已经走过的道路。但是，人类文明并不是只有一种模式，也不是只有一条发展道路。

以民为本为代表的民本思想在中国由来已久，在我国古代传统优秀文化中占据着重要的位置，它最早来源于周公的"敬天保民"思想，君王承受天命，任在治民安民，绝不能贪图个人的安逸享乐。春秋战国时期孔子主张"仁政、德政"，孟子提出"民为贵，社稷次之，君为轻"。周坚认为，儒家民本思想的核心是民贵君轻、民为邦本、民水君舟，主张统治者要爱民、亲民，使人民的生活安定，才能得到人民对国家的拥护，才能达到真正的民治君安②。

以习近平为代表的中国共产党人的民本思想是马克思主义民本思想在当代中国的运用及发展。习近平指出："人民对美好生活的向往，就是我们的奋斗目标。"③ "'治国有常，而利民为本'。以人民为中心的发展思想，不是一个抽象

---

① 王东. 构建人类命运共同体，破解修昔底德陷阱[J]. 中央社会主义学院学报，2017（5）.
② 周坚. 中国的民本思想内涵远超西方"民主"价值观[J]. 人民论坛，2009（18）.
③ 新华网. 习近平：人民对美好生活的向往就是我们的奋斗目标[EB/OL]. （2012-11-15）. www.xinhuanet.com/18cpcnc/2012-11/15/c_123957816.htm.

的、玄奥的概念，不能只停留在口头上、止步于思想环节，而要体现在经济社会发展各个环节。"① "我们对人民立下的军令状，必须全力以赴去实现。"② "'知屋漏者在宇下，知政失者在草野。'让群众满意是我们党做好一切工作的价值取向和根本标准，群众意见是一把最好的尺子。"③

中华文明自古以来对于不同文化、不同文明的态度，用费孝通的话来说就是"各美其美""美人之美""和而不同"。也就是说，"和"就是不同文化相互之间的和谐共处、开放包容，不会对外来文化抱有恐惧和敌视的态度。王缉思等学者则强调，中国认为美国正是因为采取敌视而不是"和而不同"的态度对待中国，才导致中美关系持续紧张，如：美国没有平等对待中国，对中国的主权、安全、发展等核心利益不够尊重，干涉中国内政，在涉台、涉藏、涉疆、网络安全等问题上损害中国利益，破坏中国国内稳定。美国还限制对华高科技产品出口，屡屡挑起中美之间的贸易摩擦，中国却从来没有做过有损美国核心利益的事情。④

除了上述以民为本和合作平等之外，中华文明还有一个与西方文明显著不同的地方在于，中华文明自古以来的强盛之路从来不是通过西方式的领土扩张、对外殖民侵略和残酷征服来实现的，中华文明坚持的是"君子爱财，取之有道"的理念。《论语·里仁》就曾强调："富与贵，是人之所欲也，不以其道得之，不处也；贫与贱，是人之所恶也，不以其道得之，不去也。君子去仁，恶乎成名？君子无终食之间违仁，造次必于是，颠沛必于是。"联系当下的国际政治经济现实，"君子爱财，取之有道"具有强烈的现实意义。当下国际社会还存在霸权主义和强权政治，国家之间不公平不合理的现象普遍存在，仍有一些国家总是想占他国

---

① 习近平. 在省部级主要领导干部学习贯彻党的十八届五中全会精神专题研讨班上的讲话（2016年1月18日）[EB/OL]. (2016-05-10). http://cpc.people.com.cn/n1/2016/0510/c64094-28337020.html.
② 习近平. 在党的十八届五中全会第二次全体会议上的讲话（节选）（2015年10月29日）[J]. 求是，2016（1）.
③ 习近平. 在党的群众路线教育实践活动总结大会上的讲话（2014年10月8日）[N]. 人民日报，2014-10-09.
④ 王缉思，仵胜奇. 中美对新型大国关系的认知差异及中国对美政策[J]. 当代世界，2014（10）.

便宜、损害他国利益而频频采取贸易保护主义措施以谋求一己之私利,巧取豪夺、总想以不正当手段获得最大利益的现象继续延续,这些都是当下引发国际冲突的重要原因。

不同文明之间,不是必然互相仇视和冲突,而是可以和平共处,互相吸收、互相融合的。如叶朗所言,中华文明具有一种开放性和伟大的包容性,它对于外来的异质文明,不是拒绝、冲突,而是尊重、吸纳、包容,求同存异,和谐相处。一方面接纳它们,包容它们,尊重它们自己的特色,另一方面,又把外来的异质文化中的一些成分、因素吸收、融合进来,充实、丰富我们自己民族的文化。正因为如此,中华文明才能够在一个漫长的历史时期中保持自己的生机和活力。①

在未来发展中,中华优秀传统文化依然是当代中国价值体系与思想资源的重要组成部分。中国所提出的"一带一路""人类命运共同体"等理念吸收了中华文明的宝贵精华,提出了共建共赢、合作共享、义利统一、责权共担等珍贵思想,找到了世界经济发展不平衡的根源和化解矛盾冲突的方法,为全球治理提供了真正适合的、公平公正的解决思路。事实证明,"人类命运共同体"理念克服了西方传统模式的一系列严重弊端,是迄今为止最适合人类社会发展的一种模式,未来一定会得到世界上越来越多国家的认同和支持。

二、资本主义是否为世界历史的最后终结者

21 世纪前 20 年,世界政治经济格局发生了一升一降、此消彼长的深刻变动,一方面是 2008 年美国金融危机导致欧美日等西方发达资本主义国家出现了比较严重的经济问题,实力相对有所下降,另一方面却是中国继续保持高歌猛进的强劲增长势头,不过短短的 40 年时间,就成为世界第二大经济体和制造业第

---

① 叶朗. 谈中华文明的开放性和包容性[EB/OL]. (2014 - 07 - 21). http://theory.people.com.cn/n/2014/0721/c49157 - 25305899.html.

一大国。这引起了全世界学界的广泛热议，提出了诸多问题，比如：世界历史的进程是朝向共产主义制度还是朝向自由民主制度？还是两者竞争、共同发展？自由民主制度是不是历史的终结？中国目前的经济发展有没有对福山"历史终结论"提出挑战？历史会不会在新的资本主义经济模式下终结？在半资本主义的经济基础之上能否产生新的政治文明？中国在世界文明史上能不能画上一个完美的句号？这些问题有待中国进一步发展，特别是中国顺利兑现 21 世纪中期的"中国梦"目标，才能给出答案。究竟是成为资本主义历史的终结者，证明社会主义更加优越，还是被资本主义历史所终结，社会主义再次败给资本主义，当代中国正站在历史的转折点上。

（一）西方的观点

美国历史上也经过多次资本唯利是图造成的金融危机和经济危机。美国经济至今没有从 2008 年次贷危机中完全走出来。一些人据此认为，美国的资本主义衰落了，并用中国目前的经济繁荣证明"中国特色社会主义"的生命力。福山认为，他多年前关于自由民主制标志着人类历史发展最高点的论断依然正确，"像美国这样的当代自由民主国家，为渴望被认可比别人更伟大的人提供了广阔的空间是很顺理成章的事情"[①]。他的核心观点主要表现在以下 3 个层面。

1. 资本主义制度是人类社会迄今为止最先进的，没有制度可以超越

福山在《历史的终结及最后之人》一书中，通过两个方面的对比详细论证了两个问题，一是资本主义的优点，二是社会主义的弊端。

福山认为："在世界范围内最近发生的重大事件中，最使人惊愕的当属 80 年代后期共产主义世界出人意料的大面积塌方。……有的国家在倒塌的废墟上建立起繁荣稳定的自由民主国家；有的国家独裁崩溃后则带来社会动荡或改头换面成

---

① 弗朗西斯·福山. 历史的终结及最后之人[M]. 黄胜强，许铭原，译. 北京：中国社会科学出版社，2003：357.

另一种独裁制度。然而，无论成功的民主是否出现，在地球每个角落，各种专制主义都处在危机四伏的境地。"① "共产主义者被误认为阻止了社会变革的自然的、有机制的过程，并用一系列从上到下的强制革命来取代这一过程，包括摧毁旧的社会阶级，快速工业化和农业集体化。这种大规模的社会重组由于是国家发动而不是社会自发的，因而注定使共产主义社会脱离不了专制主义的色彩。"② 换言之，他认为是社会主义在政治和意识形态的合法性及经济体制方面的严重弊端导致了20世纪末共产主义的崩溃。

在福山看来，资本主义的优点同样明显。"人类社会的发展是有终点的，会在人类实现一种能够满足它最深切、最根本的愿望的社会形态后不再继续发展。……确切地讲，它是指构成历史的最基本的原则和制度可能不再进步了，原因在于所有真正的大问题都已经得到了解决。……自由民主制度却始终作为惟一一个被不懈追求的政治理想，在全球各个地区和各种文化中得到广泛传播。此外，经济学范畴中的自由原则——自由市场——也在普及……"③ "资本主义是一股充满活力的力量，不断地冲击纯习惯性的社会关系，用建立在技能和文化水平基础上的新的阶层划分来取代世袭的特权。"④ 在他看来，资本主义是在自由、民主、人的尊严间找到了平衡点的制度，这种社会可以说是已经实现了马克思的"自由王国"。

由以上可见，在福山看来，现代国家体系根本不存在绝对的公平、民主和自由，在国家的公权力和人的私人权利也就是自由与尊严之间需要找到一种平衡点。因此，马克思所描述的人类社会的历史终点——共产主义社会是不可能实现

---

① 弗朗西斯·福山. 历史的终结及最后之人[M]. 黄胜强，许铭原，译. 北京：中国社会科学出版社，2003：14.
② 弗朗西斯·福山. 历史的终结及最后之人[M]. 黄胜强，许铭原，译. 北京：中国社会科学出版社，2003：42.
③ 弗朗西斯·福山. 历史的终结及最后之人[M]. 黄胜强，许铭原，译. 北京：中国社会科学出版社，2003：2-4.
④ 弗朗西斯·福山. 历史的终结及最后之人[M]. 黄胜强，许铭原，译. 北京：中国社会科学出版社，2003：328-329.

的，其所追求的人的绝对公平是不现实的，必定会以牺牲自由为代价，无法解决公平和自由之间的平衡问题。资本主义自由民主制度因为找到了这种平衡，因此也是人类社会迄今为止最好的、最先进的制度，也是最后的制度，是人类历史的终点，人类社会历史不再向前发展。于是他得出结论，社会主义制度因为已经在20世纪80年代末暴露出了自身严重的弊端和缺陷，尤其表现在国家的政治控制合法性缺失和意识形态信仰体系在民众中的感召力崩溃以及经济体制僵化不自由等方面，因而无法超越资本主义制度。

2. 社会主义在20世纪暴露出的弊端证明它一定会被资本主义最终完胜

福山认为，自由民主制度也许是"人类意识形态发展的终点"和"人类最后一种统治方式"，并因此构成"历史的终结"①。

福山提出这一理论，与当时苏联解体、东欧剧变，世界社会主义运动陷入低潮的国际形势有关。在福山看来，之所以苏联会解体、东欧会剧变，并且一大批新独立国家纷纷选择了建立西方资本主义自由民主制度，这本身不是因为资本主义自由民主制度有多么完美无缺，而是标志着本身存在严重弊端的共产主义理想的崩溃和终结。由此他认为，历史的发展只有一条路，即西方国家所走的市场经济和民主政治的道路，这也是人类社会发展至今最好的政治制度。

随着冷战的终结，以苏联为首的社会主义红色阵营在战后与资本主义长达40多年的高度政治军事意识形态对抗中，最终以惨败告终，那些前社会主义国家均不约而同、毫不犹豫地放弃了社会主义制度，资本主义成为这些国家首选的政治制度，自由民主理念也作为全球最普遍的价值观在这一苏联势力范围得到了深度拓展。

资本主义大获全胜、社会主义惨败的教训是极其深刻的。苏联强迫将民间田地并为集体农场，从战时共产主义到新经济政策再到集体农场，一直坚持计划经

---

① 弗朗西斯·福山. 历史的终结及最后之人[M]. 黄胜强，许铭原，译. 北京：中国社会科学出版社，2003：代序.

济，直到国家解体。苏联的灭亡，与其说是官员腐败、军备竞赛，不如说是全民和集体所有制经济、计划经济的失败。

福山还找到了一个更为有力的证据来证明他的观点，他认为，中国虽然一开始采取的也是苏联发展路线，但最后结局却跟苏联完全不同，关键就在于，在国家生死存亡的关头，中国领导人及时调整了思路和政策，进行农村土地改革，建立经济特区，把资本主义的生产方式引进城市，中国所取得的巨大成功不是社会主义有多成功的证明，恰恰相反，正好证明了资本主义生产方式比社会主义更先进，是资本主义拯救了中国，资本主义自由民主制度确实是人类社会最好的最后的制度。最终，他得出了一个主观色彩很浓厚的结论：20世纪的社会主义已经完败于资本主义，鉴于人类社会已经出现了最好的资本主义自由民主制度，历史很可能已经不再发展，走到了终点，所以未来也看不到社会主义战胜资本主义的可能和迹象。

福山的观点持续引发了学界的广泛争议。按照马克思的逻辑，要用发展的眼光看历史，苏联解体已经过去了20多年，世界政治发生了许多深刻的新变化，比如同为自由民主国家的俄国和西方的对立，中国出乎世界预料的强势崛起，发达资本主义国家自己内部的矛盾和问题，等等，社会主义发展似乎出现了新的希望和曙光，而世界历史也并没有停顿在资本主义的社会形态，未来社会主义和资本主义这两种意识形态的较量还会长期持续下去。

3. 世界历史发展是相对静态的，资本主义是历史的终点

福山认为："自由民主社会即使理论上称不上为最正义的社会制度，也可以算作实际上的最正义的社会制度。"① 他论证说："自由民主制度的发展，连同它的伴侣——经济自由主义的发展，已成为最近400年最为显著的宏观政治现象。……它进一步证明，在所有社会的发展模式中，都有一个基本程序在发挥着

---

① 弗朗西斯·福山. 历史的终结及最后之人[M]. 黄胜强，许铭原，译. 北京：中国社会科学出版社，2003：380.

作用，这就是以自由民主制度为方向的人类普遍史。……民主在各个地方和各种人中的成功意味着自由和平等的原则不是空穴来风，也不是种族偏见的结果，而是作为人的人性的发现。……如果我们现在还无法想象出一个完全不同于我们自己这个现实世界的世界，或者未来世界没有以一种明显的方式来体现对当今秩序的彻底改善，我们就应该承认历史本身已经走到了尽头。"①

也就是说，福山认为历史终结于资本主义之后，人们的实践是消极的，所获得的只是物质的满足，他否定了马克思所说的共产主义社会是人类历史的终点，认为资本主义及其附属的一切，如自由民主制度、经济生产方式、文明体系等才是人类历史最后的终结者，因为不会再有比资本主义更自由的制度，因此，也就不会再有制度能超越资本主义。

但是，按照马克思历史唯物主义观点，历史从来不会被终结只会被超越，世界历史是动态的不断发展演进的过程。1500 年前后，欧亚大陆的西端开始了西方文艺复兴的历史进程，世界地理大发现和人性的发现与解放是西方近代工业文明贡献给世界的两个伟大成就，世界历史从此走出了中世纪的黑暗、走向了近代化、现代化的文明，随着国际商道、国际贸易、国家体系的不断升级变迁，国际关系也从古代"地中海时代""地中海体系""地中海世界"走向近代"大西洋时代""大西洋体系""大西洋世界"。从 20 世纪末开始，经济全球化、信息网络化、政治民主化的时代，改革创新已经成为大势所趋、人心所向的时代精神。就如王东所言，今天欧亚大陆的东端开始了比 500 年前的西欧更加迅猛的东方文艺复兴的伟大历史进程，"一带一路""人类命运共同体""共赢共享共富"等新的理念和价值观给动荡的世界政治经济发展贡献了宝贵的中国智慧、中国方案②。

历史同认识一样，永远不会在人类的一种完美的理想状态中最终结束；完美的社会、完美的国家是只有在幻想中才能存在的东西。如今，近 500 年的世界历

---

① 弗朗西斯·福山. 历史的终结及最后之人[M]. 黄胜强，许铭原，译. 北京：中国社会科学出版社，2003：54-58.
② 王东. 构建人类命运共同体，破解修昔底德陷阱[J]. 中央社会主义学院学报，2017（5）.

史发展证明，世界历史发展不是停止不前的，也没有一成不变的制度，只有更好、更适合人类发展的制度。资本主义制度终将被更好的制度，也就是社会主义和共产主义制度所超越。可见，福山的历史观充满了唯心主义、单线思维、欧洲中心主义色彩。

当代人类的历史命运是自我毁灭还是改革创新？东方的中国有没有可能既汲取西方文艺复兴和近代工业文明的成果，又能有效克服资本主义的弊病，根本超越西方文明和西方世界在价值观及世界观上的局限性？对于这些重大的时代难题，笔者的回答是肯定的，因为中国提出的"人类命运共同体"理念正好为解决上述矛盾和难题提供了可行的中国智慧和中国方案。

（二）中国的观点

如前文所述，福山所认为的"资本主义自由民主制度已经实现了人的自由平等，所以世界历史到这就结束了"的"历史终结论"，在西方国家的一些政客和学者当中具有一定的代表性，反映了其强烈的欧洲中心主义色彩和西方本位主义的价值观偏见，但是这种观点从它产生那天起就不断被各种理论学派置疑和批判，其中尤其以美国著名周期理论学家沃伦斯坦最为典型，而福山本人也在对自己的观点进行着不断的修正。福山批判了别人，自己也被别人批判，客观而言，这种思想观点的激烈交锋引发了国内外学界对21世纪资本主义和社会主义两种制度命运的深度思考，对推动学界的理论创新和进步具有积极意义。

福山自己也承认，资本主义自由民主制度并不是最理想的制度，它所实现的人的自由和平等也是有限的。而中国所提出的"人类命运共同体"理念提出共建共享、合作共赢、文明互鉴互赏等，已经超越了资本主义自由民主制度，实现了真正平等。21世纪的中国特色社会主义也和20世纪的苏联式社会主义有本质的区别，不但克服了苏联社会主义模式的弊端，而且对马克思的很多思想都有新的发展和创新，因而才能在短短的40年时间中，让社会主义在中国焕发出极大的生命力和感召力，因此，21世纪的中国特色社会主义一定能打败资本主义，对人类做出更大贡献。

1. 真正平等的"人类命运共同体"已经超越资本主义自由民主制度

近代以来世界历史的500年，西欧源于文艺复兴的近代工业文明背后一些缺陷也很突出，王缉思、仵胜奇认为主要有两个方面的缺陷：一是以单一中心论、单一模式论的狭隘世界观为基础的排他性的西欧中心主义思想，当下表现为欧洲中心主义、白人至上主义、民粹主义、贸易保护主义等；二是强烈的经济外侵性，对全世界的金钱、资源、人力、市场进行残酷的殖民掠夺①。前者与经济全球化、文明多样化的自由开放的世界现实格格不入，已经引发了与世界其他国家与地区的矛盾和冲突。后者直接引发20世纪先后两次世界大战，几十亿人卷入战争，几千万人遭到屠杀，资本垄断对自然的野蛮破坏，更是造成了极其严重的环境危机。事实证明，资本主义绝不是人类社会迄今为止最先进的制度和生产方式，连当今资本主义国家的学者都置疑资本主义存在的合理性，一定应该有真正更好的制度存在。

2014年6月，福山在为《历史的终结与最后的人》新版所写的序言中写道："唯一确实可与自由民主制度进行竞争的体制是所谓的'中国模式'，它是威权政府、不完全市场经济以及高水平技术官僚和科技动力的混合体。……长期来看，一切制度都会衰退。它们常常会变得僵化和保守；那些与某一段历史时期的需要相符的规则，在外部境况发生改变之际，不一定还是正确的。……"② 在他新近推出的《政治秩序和政治衰退》一书中，福山从鼓吹美国政治制度是人类历史终结的"历史终结论"转而发出美国"政治衰退"的感慨。这说明福山本人已经从他自己的观点上倒退了，全球化的现实不得不让他对自己的观点产生了怀疑。实际上，福山提出的观点，只不过是他对人类社会发展的一种自我判断，只是一家之言。"人类命运共同体"的合作共赢的全球治理理念，已经在政治、经济、文化上完成了对福山所反复称赞的资本主义自由民主制度的超越。

---

① 王缉思，仵胜奇. 中美对新型大国关系的认知差异及中国对美政策[J]. 当代世界，2014 (10).
② 弗朗西斯·福山. 民主依然挺立在"历史的终结"处[M] //弗朗西斯·福山. 历史的终结与最后的人. 陈高华，译；孟凡礼，校. 桂林：广西师范大学出版社，2014：序言.

其一，从政治层面来看，"人类命运共同体"提出共建共享、合作共赢，涵盖了世界上所有不同类型、不同政治制度和意识形态的国家，不仅包括发达国家，更向亚非拉广大发展中国家政策倾斜，真正兑现了联合国宪章"世界各国不分大小强弱一律平等"的精神，因而具有最广泛的公平公正性和代表性，而福山所推崇的资本主义自由民主制度指的主要是西欧北美发达资本主义国家，中国、俄罗斯以及全世界的伊斯兰国家是通通被排除在外的，因此，它是片面的、有很大局限性的。

其二，从经济层面来看，虽然资本主义生产方式开拓了世界市场，推动了国际分工和交换的发展，但全球化也使世界各国越来越受到全球市场力量的支配，美国次贷危机的爆发恰好说明，资本主义生产方式以具有高度逐利性的资本作为治理全球的主要手段，不仅不可能真正实现世界的和平有序发展，反而会带来如经济危机、生态危机、资源危机等全球性的发展危机。因此，人类并不能在资本主义自由民主社会获得真正的解放。刘同舫总结道，"人类命运共同体"的构建，超越了资本逻辑所构筑的不平等的国际秩序，一方面坚持多边主义，反对单边主义，奉行双赢、多赢、合作共赢的新理念，在追求本国利益时兼顾他国合理关切，在谋求本国发展中促进各国共同发展；另一方面坚持民主协商，倡导以对话解决争端、以协商化解分歧，利益共享、责任共担，反对结盟对抗①。"人类命运共同体"着重解决了经济全球化实践中一系列现实紧迫性难题，马克思唯物史观为"人类命运共同体"的构建提供了理论指导。

其三，从文化层面来看，不论是用马克思主义辩证唯物主义和历史唯物主义的观点进行分析，还是立足中国特色社会主义的实践加以验证，自由民主从来都不是资产阶级的专利，而是人类在争取进步的过程中共有的精神财富，所谓资本主义制度和意识形态是人类历史终结的前景是不存在的。文化的多样性本来更有利于人类文明的发展，但就像刘同舫所说的，近代以来的现实却是，西方文化傲

---

① 刘同舫. 人类命运共同体的价值超越[N]. 光明日报，2017-09-23.

慢自大、以自我为中心，常常将自己标榜"进步"和"文明"的文化价值观强加于其他国家，并且，对其他所谓的"落后"和"愚昧"的文化体系进行压制与"文化殖民"①。这种倾向在福山《历史的终结及最后之人》一书中表现得尤为明显，其中充斥了大量对俄罗斯、中国以及伊斯兰文明进行贬低的观点。

而"人类命运共同体"着眼于全人类的文化进步，坚决反对西方文化中心主义。诚如习近平所指出的："文明因交流而多彩，文明因互鉴而丰富。文明交流互鉴，是推动人类文明进步和世界和平发展的重要动力。……世界上有 200 多个国家和地区，2 500 多个民族和多种宗教。如果只有一种生活方式，只有一种语言，只有一种音乐，只有一种服饰，那是不可想象的。"②"中国坚持和而不同的思想，尊重和保护文明多样性，积极推动不同文明相互尊重、和谐共处。"③"当今世界，开放包容、多元互鉴是主基调。在 21 世纪人类文明的大家园中，各国虽然历史、文化、制度各异，但都应该彼此和谐相处、平等相待，都应该互尊互鉴、相互学习，摒弃一切傲慢和偏见。唯有如此，各国才能共同发展、共享繁荣。"④

2. 21 世纪的中国特色社会主义一定能打败资本主义对人类做出更大贡献

福山等人对 20 世纪苏联东欧社会主义失败的批判无外乎集中在以下几个方面：政治体制上的僵化和意识形态感召力的严重缺失、国家公权力的滥用和对公民基本民主权利的严重侵犯、严重缺乏活力和创新的军事重工业为主的高度集中的计划经济体制等。他们对资本主义自由民主制度的褒奖也多体现在资本主义高度发达的工业化水平、经济活力和创新性、管理高度透明和制度化及法制精神、欧美发达国家的人民对自由民主制度自下而上的广泛一致认同等。

---

① 刘同舫. 人类命运共同体的价值超越[N]. 光明日报，2017-09-23.
② 习近平. 在联合国教科文组织总部的演讲（2014 年 3 月 27 日，巴黎）[N]. 人民日报，2014-03-28.
③ 习近平. 共创中韩合作未来　同襄亚洲振兴繁荣——在韩国国立首尔大学的演讲（2014 年 7 月 4 日，首尔）[N]. 人民日报，2014-07-05.
④ 习近平. 共倡开放包容　共促和平发展——在伦敦金融城市长晚宴上的演讲（2015 年 10 月 21 日，伦敦）[N]. 人民日报，2015-10-23.

而"人类命运共同体"理念则依据马克思批判性继承扬弃的原则，不但较好地吸收了欧美资本主义自由民主制度发展的好的经验，而且深刻地洞察并吸取了苏联东欧社会主义失败的教训，同时结合中国自身的国情实际和深厚的文化底蕴拓展出了一套别具特色的中国发展模式，经过几十年的实践取得了巨大的成功。这一有力事实证明，21世纪的中国特色社会主义一定能打败资本主义，并且对人类做出更大贡献。

一方面，中国较好地吸收了欧美资本主义自由民主制度发展的好的经验，如高度发达的工业化水平和科技创新性、管理制度化及法制化等。

在至少超过 2 000 年的古代历史中，中国的国力曾经一直位居世界前列，但近代以来随着欧美国家相继完成资本主义工业革命以及世界大市场的形成，世界迅速进入机器化工业时代，而中国由于自身政策失误特别是明朝中期开始实行闭关锁国政策，没有能够敏锐洞察到世界的巨大变化而大大落后于西方，结果1840年鸦片战争掀开了中国近代屈辱史，中国被迫卷入世界经济一体化的同时，也开始了"师夷长技以制夷"的艰难历程。然而，因为清政府的腐朽没落以及之后陷入长期的战乱之中，中国在整个20世纪上半叶并没有能够获得学习并赶超西方的好机会。

20世纪下半叶，世界进入美苏冷战状态，新中国成立后的前30年当中的绝大部分时间又陷入自身国家战略失误而导致的政治动荡，不但没有获得学习并赶超西方的好的发展机会，而且还先后两次错过了20世纪50、70年代欧美发达国家所主导的科技革命浪潮。中国真正开始全力学习和追赶西方始于1978年年底的中共十一届三中全会，解放思想、实事求是、锐意改革、开放创新，成为中国举国上下、众志成城努力追求的目标，中国虚心学习欧美资本主义自由民主制度一切好的发展经验，拼命学习西方发达国家工业化模式和管理经验，如：实行社会主义市场经济、企业进行产权明晰的股份制改革、农村实行土地承包责任制、引进西方证券和期货交易制度、建立经济特区、完善养老保险等社会保障制度、重视和加大对科技创新的政策扶持等。中国终于没有错过20世纪90年代的互联网革命、21世纪的新能源新技术革命等新的科技革命，40年的超高速发展所取得的举世瞩目的成就让中国真正实现了魏源、林则徐等人渴望的"师夷长技以制夷"，在近代以来同西方文明的这场旷日持久的赛跑中渐渐跑到了前头。

另一方面，中国也深刻吸取了苏联东欧社会主义失败的教训，敏锐地意识到苏联的根本问题是没有抓好民生问题。从第二代领导集体到第五代领导集体，中国确定了基本国策是紧紧围绕民生问题搞经济建设，这个目标绝不动摇，放弃严重缺乏活力和创新性的苏联式的高度集中的计划经济体制，实行社会主义市场经济体制，重点抓老百姓生活密切相关的民生问题，加大对轻工业产品生产和第三产业服务业的政策扶持力度，进行供给侧改革和环境整治，全社会上下齐心协力打响扶贫攻坚战，努力缩小各地经济发展差距，力争让所有人在"幸福是双手奋斗出来的"健康积极向上信念中都有获得感、幸福感。同时改革进入深水区，稳步推进政治体制改革，树立宪法的权威，加大全社会对贪污腐化的打击力度，加强党风建设和马克思主义意识形态的引领地位，尊重公民的基本民主权利等。在中国政府卓有成效的坚强领导下，中国不但用短短40年时间完成了让近9亿人脱贫的前所未有的人间伟业，而且成为制造业世界第一、GDP世界第二、经济发展的科技含金量和贡献率及全球话语权与国际影响力均大幅度提升的举世瞩目的世界大国。党的十九大报告更是确定了中国未来30年成为世界中等强国的宏伟目标，中国人民对政府的信赖和满意度、对实现中华民族伟大复兴梦想的信心以及中国社会的凝聚力和空前团结度都达到了有史以来的最高度。

人类已经彻底告别了古代的地中海体系、近代的大西洋体系，进入了当代和未来的太平洋体系，和平与发展成为时代主题，在亚太地区，正在建立以和平共处、合作共赢为本质特征的新型国际关系。我们应更加坚定中国特色社会主义的道路自信、理论自信、制度自信和文化自信，坚信中国发展道路必将产生与之相适应的自由民主制度，其将成为人类历史发展进程中的宝贵财富。

3. 世界历史发展是动态的，资本主义和社会主义都不是历史的终点

恩格斯在《路德维希·费尔巴哈和德国古典哲学的终结》一书中指出："历

史同认识一样,永远不会在人类的一种完美的理想状态中最终结束;完美的社会、完美的'国家'是只有在幻想中才能存在的东西;相反,一切依次更替的历史状态都只是人类社会由低级到高级的无穷发展进程中的暂时阶段。每一个阶段都是必然的,因此,对它发生的那个时代和那些条件来说,都有它存在的理由;但是对它自己内部逐渐发展起来的新的、更高的条件来说,它就变成过时的和没有存在的理由了;它不得不让位于更高的阶段,而这个更高的阶段也要走向衰落和灭亡。"① 恩格斯这段话是对黑格尔辩证哲学的肯定,它清楚地表明,人类社会的发展是一个无穷的进程,任何一种社会制度都有产生、发展、消亡的过程。因此,既不存在永恒的社会制度,更不存在所谓永恒的依附于这个制度的意识形态。也就是说,世界历史发展是动态的,资本主义和社会主义都只是人类社会发展过程中的一种形态,都不是历史的终点,社会主义社会将来会被共产主义社会所取代,而资本主义则一定会被社会主义取而代之。

马克思在《共产党宣言》中早就提出了"资本主义必然灭亡、社会主义必然胜利"这两个"必然"的著名论断,无产阶级只有使自己从资产阶级的压迫下解放出来,才能最终实现全人类的解放。江华认为,在马克思看来,伴随着资本主义的发展和资本的积累,社会财富日益集中到少数人手中,无产阶级日益贫困化,这导致了资本主义基本矛盾日益激化,同时也决定了资本主义制度的灭亡。资本主义国家只代表资产阶级的利益,只有资本家才能享有自由,资本主义国家不能解决资产阶级和无产阶级之间的斗争这一社会的根本矛盾,因此,只有当资本主义历史终结和共产主义建立,全人类才能获得真正的自由②。

尽管二战后的欧美发达资本主义国家因为纷纷进入了高度发达的晚期资本主义阶段,和马克思所处的早期资本主义时代相比发生了重大变化,资产阶级统治

---

① 恩格斯. 路德维希·费尔巴哈和德国古典哲学的终结[M]. 中共中央编译局,译. 北京:人民出版社,1997:37-38.
② 江华. 历史终结于资本主义还是资本主义历史的终结——福山与沃勒斯坦历史趋势论之比较[J]. 学术研究,2006(12).

手段明显调整，增加了工人工资和科技研发投入，提高了社会整体福利水平，经济出现了繁荣，工人为代表的无产阶级生活水平有了一定程度的提高，资产阶级和无产阶级之间的矛盾有了相当程度的缓和，但这只是说明资本主义的某些自我改良特征，其私有化的本质矛盾并没有丝毫改变。马克思早就预见到了资本主义可能出现的这种变化，用两个"决不会"的精辟论断（"无论哪一个社会形态，在它所能容纳的全部生产力发挥出来以前，是决不会灭亡的；而新的更高的生产关系，在它的物质存在条件在旧社会的胎胞里成熟以前，是决不会出现的"）提醒无产阶级，战胜资本主义的过程是长期的、艰巨的、复杂的，不可能一蹴而就。这样看来，资本主义社会更不会是永恒的，福山认为资本主义社会将成为人类历史的终结，显示了其资产阶级世界观的局限性，是西方自我中心主义及文化优越感的反映。

而社会主义的发展也有一个从低级到高级的过程。以中国的发展为例，党的十九大报告指出："中国特色社会主义进入新时代，意味着近代以来久经磨难的中华民族迎来了从站起来、富起来到强起来的伟大飞跃，迎来了实现中华民族伟大复兴的光明前景；意味着科学社会主义在二十一世纪的中国焕发出强大生机活力，在世界上高高举起了中国特色社会主义伟大旗帜；意味着中国特色社会主义道路、理论、制度、文化不断发展，拓展了发展中国家走向现代化的途径，给世界上那些既希望加快发展又希望保持自身独立性的国家和民族提供了全新选择，为解决人类问题贡献了中国智慧和中国方案。……全党要牢牢把握社会主义初级阶段这个基本国情，牢牢立足社会主义初级阶段这个最大实际，牢牢坚持党的基本路线这个党和国家的生命线、人民的幸福线，领导和团结全国各族人民，以经济建设为中心，坚持四项基本原则，坚持改革开放，自力更生，艰苦创业，为把我国建设成为富强民主文明和谐美丽的社会主义现代化强国而奋斗。"[1] 中国已

---

① 习近平. 决胜全面建成小康社会 夺取新时代中国特色社会主义伟大胜利——在中国共产党第十九次全国代表大会上的报告（2017年10月18日）[EB/OL]. (2017-10-28). http://cpc.people.com.cn/n1/2017/1028/c64094-29613660.html.

经成为推动世界发展和国际体系变迁的最为重要的因素之一,这是当代世界最大的历史事件之一。

中国自古就有"大同"思想,对此,王东认为,中国所倡导的多元主体、辩证发展的世界观超越了西方的僵化静态、单一模式的世界观;中国的天下为公、义利统一、以人为本、以和为贵的新型价值观则超越了西方狭隘功利主义价值观;而孔子仁者爱人的人本主义、老子道法自然的自然主义、墨子兼爱互利的平等主义等都是对西方个人本位、自我中心主义的超越[①]。中华文化和哲学思想为构建合作共赢的新型国际关系贡献了独特的中国智慧,中国经过40年的改革开放,展现了维护世界和平与发展及人类未来的大国责任担当。

三、"人类命运共同体"的中西方理念之争的实质和根源

前文主要从"中国崛起是否威胁到了世界"和"资本主义是否是人类历史的终点"两个角度探讨了"人类命运共同体"的中西方理念之争,深层次探究,争论的实质和根源,其实就是西方对中国崛起的焦虑和无所适从,或者说西方还没有做好接纳中国强大的心理准备。这其实跟1840年的中国当时的处境和心态极其相似,面对异常强大的西方,沉浸在天朝大国迷梦中的清王朝也是慌乱和无所适从的,只不过当时是敌强我弱,现在则是两强相争而已。从公元前后直到19世纪下半叶的漫长的两千年当中,中国绝大多数时间一直保持着独步东方、傲视天下群雄的位置,但是随着13世纪开始的文艺复兴运动结束了欧洲长达千年的迷失,伴随着政治理念的突破、科技进步和创新、探索和开辟新世界的勇气、对世界文明历史的深邃再思考,欧洲后来居上,在接下来的数百年中加快了追赶东方的步伐,直到19世纪一举反超。可以说,清王朝败就败在思想僵化、体制腐朽、创新停止上面,而古代一直弱于中国的东邻日本能在近代一举反超中国,靠的也是明治维新之后的近代化变革。近代以来的欧洲和日本的创

---

① 王东. 构建人类命运共同体,破解修昔底德陷阱[J]. 中央社会主义学院学报,2017(5).

新之路是中国的镜子,中国注重科技创新的改革开放之路,就是对沉重历史最好的反思。

(一)西方对中国政治、经济、军事影响力的恐惧

西方已经领先了中国200多年,已经习惯了对中国居高临下、指手画脚,但中国用了短短几十年的时间就基本上抹平了和西方200多年的差距,突然有一天中国和西方平起平坐了,西方国家极度不适应。党的十九大报告制定了未来30年中国宏伟的发展蓝图,为实现中华民族伟大复兴的"中国梦",在21世纪中叶建成社会主义现代化强国指明了方向。中国在已经取得的举世瞩目的成就基础上并没有停止继续前进的步伐,继续高歌猛进,不但制定了"中国制造2025"计划,而且举国上下前所未有地重视高科技创新发展,对高科技这一欧美传统优势领域发起了全面挑战,这引起了欧美国家的普遍担忧和恐惧。

1. 日益强大的中国独特的政治理念和模式让西方担忧

本书前半部分已经用大量篇幅详细论述了"人类命运共同体"理念在政治、经济、哲学和文化等方面与西方理念的巨大差异,表明中国在实现中华民族伟大复兴的进程中,不会走德、意、日法西斯武力扩张的道路,也不会走美、苏称霸世界的道路,更不会重蹈过去闭关锁国的覆辙,中国要走一条与世界各国共同发展、超越西方"国强必霸"传统崛起模式的和平崛起之路。40年来,中国以自己的实际行动践行着对自己、也是对世界和平发展的庄严承诺,正是得益于此,中国经济得以快速发展,国力有了显著提升,中国与外部世界关系极大改善。但是,"国强必霸"的传统认知与"中国威胁论"在西方的意识形态和思维方式中仍非常顽固,这里既有文化差异的因素,也有遏制中国的别有用心的战略图谋,未来中国和西方在理念上的这种拉锯战会愈演愈烈,对此,我们必须做好打艰苦的持久战的思想准备。

西方第一个担忧在于,中国崛起以后,对现存的国际秩序不满意,要挑战甚至要替代美国,重新塑造有利于自己利益、反映自己价值观念的世界秩序。赵穗生认为,中国的不满主要表现在:现存国际秩序的指导原则制定反映的还是西方

主流的自由主义、人权价值观念，和中国政治制度、历史文化有很大不同，中国在很大程度上对很多西方价值观念是不可能接受的；中国的代表权、发言权与对世界的贡献也不成正比。目前的世界秩序是二战以后美国领导和塑造的，但美国采取双重标准，一面批评中国不遵守国际秩序，另一面却是它自己从来不遵守国际秩序。特朗普上台后瓦解了美国自己建立的秩序，如退出跨太平洋伙伴关系协定（TPP）、退出全球气候巴黎协议、重新谈判北美自由贸易区、挑起中美经贸战和同其他国家的贸易战、退出伊核协议、退出联合国教科文组织和人权理事会等，中国很大程度上就成为对现存国际秩序的挑战者。① 西方认为现在是中国建立自己的新秩序的最好时机。

但是，赵穗生也认为中国不太可能在短期内替代美国重新塑造新的世界秩序。一是因为中国现在还没有能够取代美国的硬实力和软实力，还没有条件替代美国在亚太地区或在全世界独自塑造国际秩序。美国尽管出现了很多问题，但还是全球领导者，特别是在亚太地区的作用是中国没法取代的。全世界有很多国家铁了心跟着美国，而跟着中国的还比较少，愿意跟着中国的西方大国几乎没有。另一方面，中国是美国所主导的现存国际秩序的最大受益者和维护者，中国并不是要取代美国、重新塑造国际秩序，而是要改革国际秩序当中不合理的部分，提升中国为代表的发展中国家的发言权和代表权。这是中美之间全球博弈的焦点和难点。②

西方的第二个担忧是越来越强大的中国会用儒家思想为核心的非西方的独特的政治理念取代 300 年来主宰世界的基督教文明为核心的西方政治理念。2018 年 5 月 5 日，在纪念马克思诞辰 200 周年大会上，习近平说，"人类社会发生了巨大而深刻的变化"。王文认为，从全球化的角度看，当下的确正处于 500 年未

---

① 赵穗生. 中国凭什么重塑世界秩序？［EB/OL］.（2017－07－31）. http://news.ifeng.com/a/20170731/51537361_0.shtml.
② 赵穗生. 中国凭什么重塑世界秩序？［EB/OL］.（2017－07－31）. http://news.ifeng.com/a/20170731/51537361_0.shtml.

有之大变局，全球权力重心正在逐渐向亚洲转移，西方正让位于东方。中国、印度、东盟等东方文明逐渐成为新一轮全球化的主要动力，连续 10 年来对全球经济增长的份额的贡献都在 50% 左右，扛起了贸易自由化的全球大旗。亚洲国家的市场活跃度、创新研发投入、工业制造规模、电子商务普及度、移动支付普惠性、基础设施便捷化，时尚、旅游、电影、小说等消费文化行业，亚洲的全球号召力与软实力越来越多地使西方相形见绌，以至于出现了集体性的西方焦虑。多项权威研究报告都认为，2050 年全球前四大经济体将分别是中国、美国、印度与日本。东方文明在 500 年后重新回到全球舞台的中心位置。① 正如马凯硕在其著作《新亚洲半球》中所说："欧美国家在自由贸易、全球变暖、核武器扩散、中东、伊朗等问题上，都已捉襟见肘，世界师法亚洲之长的时刻到了。虽然亚洲尚未做好拥有全球领导权的准备，但亚洲尤其是中国坚持合作共赢精神，使越来越多人相信全球新领导力量的重心转移至亚洲是高概率事件。而过去十年，中国在多数行业出现对西方的'弯道超车'并呈现越来越多行业的'换轨领跑'趋势，展现出中国将引领全球的制度性活力。"②

随着中国的不断发展和国际地位的显著上升，全球力量对比随之发生了显著变化。美国为首的西方世界权力精英阶层对中国的崛起以及如何与中国相处出现了普遍的焦虑、担心与恐惧。他们执拗地认同福山本人都已经开始怀疑和动摇的"历史的终结论"，坚信实现现代化只可能是西式民主制度这一种模式。而中国内心无比坚定自信，整个发展按照自己的既定思路有条不紊地快速推进，有着丝毫不愿意受西方外来因素干扰影响的独特的"风格""做派"以及坚定的决心和意志。美国认为，未来十几年可能是西方遏制中国崛起的最后机会，再不容"有失"。渲染"中国威胁论"、大打台湾牌、挑起贸易战……中美之间未来的激烈对攻战愈演愈烈将是大概率事件。

---

① 王文. 面对世界"前所未有之大变局"中国要有这三招[N]. 参考消息，2018-05-18.
② 马凯硕. 新亚洲半球：势不可当的全球权力东移[M]. 刘春波，丁兆国，译. 北京：当代中国出版社，2010：157.

2. 中国经济超常规的发展客观上影响了西方的既得利益

经济学一般把利益集团看成是"一个由拥有某些共同目标并试图影响公共政策的个体构成的组织实体"。既得利益集团也称特殊利益集团，是利益集团中集体行动能力非常强的群体，指在社会总利益中为本集团争取更多更大利益份额而采取集体行动的利益集团。利益具有排他性，由于社会总体资源的有限，利益集团只热衷于在集团内部分配和共享权力与利益，排斥其他社会成员。① 20世纪最后20年中国的高速发展还主要集中在西方国家已经完成产业升级换代的低端制造业层面，中国在科技层面全方位的落后，使之与欧美发达国家在高精尖端技术集中的高端制造业根本没办法竞争，高端制造业成为欧美国家独享的巨额利润宝库。但是，进入21世纪之后短短不到20年，中国就在自己的传统弱项同时也是欧美的传统强项实现了令世界叹为观止的全方位的赶超，中国在经济发展领域尤其是科学技术方面取得的巨大进展，最让西方国家担忧，一些传统的科技强国和一些利益集团有深深的危机感和恐惧感，特别担心自己将来被边缘化而蒙受巨额利益损失。

当今世界科技水平最高的国家是美国，中国的科技水平和美国同处于第一集团，但跟美国有显著差距。袁岚峰把中美之间的科技、国际权威论文发表、研究单位等进行了对比，他的对比显示，在大多数领域都是美国领先，但中美之间的差距正在缩小。能够全面发力，能够在几乎所有领域和美国正面对抗，而且在每场竞赛中都不缺席还互有攻防的，世界上只有中国。

日本《产经新闻》称，日本的科研力量与中国差距明显。有6.9万人的中国科学院是"世界最大的大脑集团"，是日本唯一的自然科学系综合研究所——理化学研究所3 500名科研人员的20倍。中国还制定了《科学技术进步法》，根据这一法律，中国科学院、大学和其他研究机构的预算不断增加，仅中国科学院的年度预算就从1998年到2015年的17年间增长了10倍以上。② 世界知识产权组

---

① 杨帆，张弛. 利益集团理论研究——一个跨学科的综述[J]. 管理世界，2008 (3).
② 参考消息网. 人员少、经费低、成果差 日本"科技白皮书"满是忧虑[EB/OL]. (2018 - 06 - 18). http://m.ckxx.net/junshi/p/109051.html.

织的数据也显示，仅 2017 年全年中国各类出国留学人数就达 60.84 万人，留学回国人员总数为 48.09 万人。改革开放至 2017 年年底，中国累计有 519.49 万人出国留学，其中 313.2 万人选择在完成学业后回国发展，占已完成学业群体的 83.73％。如今，全世界近 43％的已受理专利申请来自中国，中国人只会模仿的时代已经过去。① 世界知识产权组织（WIPO）当地时间 2018 年 7 月 10 日发布的 2018 年全球创新指数显示，中国比 2017 年上升 5 位，排在第 17 位，自 2007 年排名开始以来首次进入前 20，意味着已成为世界创新先进地区②。

  以上数据说明，20 年前西方还是创新、设计和其他智力资源的大本营，而今天剧情完全反转，全球智力资源正在从该领域曾经的世界领导者美国流向中国，而且转移的速度越来越快，中国正在成为更具潜力的世界新的创新中心。所以美国必须竭尽全力、以最疯狂的方式阻止美国被超越的局面发生，可以预见，像近几个月来一波三折的中兴事件这样的大级别、大体量的摩擦和冲突在未来将是中美关系的大概率事件。

  2018 年 4 月，中国通信设备巨头中兴（ZTE）集团突然遭到了美国政府的封杀，被要求 7 年内不得从美国购买尖端的技术和产品，根本原因是为了打击"中国制造 2025"计划，不让中国利用美国的技术去超越美国（随后禁令在中兴向美国支付高昂保证金后解除）。这只是美国扼杀中国高科技企业的一个开端。"计算机云技术"等高科技 IT 领域将很可能成为美国下一个制裁中国的目标。美国 CNN 和 CNET 等主流媒体纷纷刊文，称美国的"无线通信和互联网协会"（CTIA）发现，中国已经在 5G 通信科技上以微弱的优势超越了美国，而如果美国想赢得与中国在 5G 领域上的竞争，就必须"采取行动"。而在 5G 领域，中国的华为也不幸成为令美国"恐惧"的对象。《华尔街日报》认为，比起和中国打

---

① 参考消息网. 美国人很着急！俄媒称这项重要资源正从美国流向中国[EB/OL].（2018 - 04 - 18）. http://www.cankaoxiaoxi.com/china/20180418/2261963.shtml.

② 王欢. 世界知识产权组织发布 2018 年全球创新指数：中国首次进入前 20[EB/OL].（2018 - 07 - 11）. http://world.huanqiu.com/exclusive/2018 - 07/12464040.html.

贸易战，直接严卡乃至封杀那些会让中国在与美国的竞争中获利的投资和收购，会更容易令特朗普获得美国舆论——尤其是美国那些已经开始被中国超越的产业的支持。① 5G科技、云计算和通信设备，都是决定一个国家未来竞争力的核心领域，关系到"中国制造2025"计划的成败，中国将如何应对美国特朗普政府的这一系列"贸易保护"的霸凌行为，将考验中国决策者的智慧。

2018年6月19日，由极度反华的鹰派学者彼得·纳瓦罗执掌的美国白宫贸易和制造业政策办公室发布了一篇长达35页、措辞激烈的报告《中国的经济侵略如何威胁到美国和世界的技术和知识产权》。这份报告称，中国的大规模工业现代化和经济增长是通过"不符合经济准则"的行为实现的，其中包括通过物理和网络黑客手段窃取技术与知识产权，通过伪造、盗版和反向工程，逃避美国的出口管制法律；派出中国留学生和访问学者作为"技术间谍"，同时通过"千人计划"大量引进美国高端科技人才，以此"窃取"美国的先进技术；通过政府投资特别是《中国制造2025》计划进行技术发展，中国政府正以国有资本试图投资获取美国经济中的高技术领域。报告得出结论：由于中国经济规模巨大，其主宰未来产业的意图十分明显，其"经济侵略"行为，不仅威胁美国经济，并且威胁"美国和世界的技术和知识产权"以及"全球创新体系"。②

中国真是靠"窃取"美国知识产权得到发展的吗？2018年4月6日，英国发行量最大的主流大报《每日电讯报》刊登驻英国大使刘晓明题为《坚持开放合作，保护知识产权》的署名文章，批驳美国污蔑中国"窃取"知识产权。文章指出，中国创新成就举世瞩目。在五千年文明史中，中国贡献了造纸术、指南针、火药和印刷术等诸多促进人类社会发展的重大创新成果。改革开放以来，中国不仅取得青蒿素、人工胰岛素、杂交水稻等重大创新突破，还在人工智能、电动汽

---

① 于宝辰. 白宫报告称中国"经济侵略" 主导者曾写《致命中国》[EB/OL]. (2018-06-20). https://www.guancha.cn/internation/2018_06_20_460759.shtml.
② 于宝辰. 白宫报告称中国"经济侵略" 主导者曾写《致命中国》[EB/OL]. (2018-06-20). https://www.guancha.cn/internation/2018_06_20_460759.shtml.

车、5G 通信、量子通信等新一轮科技革命中走在时代前沿。世界知识产权组织不久前发布的报告显示,中国华为、中兴两家科技企业成为 2017 年最大的国际专利申请人。2017 年,中国国家知识产权局受理的发明专利申请量达 138.2 万件,占全球总量的 42.8%,较上年增长了 4.8%,美国仅占 19.4%,日本和韩国各占 10.2%,欧洲占 5.1%,其他国家占 15.8%,中国的专利申请总量相当于美、日、韩以及欧洲专利局的总和,中国日益成为世界科技创新的引领力量。美国是富有创新力的国家,但创新不是美国的"专利",美国以"强制技术转让"为借口打压中国科技创新、保护本国产业的做法是完全错误的。①

美国为何三番五次出尔反尔、不讲信用、挑起中美经贸争端?魏建国认为,这是因为美国对中国有两个明显的政治误判:一方面,高估了美国对中国的重要性,认为中国依赖美国的程度要比美国依赖中国的程度更深,中国在朝鲜和台湾问题上比美国更在乎中美关系长远稳定发展,因此无论美国如何施压,中国最终会作出更大程度的妥协。另一方面,低估了中国崛起这一不可逆转的事实和中国在捍卫全球化、多边贸易体制与 WTO 原则等方面的决心和能力,现在中国已经发展成为全球第二大经济体和世界制造业第一大国,有能力对美国的贸易措施强势回击,美国屡次失信,将会在全世界越来越孤立。② 美国虽然严重低估了中国绝不牺牲国家利益和人民来之不易的奋斗成果做交换条件的坚强意志与决心,但是,对于这样一个以后随时还有可能挑起争端的任性妄为的美国,我们必须提前做好思想准备和积极应对。

3. 中国飞速提升的军事实力加剧了西方对"中国威胁"的恐惧

中国是当今世界所有大国中唯一的还和周边国家有复杂的领土领海争端的大国,尤其是近年来随着中国经济的迅猛发展和"一带一路"倡议不断向沿途国家推进,中国在全球的经济利益范围不断扩大,从中东波斯湾、途经印度洋到中国

---

① 张弩. 美国务院:计划缩短发给部分中国公民的签证有效期[N]. 环球时报,2018 - 05 - 30.
② 田欣鑫. 魏建国:中国不怕打贸易战 要打就打到美国喊疼[N]. 新华社新媒体专线(广州),2018 - 06 - 16.

与周边国家有争议的南海一线成了世界上最繁忙的经济通道。美国等西方国家试图从南海这个中国的软肋入手，借助中国与周边国家的争议未决遏制中国的发展势头，特别是特朗普上台以来，美国军舰频闯我南海领海，还联合澳大利亚、印度、日本等周边国家建立所谓的"印太司令部"，妄图将中国越来越强大的国际影响力永远压制在中国近海，阻止中国海军的发展。

2017年6月6日，美国国防部发布2017年中国军力报告称，中国利用日益增长的力量坚持对东海和南海的主权主张。中国使用"强迫"手段，譬如运用执法船以及海上民兵组织，以不激发冲突的方式行使海洋主权并推进其利益。在东海，中国继续使用执法船只和飞机在钓鱼岛附近巡逻。在南海，中国继续在南沙群岛的军事前哨进行建设。中国领导人继续重视发展各种能力，以备在危机或冲突期间能够慑止或挫败对手的力量投送及反制第三方介入（包括美国的介入）。中国军事现代化正瞄准发展有潜力降低美军核心技术优势的能力。随着中国在全球的活动及国际利益的增多，其军事现代化计划更加注重支持远离中国周边地区的任务。中国可能会寻求在具有长久友好关系的一些国家建立更多军事基地。美国将继续监视中国的军事现代化，并将继续调整其军力、姿态、投资和作战概念，以确保美国继续拥有本土防御、慑止入侵等能力。[①]

2017年12月18日，美国白宫公布特朗普任内首份国家安全战略报告，将"保护国土安全""促进美国繁荣""以实力维持和平""提升美国影响"列为美国国家安全战略的"四大支柱"。报告声称，美国面对一个充满"竞争"的世界，将俄罗斯和中国等国视作美国的"竞争者"，并表示将强化美国竞争优势，增强军事、核力量、太空、网络和情报等方面竞争力，提升美国的全球影响力。[②]

美国海军航空系统司令部2017年年底也发布了一份名为《超越竞争：一种

---

① 东方头条. 美国防部发布2017年中国军力报告[EB/OL]. (2017-06-08). http://mini.eastday.com/a/170608145435102.html.
② 刘晨，朱东阳. 美国发布国家安全战略强调"美国优先"[EB/OL]. (2017-12-20). http://www.81.cn/jfjbmap/content/2017-12/20/content_194968.htm.

系统工程的挑战》的报告，再次渲染所谓的中国军力挑战。报告从弹道导弹、新式战机、潜艇和水面舰艇等几个方面，对比了1999年和2015年中国军事建设的快速进展，以此衬托所谓"环境正在改变""美国慢了"，强调必须采取措施应对。报告还提及，中国经济的"海上生命线"也是美国经济的生命线，90％的贸易量、70％的贸易值和98％的通信往来都依赖海上通道，美国必须加强对这些通道的控制。①

2018年1月31日，特朗普在国会发表了2018年国情咨文演讲，声称："我们正在全世界和流氓国家与恐怖组织较量。同时还有像中国、俄罗斯一样的竞争对手在挑战我们的利益、经济与价值观。为了对抗这些威胁，我们清楚软弱是没有用的。强大的军力才是自我保护的最可靠手段。因此，我呼吁国会结束危险的国防预算削减方针，为我们伟大的军队提供充足的资金。"②

2018年2月2日，美国国防部发布新版《核态势评估》报告，声称美国面临冷战结束之后国际安全局势的恶化和更多安全挑战，因此须加大更新核武器投入，研发新型核武器，提高核威慑力，加强美国核武库建设，以确保美国在核武建设上处于领跑地位③。

美媒彭博社2018年6月10日报道，过去中国对美国的军事挑战是地区性的，但经过几十年经济快速增长，解放军已成为一支更先进、现代化的军队，崛起中的中国不太可能无限期容忍其头号对手如此左右自己的经济繁荣，中国正谋求向远离自己周边的印度洋、非洲之角、北冰洋、波罗的海和其他遥远关键水道的中国海上生命线投送兵力的能力。随着美中关系争议日多，美国可在一些海上咽喉要冲禁航，通过远海封锁严重限制中国的石油和其他关键商品进口。虽然中

---

① 环球网. 美报告：中国打造出强大军队只用了十几年 美国慢了[EB/OL]. (2018-01-26). http://mil.news.sina.com.cn/china/2018-01-26/doc-ifyqyuhy6591586.shtml.
② 王骁. 特朗普首次发表国情咨文（直播）[EB/OL]. (2018-01-31). http://www.guancha.cn/america/2018_01_31_445256_s.shtml.
③ 刘阳，孙丁. 美新版《核态势评估》报告引争议[EB/OL]. (2018-02-04). http://www.xinhuanet.com/mil/2018-02/04/c_129805118.htm.

国至少要几十年才能接近匹敌美国的全球抵达军力,但中国正明确无误、有条不紊地朝着那个方向前进。今后若与中国爆发冲突,美国防卫(亚洲)伙伴和盟友会面临高度困难。①

以上事实一方面反映了美国为首的西方国家根深蒂固的冷战思维和只许我强不许你强的霸道心态,另一方面也反映了他们对中国崛起速度过快的担忧和焦虑。对于美国军方和一些政客不断干扰中美关系发展大局的一贯思路,中国必须时刻保持高度警惕,做好预防和积极应对。当然,中国人民解放军保家卫国的决心是坚定不移的,采取必要的反制措施也是必需的。

(二)西方对中国悠久的历史和文化的恐惧

作为世界上唯一绵延几千年而不曾中断的文明,中华文明具有独一无二的特性,在悠久的历史中积淀了丰富无比的文化传承。面对这样一个独秀于世界文明之林的中国,西方要想宣传自己的文明具有压倒性的优越性,是很没有说服力的。而随着中国综合国力的逐渐强盛,中国的历史和文化也吸引了越来越多的外国人,影响力不断扩大,这就让西方一些国家感到了被"征服"和被"同化"的恐惧。

1. 孔子学院成为彰显中华传统文化和文明独特魅力的重要桥梁

孔子学院是国家汉语国际推广领导小组办公室(以下简称国家汉办)的非营利性直属教育机构,其宗旨是增进世界人民对中国语言和文化的了解,发展中国与外国的友好关系,促进世界多元文化发展,为构建和谐世界贡献力量。从2004年3个国家3所孔子学院起步,孔子学院建设快速发展,各地孔子学院充分利用自身优势,开展丰富多彩的教学和文化活动,逐步形成了各具特色的办学模式,成为世界各国人民学习汉语和了解中华文化及当代中国的重要场所,受到当地社会各界的热烈欢迎。

截至2017年12月31日,全球146个国家(地区)共建立了525所孔子学

---

① 哈尔·布兰兹. 中国需要几十年能接近匹敌美国的全球抵达军力[N]. 陈俊安,译. 环球时报,2018-06-12.

院和 1 113 个孔子课堂。525 所孔子学院当中，亚洲 33 国（地区）118 所，非洲 39 国 54 所，欧洲 41 国 173 所，美洲 21 国 161 所，大洋洲 4 国 19 所。1 113 个孔子课堂当中（科摩罗、缅甸、瓦努阿图、格林纳达、莱索托、库克群岛、安道尔、欧盟只有课堂，没有学院），亚洲 21 国 101 个，非洲 15 国 30 个，欧洲 30 国 307 个，美洲 9 国 574 个，大洋洲 4 国 101 个。①

关于中国孔子学院在世界上传播中国文化的突出表现，国外学者和媒体已有广泛的评论。英国谢菲尔德大学校长凯思·博内特在《"帝国"时代重返——但它具有中国特色》中说道："一个大国正在以此种方式变得更加强大——无论世界是否已经作好准备。那些对中国的印象还停留于西安兵马俑的人，很可能对当今这个具有全球影响力的'帝国'感到陌生。然而，我在赶去参加孔子学院大会的旅途上已经对此深有体会了。……作为一名英国人，我目睹了'帝国'的遗产，而在地球的另一端，一个新时代正在开启。从我在全球孔子学院大会开幕式上的所见所闻中，便可一窥全球秩序的变化。……中国人如今正是以这种方式构筑'帝国'。无论是从古都西安到非洲，还是穿越'一带一路'，中国正在扩大自己的贸易和影响力。这是一个新的罗马帝国，而我们正在见证'中式和平'（Pax Sinica）的诞生。"②

美国犹他州参议院教育协调员、参议员霍华德·斯蒂芬森 2018 年 5 月 18 日在接受新华社记者专访时说，要特别感谢孔子学院总部为犹他州提供师资力量支持，正是由于汉办教师们的投入，才能确保孩子们能够接受最优质的双语教育。他说："只有让美国孩子加强中文学习，才能让我们建立积极的合作关系，才能让两国分享经济、文化和教育发展的成果。我们这样做会让整个世界受益。"③

---

① 孔子学院总部，国家汉办. 孔子学院 2017 年年度发展报告[EB/OL]. http://www.hanban.edu.cn/report/2017.pdf.
② 凯思·博内特. "帝国"时代重返——但它具有中国特色[EB/OL]. (2018 - 02 - 09). http://www.hanban.edu.cn/article/2018 - 02/09/content_718112.htm.
③ 黄恒，高山. 专访：推进中文学习是帮助美国学生拥抱未来——访美国犹他州参议员斯蒂芬森[EB/OL]. (2018 - 05 - 19). http://www.xinhuanet.com/world/2018 - 05/19/c_1122857619.htm.

欧盟知名智库"欧洲之友"欧洲与地缘政治研究部主任莎达·伊斯拉姆说："在欧洲很多国家都有孔子学院，孔子学院是欧中文化交流合作的重要成果，也能进一步促进欧中文化交流与合作。"他认为，孔子学院为欧中两大文明搭建了一个互学互鉴的宽广平台，世界文明因交流而精彩，国际关系因对话而发展，孔子学院会进一步增进欧中人民之间的相互理解和信任。[①]

对于世界各国舆论对中国孔子学院的广泛赞誉，魏万磊在其文中指明了其中的原因：汉语难学，但挡不住学习的热情，其根本原因就是中国综合国力和国际影响力的大幅度提升，是中国合作共赢、大国担当和文化自信的国际魅力的体现，经济上的互利共赢是根本动力。一方面，海外中资企业对熟悉汉语的当地员工的需求越来越大，懂汉语的员工在录用和薪酬方面往往都具有较大优势。另一方面，中国游客海外旅游呈现爆炸性增长，给所在国带来巨大商机，"学说中国话"以更好地了解中国人的生活习惯、行为方式甚至文化传统就成为外国商铺每天必须面对的市场现实。[②]

2. "人类命运共同体"打破了西方文明300年来独领世界风骚的格局

党的十九大报告明确提出："坚持推动构建人类命运共同体。中国人民的梦想同各国人民的梦想息息相通，实现中国梦离不开和平的国际环境和稳定的国际秩序。必须统筹国内国际两个大局，始终不渝走和平发展道路、奉行互利共赢的开放战略，坚持正确义利观，树立共同、综合、合作、可持续的新安全观，谋求开放创新、包容互惠的发展前景，促进和而不同、兼收并蓄的文明交流，构筑尊崇自然、绿色发展的生态体系，始终做世界和平的建设者、全球发展的贡献者、国际秩序的维护者。"[③] 这一段短短的文字包含了中华悠久文化的丰富内涵，深刻再现了儒家的仁义思想、义利观和道家的宇宙观，打破了西方文明300年来唯

---

① 任彦，等. 孔子学院，增进理解和信任之桥[N]. 人民日报，2018-05-16.
② 魏万磊. 海外"汉语热"背后的"中国热"[N]. 光明日报，2018-05-30.
③ 习近平. 决胜全面建成小康社会 夺取新时代中国特色社会主义伟大胜利——在中国共产党第十九次全国代表大会上的报告（2017年10月18日）[EB/OL].（2017-10-28）. http://cpc.people.com.cn/n1/2017/1028/c64094-29613660.html.

我独尊、独领世界风骚的格局,为全球治理提供了独特的东方智慧和崭新的中国方案。

首先,"实现中国梦离不开和平的国际环境""始终不渝走和平发展道路""和而不同""始终做世界和平的建设者",这段论述中出现了4个"和"字,彰显了中国自古以来追求和谐世界观的深厚的历史底蕴和文化传承。无论是经典论述还是民间俗语,中国从古到今就有大量关于"和"的说法,比如"亲仁善邻,国之宝也""礼之用,和为贵""家和万事兴""和气生财""天时不如地利,地利不如人和",这说明中国人自古以来爱好和平、崇尚和追求和谐文化,强调经济社会的协调发展、人与自然的和谐相处、人与人的团结和睦以及人自身的心理和谐。

放眼世界,若每个国家也都能互相尊重、平等相待、共同遵守彼此接受的国际制度和规范,那么天下也必将少许多纷争和战乱,一片祥和安宁。但是,300年来欧美弱肉强食的政治理念主导了世界,世界政治经济局势动荡不安,战后特别是冷战结束以来各种大大小小的地区冲突不断,就像亨廷顿说的,中华文明一定是西方文明的头号威胁;又像米尔斯海默所言,中国不可能和平崛起,中国不断强大势必如同曾经的和现存的大国一样不停追求霸权,所以中美之间注定会出现大国政治的悲剧。西方学者的质疑深刻反映了"强者必霸"逻辑在西方文明价值观中根深蒂固的影响。对此,中国要有同西方价值观打一场艰苦持久战的思想准备,中国所提出的"人类命运共同体"理念所描绘的天下太平、九九归一、人人幸福之人类社会发展的至高理想境界一定会实现。

其次,"奉行互利共赢的开放战略,坚持正确义利观"则是孔孟为代表的儒家"重义轻利"思想的当代传承。《论语·里仁》曰:"君子喻于义,小人喻于利","富与贵,是人之所欲也,不以其道得之,不处也。贫与贱,是人之所恶也,不以其道得之,不去也。君子去仁,恶乎成名?君子无终食之间违仁,造次必于是,颠沛必于是"。《论语·述而》曰:"不义而富且贵,于我如浮云。"《孟子·告子上》有云:"生,亦我所欲也;义,亦我所欲也。二者不可得兼,舍生而取义者也。生亦我所欲，所欲有甚于生者，故不为苟得也；死亦我所恶，所恶有甚于死者，故患有所不避也。"《大戴礼记·曾子制言上》也有云："富以苟，不如贫以誉；生以辱，不如死以荣。辱可避，避之而已矣；及其不可避也，君子视死若归。"可见对于中国人来说，君子爱财但应取之有道，只有合乎道义的利益，才可以通过正当的途径去获得，必要时甚至要"舍生取义"，而不能"见利忘义"。

当下美国特朗普政府提出了"美国优先"政策，在经济上为了自身利益不惜挑起中美、美欧、美加墨贸易战，伤害世界各国的利益，公然挑战世界自由贸易体系和规则；在政治上则抛弃国际道义，单方面承认耶路撒冷为以色列首都，导致中东局势动荡不安；在大国关系上，则加紧对俄罗斯和中国的遏制打压，加剧亚太地区的紧张局势。美国的上述作法是300年来西方文明弱肉强食、争权夺利和侵略扩张有理、本国利益至上、你得我失零和博弈思想的再现。对比出真知，"人类命运共同体"理念与西方理念形成了强烈的反差，犹如乱世中的一股清流，让世界各国人民看到了人类未来前进的正确方向。

再次，"中国人民的梦想同各国人民的梦想息息相通"，"奉行互利共赢的开放战略"，"树立共同、综合、合作、可持续的新安全观"，"谋求开放创新、包容互惠的发展前景"，"促进和而不同、兼收并蓄的文明交流"，"始终做世界和平的建设者、全球发展的贡献者、国际秩序的维护者"，其中还体现出中国处处为他国着想，主张世界大爱高于一切的推己及人、己所不欲勿施于人、有朋自远方来不亦乐乎、己欲立而立人的道德力量。《论语·卫灵公》曰："己所不欲，勿施于人。"《论语·学而》曰："不患人之不己知，患不知人也。"[①]《孟子·离娄上》曰："爱人不亲，反其仁；治人不治，反其智；礼人不答，反其敬。行有不得者，皆反求诸己，其身正而天下归之。"由上述可见，孔子、孟子都强调做人做事之前不能只考虑自己，要推己及人，换位思考，应宽厚待人，与别人和睦相处。只

[①] 章林. 忠恕之道与道德金律：从学而时习之谈起[J]. 孔子研究，2015 (4).

有尊重了他人的立场和感受，充分考虑到了他人的意愿，才能够互相愉快地学习和交流。推广到整个国家的治理以及整个世界的治理，同样也是如此，只有既考虑到本国的利益，也照顾到他国的利益关切，国家之间才能和睦相处。

中国是处理国际关系的典范，从2013年提出的"一带一路"倡议到2015年之后大力提倡的"人类命运共同体"理念；从索马里海域远洋护航到参与联合国维和；从坚决主持全球正义反对单边主义恃强凌弱到强力捍卫多边贸易体系；从大方大度地让利于最不发达发展中国家并允许他们搭中国便车到成为全球130多个国家的最大贸易伙伴……中国始终在践行着老祖宗"己所不欲，勿施于人"的告诫，所有的对外政策的出发点都充分考虑到了他国的利益关切，日久见人心，一些原先还对中国抱有疑虑甚至敌意的国家因此逐渐转变了对中国的偏见和负面看法，越来越认同中国的发展理念和模式，中国以自己言行如一、与人为善的优异表现在国际上赢得了良好的声誉，提升了国际影响力和话语权。金小方对此感叹道，西方强调"己所欲，施于人"，根本不考虑他人的意愿，西方人文精神的缺点在于总想扩张自己让自己的观念普遍化于全世界，而忽视了其他民族文化的特殊性①。经过中华文明漫长历史长河洗礼浸润的人生智慧和天下一家的情怀已经引起西方有识之士的深思。

最后，"构筑尊崇自然、绿色发展的生态体系"，"人类命运共同体"的这一生态观体现的正是道家"天人合一、道法自然"的思想。就像孙秀昌所说的，大自然是客观存在的现实，人类尊重大自然，大自然也自然会回馈人类，反之，必遭大自然的惩罚②。这其实也是对欧洲文艺复兴以来挑战宗教权威过度解放人性的纠偏和归正，从文艺复兴到法国大革命启蒙运动再到19—20世纪以来的欧美各种思想解放运动，时下宗教权威的确被大大稀释和淡化了，但与此同时，但丁等人解放人性的文艺复兴最初目标也被大大曲解而走向了极端和反

---

① 金小方. 现代新儒家的文化自觉[J]. 孔子研究，2015 (3).
② 孙秀昌. 孔子"义利之辩"发微[J]. 孔子研究，2016 (1).

面。比如：近代以来资本主义大工业化生产打着"人类中心主义"旗号对全球生态环境肆无忌惮的破坏；日本捕鲸船不顾全世界的谴责以"科研"为名大肆捕杀世界保护动物鲸鱼；等等。西方国家竟然要把这样人性解放被极度滥用的所谓的"民主"和"自由"强加给全世界，强迫非西方的国家和地区接受西方的这套价值体系，势必遭遇到强烈的抵抗。因此，中国"齐家治国平天下""天人合一、道法自然"等思想对当下世界各国共同面临的环保治理问题具有重要意义。

3. 中国悠久的文化历史底蕴对世界其他文明的同化能力让西方恐惧

中国文化源远流长、博大精深、绚烂多彩，是东亚文化圈的文化核心国，在世界文化体系内占有重要地位，而许多不管在哪里都是独立存在的外国文化，到了中国就慢慢地不见了，被中国的文化同化了。比如，在人类历史上，犹太人从来都以自己古老的宗教文明在全球各大文明中特立独行，被公认为是很难被同化的，但是从汉代（一说是宋代）辗转来到中国开封的 2 万左右的犹太人，在中国定居之后，最后还是被同化、融合到中华民族中而难以找寻①。又如在汉代来华的印度佛教、在唐代来华的基督教聂斯托利派也都在不知不觉中融化在中华文化中。

首先，正如费正清在《中国的世界秩序：传统中国的对外关系》揭示的，中国文化对世界其他文明的同化根源首先在于一种先进理念支撑的东方文化秩序的存在，也就是所谓"文化圈"和"差序格局"及"朝贡体系"。儒家文化对周边国家和民族形成全方位的吸引与影响，他们向往和学习中华文明，往往是全方位照搬中国的文字、风俗、服饰、典章制度、建筑格局。周边各国各族之所以能够与中华文明协同发展，并形成 2 000 多年来总体和平共处的局面，根本在于中国早期治国与制度创制中的"天人合一""以和为贵""天下九九归一"、不以武力

---

① 谢景芳. 中国文明的同化能力［EB/OL］.（2016 - 07 - 04）. http://blog.sina.com.cn/s/blog_a651de7b0102x28u.html.

与扩张为特点的最根本的核心理念的合理性和普世性,它们得到了周边民族和国家的广泛认同。①

其次,中华文明具有极强的学习能力,任何域外文化都被中国人选择、吸收、改造、补充进了自己的思想和智慧体系,而不可能改换中国人的核心价值观。"天不变,道亦不变",所谓同化能力正是被接受的合理性,尽管人类几千年来都被各种各样的不同文明与信仰所影响、左右,但是如果某种文化中含有人类最基本的、最本质的价值合理性,它就有可能把其他文化都同化进来却能始终保持自身的独立性②。在漫长的历史演进过程中,无论时代如何变迁,中国文化传统和生存智慧都有着难以否定的价值,"仁者爱人""道法自然"等诸子百家的智慧距今已经有2 500多年了,但至今仍深刻地影响着当下中国人的世界观和人生观。近年来在中华大地重读《论语》《道德经》《庄子》等经典,重视国学的热潮越来越普遍,种种现象都说明,经典之所以能够成为永恒的经典,并不是因为外力自上而下的强迫推动,而是其博大精深的底蕴和内涵对外界形成的自然而然的强大的吸引力与感召力。当下的世界正处在东方式的开放包容理念和西方式的零和博弈理念激烈碰撞的十字路口,人类到底该何去何从?"中国智慧"已经给出了响亮的答案,就是构建全人类的命运共同体。

最后,在中国传统文化中,兼收并蓄并有极大包容性的儒家文化占据主导地位,非但没有鲜明的种族观念,没有像西方那样为了强大自己去主动侵略别人的习惯,反而有强烈的君子气节和自省基因。比如《论语·卫灵公》:"志士仁人,无求生以害仁,有杀身以成仁。"《论语·雍也》:"君子可逝也,不可陷也,可欺也,不可罔也。"《论语·里仁》:"见贤思齐焉,见不贤而内自省也。"《道德经》:"祸莫大于不知足,咎莫大于欲得。"王大千认为,一个君子、一个管理者,自身

---

① 费正清. 中国的世界秩序:传统中国的对外关系[M]. 杜继东,译. 北京:中国社会科学出版社,2010:序言.
② 谢景芳. 中国文明的同化能力[EB/OL]. (2016-07-04). http://blog.sina.com.cn/s/blog_a651de7b0102x28u.html.

的德行往往对他人具有感染的作用，产生感召的力量，就容易成为别人效仿的榜样。而他人仿效的结果就是"近者悦，远者来"，就是家之齐、国之治、天下之平。[①] 中国古代先哲的思想充满哲理和智慧，不但深刻地影响着每个中国人，也深深地影响着周边其他国家和民族，进而成为普世的价值观念而被他们认同和推崇。

（三）西方现有理论无法完全解释中国的发展并陷入理论焦虑和恐慌

19世纪以来，西方社会逐步形成了经济学、社会学、政治学等几大学科严格的划分体系，而且在现代大学的院系体系中越分越细，但是源于西方实践的社会科学理论越来越难以解释当下非西方社会的全新现象。在王文看来，随着全球化不断向纵深拓展，21世纪的人类社会已经发生了诸多19世纪不可比拟的重大变化，2008年国际金融危机、特朗普当选、英国脱欧、朝鲜半岛局势突然缓和、美国退出伊核协议等"黑天鹅"事件的频繁出现显示了西方理论的严重滞后，西方社会科学理论的准确性、适用性更是频繁受到质疑。从学科理论范式的角度看，目前全球普及的学科范式暴露了前所未有的缺陷与短板。[②]

另一方面，近代以来西方国家在政治经济上的强势表现让它们长期以来拥有解释世界的绝对话语权，特别是美国在世界政治经济格局中的霸权地位也让人文和自然学科领域充斥着强烈的"西方化""美国化"色彩，其他非西方国家学者的话语权非常弱小。中国提出"人类命运共同体"理念就是要试图纠正这种严重不公正、不合理的现象，替自己、更替新兴市场经济国家和广大发展中国家发声，将来自东方中国的理念植入西方理论体系绝对主导的人文社会科学和自然科学领域。

1. 西方现今的政治学、社会学、经济学理论无法诠释中国独特的发展模式

一些西方学者对中国的发展迷惑不解的原因是，他们总是习惯用西方的理论

---

① 王大千. "从修己安人"到"三严三实"[J]. 孔子，2015（4）.
② 王文. 面对世界"前所未有之大变局"中国要有这三招[N]. 参考消息，2018-05-18.

与经验来诠释中国，如：西方主流现实主义理论关于"大国崛起必霸"的经验性与规范性研究（如约翰·米尔斯海默的观点）；西方经济学对政府干预经济的作用持怀疑的态度，推崇政府放任不管的自由经济模式（如亚当·斯密和大卫·李嘉图等的观点）；资本主义自由民主制度是最好的制度，因此是世界历史的终点，文明的差异越来越导致文明的冲突，西方文明必须努力阻击非西方文明的挑战（如福山和亨廷顿的观点）。但是，中国走的是一条任何国家都没有走过的发展道路，中国的改革开放之所以能取得如此巨大的成功，恰恰是西方经济学所反对的政府发挥了主导作用。因此，旧的传统的西方政治学、社会学、经济学经验性理论判断并不完全适用于中国，对中国社会政治和经济发展需要找到新的理论解释和进行理论创新。

首先，从政治学角度来看，西方政治学是欧美资本主义国家现代政治发展的经验总结和理论概括，但是近年来随着世界范围内政治发展的衰败，有必要重新审视西方政治发展理论。李新廷认为，西方政治理论缘起于现代化理论和民主化范式，虽建立了普世解释与比较的模型，却缺乏历史比较的大视野，忽视了后发国家建构的复杂性，特别是在分析中国和印度这样的后发国家的现代化与民主化的社会条件时，过于拘泥于照搬西方的发展经验和政治逻辑，极易陷入"西方中心主义"的误区[①]。

西方认为中国共产党管理一切，其独特地位一定会形成独裁专制，而西方的媒体是"第四只手"，对立法、行政、司法3种权力形成既妥协又制衡的关系，所以福山会说，西方自由民主制度是世界上最理想的制度。但是事实却正好相反，战后美国多次出现政府停摆、政治瘫痪现象，而西方眼中所谓的缺乏西方民主传统的"独裁专制"的中国却走出了一条独特的政治发展道路，举国体制不但保证了国家决策的高效率和充满活力，而且用短短40年的时间让8亿多人摆脱

---

① 李新廷. 比较政治学中的政治发展理论——后发展国家与中国经验视角的反思与重构[J]. 中南大学学报（社会科学版），2018（2）.

贫困，西方眼中的"专制独裁政权"却创造了前无古人后无来者的人间奇迹。对这一现象现今西方政治学理论无法给出满意的解释。就算是马克思，也只是指出了卡夫丁峡谷跨越的问题，即某些国家在特定的历史条件下可以不经过资本主义充分发展直接建立社会主义制度，但是马克思并没有指出，跨越可能会产生什么严重的问题，以及如何避免这些问题。新中国成立后也走过很长一段时间的弯路，付出了惨重的代价，但所幸的是中国终于找到了正确的发展道路，不但响亮地回答了马克思所没有指明的问题，而且给全世界那些曾经的、现今的和未来的社会主义国家提供了一个鲜活的范本。至于西方经验推断出来中国一定也会走上"国强必霸"的道路，中国则用共商共建共享共赢的"人类命运共同体"以及永不称霸的承诺给予了铿锵回答。

杨光斌认为，当今世界社会科学的两大话语体系就是主张个人权利的社会中心主义和强调国家自主性的国家中心主义，前者是基于英美历史经验的产物，后者是基于法、德、日本历史经验的总结，但这两大主义都不能解释中国为代表的一大批依靠政党而组织起来的国家。中国共产党是一种建国党，和西方国家的政党具有完全不同的性质、政治理念和政治作用形式，不能用西方利益集团性质的政党概念理解或对照中国共产党，也很难用二分法的国家—社会关系来理解中国政治。又如建构现代国家的问题，西方政治学理论强调国家权力与公民权利的对立，没有看到两者间的相互融合过程，也就无法理解中国国家权力保护公民的政治权利、财产权、社会保障权利而引发全民建设热情的政治结果。再如二战后西方政治学理论用民主—非民主衡量世界政治的话语霸权，掩盖了现代政体的混合政制本质。① 也就是说，西方政治学理论没看到印度等"民主国家"的制度比中国"民主"，但成就却远远落后于中国的原因是国家治理能力的虚弱，而且用西方的政党概念理解中国共产党和中国政治明显是一种误读，也没看到中国国家权力与公民权利的协调统一是让中国能同舟共济、上下一心、齐心协力创造人间奇

---

① 杨光斌. 中国政治学基础理论研究的突破性进展[N]. 光明日报，2015-07-30.

迹的根本原因之一，更忽略了民主概念的滥用导致霸权主义横行，世界政治局势动荡不安。

其次，从社会学角度来看，20世纪末至今，随着发展中国家在现代化进程中因急剧的社会变迁导致新情况、新问题不断涌现，原有的西方社会学理论研究遭遇后现代与全球化所带来的深刻变革，因无法迅速面对社会变化而出现了严重滞后，在全球化浪潮的冲击下无论是理论本身还是理论实践都遭遇了一场空前的危机。

西方经典的社会学理论一直强调两头小中间大的橄榄状的社会是最理想的，也就是最穷的人和最富的人都不占社会多数，当中的中产阶级占多数的国家相对来说是最稳定的。而中国长期以来一直是低收入者为多数的金字塔形结构，改革开放以来随着各地、各阶层收入差距的不断扩大，这种金字塔的形状一度更加明显，这在西方经典的社会学理论中，恰恰被认为是最不稳定、最容易引起社会剧烈动荡的一种社会状况。近年来伴随着中国发展在西方一直存在的"中国崩溃论"论调其实正是这种社会学观点的反映，西方社会学学者对中国的贫富差距非常担忧，担心中国日益尖锐的社会矛盾和严重的环境污染会导致中国的崩溃，难民潮涌向世界造成世界的粮食、能源和环境灾难……然而现实却让西方学者和政客大跌眼镜、预测完全失误，在中国共产党的坚强领导下，对内借助扶贫工程、不断完善社会保障体系、下岗再就业工程、大力整治环保、供给侧改革等政策，对外依托"一带一路"倡议，中国集中全国的人力物力财力、上下一心、众志成城，硬是把西方社会眼中最不稳定的社会变成了最欣欣向荣、充满活力、国泰民安的社会。现今的西方社会学理论同样不能解释上述现象，以至于有西方舆论不得不发出这样的感叹：如果说没能准确预测苏联崩溃只是证明西方准备不足的话，那么没能准确预测中国崛起甚至认为中国崩溃则证明了西方的愚昧和无知。

苏联的解体和中国的崛起暴露出西方社会学理论研究存在的不足，说明西方发达国家的现代化道路不再是唯一的发展模式，应从每个国家具体的国情中去寻找适合于这个国家的特殊发展政策。中国作为国家对经济社会发展有效干预的成功个案,"北京共识"这一国家主导下的发展模式成为今天的社会学理论关注的一个焦点。文军指出:"西方社会学理论的两大误区之一是,认为发展中国家要想实现传统向现代的转变,必须走一条以欧美发达国家为样板的西方化、欧洲化、工业化、城市化、现代化道路,即'传统—现代'的二元发展模式,忽视了这些国家自身的不同国情,导致20世纪60年代中期开始,很多发展中国家效仿西方发达国家的现代化之路严重受挫;二是,阿明(S. Amin)等人提出的'中心—边缘'二元静态依附理论模式以及'中心—边缘—半边缘(semi-periphery)'三元动态调整模式的世界体系理论还是有缺陷的,虽然看到了发展中国家不发达的原因在于受到发达国家制约,但实际上仍然是把西方发达国家置于重要的位置。"①

进入21世纪,全球化超出了民族国家的界限,成为一个跨越民族国家内部、民族国家之间、区域性以及全球性不同层次,涉及政治、经济、文化、社会、自然环境等多领域在内的复杂多元化现象。随着中国、印度、巴西等国为代表的新兴市场国家的崛起,世界多极化趋势进一步加强,可持续发展也成为世界各国关注的焦点。联合国2015年9月正式通过了"2030年可持续发展议程",将"千年发展目标(2010—2015)"转变为"可持续发展目标(2015—2030)"。诸多事实说明,原来仅从社会学学科的单一视角来看待社会发展问题的社会学理论,已经无法准确解释全球化的诸多新现象,开始向社会学、经济学、政治学、管理学等多学科交叉视角转变,新自由主义、新制度主义等不同理论观点和视角为社会学理论发展注入新的活力。美国著名体系论者沃勒斯坦在其世界体系理论研究中就主张把经济学、社会学、政治学、人类学、文化学等学科的理论和方法有机地融合为一个整体。

最后,再从经济学的角度来看,20世纪80年代末90年代初,西方主流经济学认为,俄罗斯和东欧国家实行了以全面自由化、私有化为核心的激进式改革向市场经济过渡,将迅速走向繁荣,而中国由于坚持社会主义制度并实行渐进式

---

① 文军,王谦. 反思中前行:西方发展社会学理论的新进展[J]. 江海学刊,2016(1).

改革将走向失败。但事实却完全出乎意料，经济持续快速发展并迅速走向繁荣的却是中国，俄罗斯和东欧国家经济衰退停滞甚至出现国家内乱、冲突和战争。还有西方经济学家认为，中国经验没有普遍意义，中国的改革取得的一些成就，应归功于发展私有经济、自由市场和对外开放等，但中国的社会主义制度、国有经济、政府干预等根本性制度障碍不但会冲淡中国经济成就，甚至会导致中国经济迟早崩溃的局面。然而事实却是，中国经济不但没有崩溃，反而在2010年之后GDP总量先后超过德国和日本排名世界第二，制造业总量一举超过美国成为世界第一制造业大国。西方资本主义国家经济却经历了2008年的严重危机，陷入持续低迷。① 对于中国和俄罗斯、东欧国家选择不同的经济发展方式产生的巨大反差，现有的西方主流经济学理论不但找不到可以解读的现成的答案，而且还因为对中国经济发展的错误悲观预测和误判招致舆论的质疑。

林毅夫指出："中国从1978年开始的改革开放所出现的现象可以说是人类经济史上的奇迹，我们认为它是奇迹，就是因为不能或者很难用现有的理论来解释。……经济学在中国被称为社会科学界的显学，不仅在中国是这样，在发展中国家也普遍是社会科学当中的显学。拿发达国家的理论来看发展中国家一般可以把发展中国家的问题解释得很清楚，但是根据发达国家的理论来做政策，成功的发展中国家是非常少的。……到2050年中国占全世界的经济规模很可能在百分之二十五到百分之三十之间，中国会是世界经济当中最重要的中心，世界经济学的研究中心也有可能从美国转移到中国。"②

胡鞍钢则强调中国与西方国家国情的差异导致西方经济学理论难以解释中国奇迹，他说："一般的经济学理论，包括经济增长理论，都是基于西方经济发展过程、基于西方国家几百年的实践而形成的。中国发展的历史记录、经验不同于西方国家，鉴于此，现有西方经济学理论就不能完整地解释中国发展，但这并不

---

① 张宇. 为什么西方经济学不能解释中国经济[N]. 人民日报, 2015-03-12.
② 新浪财经. 林毅夫：西方理论无法解释中国现象　经济学中心将东移[EB/OL]. (2017-11-18). http://finance.sina.com.cn/meeting/2017-11-18/doc-ifynwxum4308753.shtml.

妨碍我们从现有西方经济学中不断学习。"第一是中国国情的特殊性与发展道路的独特性。中国正式进入工业化和现代化发展阶段开始时间比西方国家滞后了一两百年。第二是1978年中国进入现代经济增长的经济起飞时期的人口规模效应大不同。第三是中国内部的经济增长差异性、不平衡性远远超过任何一个西方国家。第四是中国把全世界发达国家一两百年的现代化、工业化发展过程压缩为几十年。第五是中国的"新四化"既是中国现代化的动力,也是现代化的挑战的来源。①

张宇认为,西方经济学不能解释中国经济的原因,首先是因为西方经济学具有强烈的意识形态色彩,其基本理论旗帜鲜明地为资本主义制度辩护,赤裸裸地宣扬个人主义世界观,与中国特色社会主义格格不入;其次是因为西方经济学否认不同社会制度和历史条件下人们行为的差异,排除技术、制度、政治、文化等因素对经济生活的影响,把资本主义市场经济当作人类永恒不变的经济形式;最后是西方经济学中一些被认为是比较正确的理论,也往往是以一定的假设条件为前提的,并不是像自然科学一样的普遍真理②。

由以上可见,学者们普遍认为,西方经济学反映的是西方发达资本主义国家成熟市场经济的运行规律和运作经验,像中国这样一个发展中的社会主义大国的大规模的经济改革,全世界迄今为止还没出现过,没有任何可供借鉴和参考的理论与历史经验,西方经济学无法解释中国经济发展的奇迹是不可避免的。另外,全世界没有一个国家的政党能够像中国共产党这样具有如此强有力的领导力和果断执行力,能为经济长期高速发展提供政治、社会及宏观经济政策稳定的必要条件;西方经济学还因其深刻的意识形态属性和狭隘性及自我封闭性,低估了中国这样一个具有悠久历史文化传统的大国的理论和思想创新能力,导致对中国的政治经济误判。因此,在解释中国改革发展经验时,必须结合中国实际,而不能照抄照搬。只有立足于中国国情和实践,并从中总结经验、创新理论,才能找到切实可行的改革发展

---

① 胡鞍钢. 现有理论为何难以解释中国奇迹[J]. 人民论坛,2008(4).
② 张宇. 为什么西方经济学不能解释中国经济[N]. 人民日报,2015-03-12.

之路，建成富强、民主、文明、和谐的社会主义现代化国家，实现中华民族伟大复兴。中国的发展已经积累了大量宝贵的经验，应该把这些经验变成理论，让全世界更多的国家都能够分享到中国经济发展的独特经验，和中国共同成长和进步。

2. 资本主义弊病引发西方对自身全方位的质疑和对中国的恐惧

与中国独特政治理念的自信、朝气蓬勃和意气风发相比，西方现行的政治体制却出现了衰败的迹象，欧美各国普遍存在对公民权利、政党责任、社会法治、国家治理等国内政治体制的集体性困惑与焦虑。"历史终结论"的提出者福山在《政治秩序与政治衰败：从工业革命到民主全球化》一书中反思道，源于18世纪前后的社会契约与现代责任制前提下的"多数决"制度出现了生物演化式的衰败。20世纪70年代以来的"民主第三波"国家出现了集体性的政治固化、经济停滞、社会失序现象。美国政治制度日益失灵，利益集团和话语权过度，而大多数民众的利益与意志没有得到维护和体现。建国初期设计的政党制衡体系变成了现在的相互否决制，甚至还出现了"家族制的复辟"。[①] 有美国经济界的权威人士强调，美国经济虽然短期内表现向好，但是经济长期放缓的趋势并未改变，如果美国经济的结构性问题得不到明显改善，因2008年次贷危机引发的资产价格上涨、收入差距空前加大等暗藏的风险随时可能再次引爆比上次更严重的危机，届时美国将彻底陷入不可逆的衰落。

首先，美国肆无忌惮地破坏自己构建的战后秩序，极右势力、民粹主义沉渣泛起，逆全球化、贸易保护主义倾向明显，西方国家的团结荡然无存。

特朗普就任美国总统以来，为保证"美国优先"，频频"退群"，至今已经先后退出了跨太平洋伙伴关系协定等，战后由美国亲手主导建立的国际秩序几乎已经被美国自己破坏殆尽。当下的世界已经出现了两种完全相反并激烈对抗的现象，美国在逆全球化、自我封闭、向全世界自由贸易宣战，中国却在拥抱全球化、更加扩大

---

① 弗朗西斯·福山. 政治秩序与政治衰败：从工业革命到民主全球化[M]. 毛俊杰，译. 桂林：广西师范大学出版社，2015：序言.

对世界开放力度、坚决捍卫全球自由贸易体系；美国要求"美国优先"，中国却欢迎世界搭中国快车、便车，甚至向全世界大方开放中国太空站；美国"退群退群再退群"，中国却在联合国、G20、上合等各种场合提倡"共建共赢共享"的"人类命运共同体"理念……

  2018年年初至今，美国更是对欧盟和中国、日韩、加拿大、墨西哥、印度等国发起了全面贸易战，而且还不许反抗，霸道之极！据德国之声报道，特朗普上任以来，就一直对美国对欧盟的贸易逆差耿耿于怀，尤其是对德国，为了缩小贸易逆差，他曾威胁要向欧盟的汽车加征关税，这将会对德国汽车制造商产生严重的影响。而到目前，特朗普已经开始对欧盟的钢铝加征关税。特朗普2016年竞选时就指责北美自由贸易协定是"最糟糕的贸易协定"，威胁要将美国撤出北美自由贸易协定，甚至指责美国的盟友加拿大和欧盟威胁到了美国的国家安全。英国《独立报》表示，一直以来，美国是自由贸易最大的受益者，美国的经济发展速度也比其他发达国家的都要快，但如今特朗普政府却离自由贸易越来越远……这对美国是非常不利的，将会撕裂美国自己建立的让美国及其盟友受益的世界经济秩序。《多伦多星报》称，美国一意孤行，给全球经济带来了更多不确定因素。国际货币基金组织（IMF）警告说，美国政府采取加征关税和其他限制进口措施的贸易政策将对全球经济与贸易体系构成风险。《金融时报》称，美国与盟友的关系已经降至冰点。半岛电视台指出美国现在"与全世界为敌"，美国虽然与朝鲜关系出现缓和，但是特朗普的贸易政策却让美国与世界割裂开来。[①]

  上述现象的背后既有美国国内选举政治的影响，也受到近年来欧洲一些国家极右势力上台执政、民粹主义沉渣泛起、逆全球化和贸易保护主义倾向明显、政治右转等政治大环境的干扰。国内外许多知名学者都曾指出，美国为首的西方国家之所以能赢得冷战的最终胜利，主要在于存在一个将彼此紧密团结在一起的安

---

① 李雪晴. 外媒说：特朗普扣动扳机，不止对准中国，还"扫射了全世界"［EB/OL］. （2018 - 06 - 17）. http://www.xinhuanet.com/world/2018 - 06/17/c_1122998218.htm.

全共同体以及对资本主义市场经济体制和自由民主政治制度的广泛认同,但是特朗普领导下的美国正在肆无忌惮地破坏自己构建的战后秩序,也在摧毁西方社会对资本主义制度的认同和自信,西方国家在二战后好不容易形成的团结一致荡然无存。现在,中国和俄罗斯越走越近,中国和印度、日本都在改善关系,欧洲国家领导人也纷纷来中国访问……诚如金融大鳄索罗斯所言,特朗普的一系列做法将大大有助于中国被接受为国际社会的领导成员(leading member),他起的作用甚至会超过中国人自己。①

其次,民主、自由、人权等西方一直引以为傲的价值观被过度滥用,变成了极少数特殊人群侵害绝大部分人传统观念的理由和借口以及个别国家肆无忌惮干涉他国内政的依据,而且西方的人权观往往具有双重标准,对非西方国家带有明显的意识形态偏见和倾向性。

伊拉克战争就是西方干涉的典型例证,2003年布什政府以"伊拉克拥有大规模杀伤性武器"为由向伊拉克开战,最终被2004年"零大规模杀伤性武器"的核查报告"打脸"。美国抛开联合国的授权,无视国际社会的非议,用武力推翻他国政权,将入侵伊拉克表述为"民主使命",在伊拉克建立"民主灯塔",以自己的意志和模式改造了国际社会中的一个主权国家。这是一条披上了民主外衣的"帝国之路"。有选举并不等于是民主,伊拉克尽管实行了有意义的选举,但政治民主和社会结构的改造没有配合起来,选举民主缺乏真实的社会基础,教派冲突激烈、恐吓民主选举进程的暴力袭击事件不断。

美国联邦最高法院2018年6月26日裁定,总统特朗普2017年颁布的移民限制令"完全符合"总统职权范围。根据这份特朗普2017年9月签署的第三版限制令,乍得、伊朗、利比亚、叙利亚、也门和索马里的公民不得进入美国,朝鲜公民和委内瑞拉的部分官员也不得进入美国。其中,针对乍得公民的限制令于

---

① 环球网. 美国又退群这还算新闻吗?中美已悄悄换了角色[EB/OL]. (2018 - 06 - 20). https://news.china.com/internationalgd/10000166/20180620/32554112.html.

2018年4月被取消，针对朝鲜公民和委内瑞拉部分官员的限制令不在联邦地区法院和巡回上诉法院冻结范围内。一名持反对意见的大法官说，这一裁决是一个"历史性错误"。美国公民自由联盟也在推特上批评联邦最高法院的裁决，认为这是在"允许种族主义和仇外持续，而不是进行反对"。[1] 这说明，国际社会多极反对单极、反对人权双重标准及滥用民主、公平公正反对霸道强权的斗争很艰巨，将是一个长期性的、常态化的进程。

最后，2008年金融危机以来西方发达地区经济一直不景气，与高速增长、充满活力的中国、印度及整个东亚、东南亚地区形成了鲜明对照，引起许多学者对资本主义生产方式的反思和对中国长期持续稳定增长奥秘的探究。在福山还在纠结是不是要继续坚持自己"资本主义生产方式和自由民主制度是人类最好的制度，是世界历史的终点"的观点的时候，中国已经大踏步地开拓出另一条与西方迥然不同、更加高效、充满活力的现代化新路。

当今世界绝大多数国家选择的都是资本主义制度和生产方式，欧美的现代化模式一度成为世界各国学习的模板，但美国金融危机的爆发以及之后紧接着的欧债危机的爆发让欧美发展模式的弊端充分暴露在世界面前。比如，美国是一个充满矛盾的国家，国内政治被资本家和两党严格控制，社会意识形态和政治立场严重撕裂社会，造成社会价值观混乱和对立；其国内过度消费，长期用印刷货币来平衡美国和其他国家的贸易逆差，虚拟经济脱离实体经济，将大量的制造业转移到国外，把房地产卖给信用薄弱的中下收入阶层等。再如，2009年意大利、希腊等国的债务负担超过了自身的承受范围而引起违约风险，其中既有金融危机导致的欧洲各国政府加杠杆化使债务负担加重、主权评级被下调的客观原因，也有欧洲各国自身产业结构不平衡、实体经济空心化、经济发展脆弱、人口老龄化、法德在减免希腊等国债务上的分歧等主观原因，根本原因则是欧元区的制度缺陷

---

[1] 新华网客户端. 最高法放行移民限令 美国会更加分裂吗？[EB/OL]. (2018 - 06 - 28). http://baijiahao.baidu.com/s? id = 1604480792012810690&wfr = spider&for = pc.

和欧洲不同国家竞争力差异拉大,无法有效弥补赤字。马克思在《资本论》中早就指出,资本主义生产资料私人占有与社会化大生产之间不可调和的固有矛盾是导致资本主义频繁发生危机的元凶,资本主义本身无法解决这个难题①。也就是说只有推翻资本主义制度建立社会主义制度,变生产资料私人占有制为公有制,才能从根本上彻底克服和解决这个危机频发的问题。

中国和印度都是应对上述重大危机比较优秀的国家,中国看到了美国和欧洲危机的实质,引导国民消费和储蓄之间的平衡,严格加强房贷资格审核,借助供给侧改革和淘汰落后产能对产业进行优化产级,提出了"中国制造 2025"规划,坚决夯实走向现代化过程中最重要的工业制造基础,通过主动扩大进口和对外开放金融业、服务业坚定维护多边自由贸易体系,努力缩小顺差,积极采取措施应对人口老龄化问题。特别是中国提出的"一带一路"倡议和"人类命运共同体""共商共建共赢共享"理念,让广大发展中国家看到了缩小和其他国家差距、真正有幸福感和获得感、迥异于西方发达国家的一种更公正合理的崭新的现代化模式。

3. 中国自身博大精深的思想文化体系对西方的巨大冲击

在 5 000 多年历史长河中孕育发展的中华文明是世界诸多文明中唯一没有中断过的文明。在纪念孔子诞辰 2565 周年国际学术研讨会上,习近平指出:"当代中国是历史中国的延续和发展,当代中国思想文化也是中国传统思想文化的传承和升华,要认识今天的中国、今天的中国人,就要深入了解中国的文化血脉,准确把握滋养中国人的文化土壤。"②准确概括了灿烂的中华文化的思想和历史源头及其时代价值,强调增强文化自信就应走入历史长河,深入理解中国的文化深度和维度及博大精深的思想底蕴。

---

① 马克思,恩格斯. 马克思恩格斯全集:第 26 卷第 1 册[M]. 中共中央编译局,译. 北京:人民出版社,2014:444.
② 习近平. 在纪念孔子诞辰 2565 周年国际学术研讨会暨国际儒学联合会第五届会员大会开幕式上的讲话(2014 年 9 月 24 日)[N]. 人民日报,2014 - 09 - 25.

习近平在哲学社会科学工作座谈会上对中华古代文献作了这样的评价:"中国古代大量鸿篇巨制中包含着丰富的哲学社会科学内容、治国理政智慧,为古人认识世界、改造世界提供了重要依据,也为中华文明提供了重要内容,为人类文明作出了重大贡献。"① 张岂之认为,儒家经典所体现的包容性、伦理性,使它成为中国封建社会适用的教科书。这些教科书的普及本,如《三字经》《弟子规》等,其中的价值观进入当时青少年的头脑。② 必须指出的是,中国古代社会的价值观,适合当时那个时代,今天不能简单照搬,需要发挥马克思唯物论的扬弃原则,汲取古典文化的精华而去其糟粕,让古代文化与时俱进,在今天发挥出更加灿烂理性的光芒。

"中国模式"底蕴深厚,不仅传承了五千年源远流长的文明史当中儒家道家等诸子百家以及佛学的思想与智慧,而且还融合了现代人类诸多文明特别是西方优秀的成果,其中更有马克思的伟大理想。在 2011 年全球化时代中国价值与美德的复兴国际学术讨论会上,方松华指出,1919 年五四新文化运动将马克思主义和"民主、科学、自由、人权、法制"等西方理念引进中国,在中国逐渐建立起代表当时人类先进文化的西方自然科学、社会科学学科体系,促使中国古代文化向近当代文明转型,让中华文化从更为深厚、广阔的思想资源中汲取养料。中华文明与人类其他文明相比是一种"和合"文明,这一本性决定了中国的崛起坚持走和平发展之路,不会走西方资本主义的军事扩张老路。中国的这一和谐共生理念与和平主义特性,与西方特别是欧洲相比,与当下世界各国和平发展的诉求更加吻合。③

诚如张维为所言:"中国从全世界汲取智慧,才有今日这崛起,才会国运昌盛。而今天任何一个全球问题的解决,也离不开中国的智慧。中国的迅速崛起触

---

① 习近平. 在哲学社会科学工作座谈会上的讲话(全文)[EB/OL]. (2016 - 05 - 18). http://www.xinhuanet.com/politics/2016 - 05/18/c_1118891128.htm.
② 张岂之. 文化自信的深厚历史底蕴[N]. 人民日报,2016 - 09 - 02.
③ 方松华. 中国模式与中国文明——追寻中国模式背后文明的力量[C]. 全球化时代中国价值与美德的复兴国际学术讨论会,2011.

动了世界，触动了这个世界的许多敏感的神经。我相信随着世界进入'后美国时代'，世界也将进入'后美国话语时代'，中国人对于自己的发展，对于国际问题的认知，应该在汲取世界智慧的同时，也用自己的价值观加以检验，用自己的话语加以论述。一个只会使用别人话语的民族在世界上是没有分量的，中国崛起的过程也必然是一个中国话语崛起的过程，而这个危机四伏的世界也确实需要中国人的智慧。"①

潘忠岐仔细研究和对比了中美两国认知思维的差异，指出，儒家学说2 000多年前就提出了构建"大同世界"的理念，教导中国人要"修身、齐家、治国、平天下"，因此，中国人常常心怀天下，以天下为己任，把治理天下的目标当作自己的目标。在中国人的思维中，对于单个国家来说，不论多么强大都无法独自建设更美好的世界，必须依靠集体的力量，通过同舟共济来改善社会环境和社会关系。今天，中国继续倡导"和谐社会""和谐世界""人类命运共同体"等以天下为己任的理念。在中国人看来，如果每个国家都心怀天下，那么天下可平，"和谐世界"和"人类命运共同体"就可以实现。相比而言，美国人则以己任为天下。在美国人的思维中，个人利益高于国家利益，国家利益高于国际利益，天下之治并不是美国人思考问题的出发点。美国人倾向于将个人或国家的私利说成是人类社会的共同利益。美国人从自我中心主义的思维出发推己及人，认为自己的目标就是世界的目标，自己面临的威胁就是世界面临的威胁。虽然美国人以己任为天下，但其最终目的并不是实现天下之治，而是成就自己的诉求。②

综合上述分析，美国为首的西方国家对中国是存在严重误读的，一些比较冷静理智的西方学者已经注意到了这一点。法罗克·康特拉克特就认为，特朗普政府以"美国优先"为名行贸易保护之实存在四大理论误区：一是加征关税可以更好保护美国经济和就业。其实这在整体上令美国经济及就业受损。以钢铝关税为

---

① 张维为.中国触动全球[M].北京：新华出版社，2008：序言.
② 潘忠岐.中国人与美国人思维方式的差异及其对构建"中美新型大国关系"的寓意[J].当代亚太，2017（4）.

例，新关税预计将导致美国净损失约14.6万个就业岗位。二是美国正遭受巨额贸易逆差之痛。作为全球储蓄率最低的国家之一，美国却几乎享受着全球最高质量的消费水准；作为全球储备货币，其他国家通过贸易顺差赚取美元，再通过投资或购买美国国债等方式回流美国，这种模式是可持续的。三是全球化是导致美国制造业岗位流失的主因。美国一些政客如果不能更早正视制造业自动化和机器人化的大趋势，为迎合选民而一味将工作岗位流失归咎于全球化，将令美国丧失主动调整、应对经济潮流新趋势的先机。四是限制他国投资及高科技产品进口可以保护美国高端制造业。为了保护美国高端制造业遏制"中国制造2025"计划，这显示了美国在面对竞争时的不自信。①

因此，如果美国为首的西方国家，尤其是美国不能尽快找到中美关系正确打开的方式，一些主持对华关系的人不能对中国的历史和文化以及国民感情与心态有一个最基本的了解，不能用平常心态接受和欢迎中国的正常发展和进步的话，美国还有西方不但将会在政治、经济、文化、国际道义等方面全面被中国反超，而且还会因为失去中国这个全球最庞大、最具活力的市场而错失与中国同步发展并分享中国发展成果的最好机会。美国尤其需要反思的是，为什么中国毫不畏惧美国的霸凌打压？是中国真的强大到一点也不在乎自己可能遭受的经济损失吗？中国为什么没有像当年被逼签下《广场协议》的日本那样对美国彻底屈服？不是中国已足够强大，也不是中国不顾虑可能遭受的经济损失，而是美国触及了中国不可退让的底线：以"中国制造2025"为契机实现中华民族伟大复兴。这个世界上对侵略、威胁和遏制最敏感、反制也最坚决的一定是中国，用传统冷战思维对待别的小国或者是弱国或许可以侥幸得逞，但是用这样的手段对付中国，美国为首的西方将会输得很惨，没有人能阻挡中国人渴望强大的梦想。这些国家的一些政客不了解中国近代屈辱史和中国人誓死卫国的坚定意志是可笑的，若因而采取置其国家利益和人民福祉于不顾的短视政策，那就是可悲了。

---

① 王乃水，王文. 特朗普抱有深深执念的"美国优先"，原来错得如此离谱[N]. 参考消息，2018-06-23.

第六章

"人类命运共同体"未来得以成功构建的路径和策略

"人类命运共同体"的构建当然不可能是一帆风顺、一蹴而就的，需要世界各国和中国携手一道在互相尊重、互相理解的基础上共同努力方能实现。当前，遇到的最大挑战是以特朗普政府的"美国优先"政策为代表的逆全球化现象对全球政治经济秩序的稳定带来的巨大冲击。其最深层次的根源在于合作共赢、包容利他的东方智慧与西方现实主义权力政治观念和"西方中心主义"思维之争；开放普惠、共富共享与西方你得我失零和博弈思想之争；共商共建、持久和平、共同繁荣与根深蒂固的西方利己主义之争。本书第五章对此已经作了详细阐述，在这里就不一一赘述了。

赵可金等认为，"人类命运共同体"的基本逻辑是同舟共济和风险共担，核心问题是如何找到促进全球和区域共同发展的最为合理的形式[①]。本书认为，构建"人类命运共同体"不应只是各国在经济利益层面的平等，更应是在

---

① 赵可金，赵远."人类命运共同体"的构建路径[J].当代世界，2018（6）.

文化和价值观上的互相尊重和平等，换言之，只有心与心的交流没有距离，才可能真正做到经济和政治上的平等。本章按照这个思路将从文化话语权、"一带一路"建设、共同价值观的建立这3个层面分析"人类命运共同体"的构建路径和策略问题。

一、发挥中国传统文化底蕴，构筑中国文化自信

文化自信是一个国家、一个民族发展的底气。外交意义的文化自信体现中国共产党人的政治理想和中国积极负责的大国情怀。就如姜安在其文中所言："大国不是推行王道逻辑，更不是奉行霸权政策，也不能崇尚帝国精神，外交意义的文化自信来自社会主义外交品质和东方传统文化的仁政伦理，外交意义的文化自觉体现中国共产党人的政治理想和中国积极负责的大国情怀。……中国的外交绝不能被极端的民族主义、极端的民粹主义、极端的无政府主义等所绑架。繁荣而稳定、自信而自觉的中国对自己、对世界格外的重要。"①

（一）文化自信是经济发展的前提

实现中华民族伟大复兴，必须坚定中国特色社会主义道路自信、理论自信、制度自信、文化自信。其中的文化自信就是指，要对博大精深的中华文化有深刻的理解，要善于从中华文化宝库中萃取精华、汲取能量，保持对自身文化理想、文化价值、文化生命力、创造力的高度信心。习近平在中国文联十大、中国作协九大开幕式上的重要讲话中指出，文化是一个国家、一个民族的灵魂。古往今来，中华民族精神，既体现在中国人民的奋斗历程和奋斗业绩中，体现在中国人民的精神生活和精神世界中，也反映在几千年来中华民族产生的一切优秀作品中，反映在我国一切文学家、艺术家的杰出创造活动中。我们应该为此感到无比自豪，也应该为此感到无比自信。实现中华民族伟大复兴，必须坚定中国特色社会主义道路自信、理论自信、制度自信、文化自信。创作出具有鲜明民族特点和

---

① 姜安. 新时代中国特色大国外交战略方程的政治逻辑[J]. 深圳大学学报（人文社会科学版），2017（6）.

个性的优秀作品,要对博大精深的中华文化有深刻的理解,更要有高度的文化自信。①

美国真实清晰市场网 2018 年 5 月 31 日的一篇文章中,作者认为对中国的最大担心不应该是贸易战或军事冲突,而是中国在科技领域的快速进步对美国的经济霸主地位构成的挑战。按照目前的发展趋势,到 21 世纪 30 年代中国将成为世界最大经济体。2001 年中国加入世界贸易组织时,其国内生产总值仅为美国的 13%。到 2016 年,这个比例上升到了 60%。相比多数发达国家,中国更好地抵御了 2008—2009 年金融危机。2016 年,中国政府启动了一个 15 年的"中国精准医疗计划",预算达到 92 亿美元,主要集中于癌症早期诊断,还包括基因编辑、基因治疗和细胞治疗。从 2000 年到 2014 年,学习理工专业的中国大学生人数从 35.9 万人增至 165 万人。中国还在国家层面通过"千人计划"等吸引有天赋的科学家回国。中国筹划将来在全球竞争中处于领先地位,是建立在科学技术创新的基础之上。② 可见,已经有西方的有识之士认识到了中国深厚的文化和历史底蕴不仅影响了中国经济发展,而且影响到了中国对世界及自身的基本判断和认知。

改革开放 40 年来,中国取得了举世瞩目的经济成就,既有中国领导人对世界大势的正确判断与胸怀天下的大局观为中国经济发展赢得宝贵的和平期的因素,也有冷静沉着应对错综复杂的世界经济较量、始终正确把握中国经济发展方向的因素,根本上却是吃苦耐劳、坚忍不拔的全体中国人努力奋斗的结果。这其中处处体现了中华民族的优秀文化传统和深厚的历史底蕴的影响。但是,当下社会仍有许多不尽如人意之处,如:"去思想化""去价值化""去历史化""去中国化""去主流化""精美精日"等歪理邪说,还有盲目跟风、山寨雷同、无底线无节操、庸俗媚俗低俗等丑恶现象。对于上述现象,习近平在文艺工作座谈会上指

---

① 习近平. 在中国文联十大、中国作协九大开幕式上的讲话[EB/OL].(2016-11-30). http://www.xinhuanet.com/politics/2016-11/30/c_1120025319.htm.
② 拜伦·韦恩,乔恒. 美媒:中国人的聪明和苦干才是真正"威胁"[EB/OL].(2018-06-01)https://www.sohu.com/a/233752476_815050.

出:"'求木之长者,必固其根本;欲流之远者,必浚其泉源。'中华优秀传统文化是中华民族的精神命脉,是涵养社会主义核心价值观的重要源泉,也是我们在世界文化激荡中站稳脚跟的坚实根基。增强文化自觉和文化自信,是坚定道路自信、理论自信、制度自信的题中应有之义。如果'以洋为尊'、'以洋为美'、'唯洋是从',把作品在国外获奖作为最高追求,跟在别人后面亦步亦趋、东施效颦,热衷于'去思想化'、'去价值化'、'去历史化'、'去中国化'、'去主流化'那一套,绝对是没有前途的!"①

也就是说,中国的一切发展都首先必须立足于自身的优秀文化底蕴,充分肯定自身的优势和长处并从中去寻找合适的养分,运用到中国当前的经济实践中去。只有首先是民族的才最终可能是世界的。要征服一个国家先要征服其民心,要征服其民心,先要征服其文化。这个千百年以来的铁律告诉我们,中华民族无论在什么情况下,都不能放弃自己民族的根本,中华五千年的灿烂文化就是中华民族文化发展最重要的基础。放弃了这个基础,中国人将找不到自己的民族自我认同和内心的归一。

(二)应大力弘扬中国优秀传统文化

笔者认为,政府在文化治理方面要做的工作还有很多,尤其是要强化中国优秀文艺传统和文化遗产在建设中国特色社会主义建设中的作用。当然,靠国家和政府层面自上而下对中国优秀传统文化强制立法监管和推动并不是主要目的,中国优秀传统文化的真正发扬光大还需要广大文艺工作者、社会公众和媒体舆论的自觉、自律、积极监督和配合。

中华民族伟大复兴的前提和基础是爱国敬业的高素质人才,必须把教育事业放在优先位置,将弘扬中国优秀传统文化纳入国民教育体系。中共中央办公厅、国务院办公厅印发的《关于实施中华优秀传统文化传承发展工程的意见》,其中

---

① 习近平. 在文艺工作座谈会上的讲话[EB/OL]. (2015-10-14). http://www.xinhuanet.com/politics/2015-10/14/c_1116825558.htm.

第九条明确提出:"按照一体化、分学段、有序推进的原则,把中华优秀传统文化全方位融入思想道德教育、文化知识教育、艺术体育教育、社会实践教育各环节,贯穿于启蒙教育、基础教育、职业教育、高等教育、继续教育各领域。以幼儿、小学、中学教材为重点,构建中华文化课程和教材体系。编写中华文化幼儿读物,开展'少年传承中华传统美德'系列教育活动,创作系列绘本、童谣、儿歌、动画等。修订中小学道德与法治、语文、历史等课程教材。推动高校开设中华优秀传统文化必修课,在哲学社会科学及相关学科专业和课程中增加中华优秀传统文化的内容……丰富拓展校园文化,推进戏曲、书法、高雅艺术、传统体育等进校园,实施中华经典诵读工程……"① 党的十九大报告也指出:"文化是一个国家、一个民族的灵魂。文化兴国运兴,文化强民族强。没有高度的文化自信,没有文化的繁荣兴盛,就没有中华民族伟大复兴。"② 2018年1月4—5日,"首届全国文化遗产教育展示论坛暨'文化遗产课堂'实践两周年研讨会"在天津召开。来自全国文博考古与教育界的近300名代表就贯彻落实中共中央办公厅、国务院办公厅印发的《关于实施中华优秀传统文化传承发展工程的意见》提出的,将中华优秀传统文化"贯穿国民教育始终"的要求,围绕"将文化遗产纳入国民教育体系"论题进行了集中课程展示和深入交流研讨。③

中华民族传统文化经典是民族精神的根,是海内外全体中华儿女共同的精神家园。中华民族的核心价值观存在于传统文化经典中,存在于两千年来传诵的《论语》《孟子》等经典篇章之中。中华民族传统文化的人伦教育、修身教育、人格教育,培育了历代的先哲先贤和仁人志士。中华民族传统文化经典教育是真正

---

① 新华社. 中共中央办公厅 国务院办公厅印发《关于实施中华优秀传统文化传承发展工程的意见》[EB/OL].(2017-01-25). http://www.gov.cn/zhengce/2017-01/25/content_5163472.htm.
② 习近平. 决胜全面建成小康社会 夺取新时代中国特色社会主义伟大胜利——在中国共产党第十九次全国代表大会上的报告(2017年10月18日)[EB/OL].(2017-10-28). http://cpc.people.com.cn/n1/2017/1028/c64094-29613660.html.
③ 赵颖妍. 弘扬传统文化 文化遗产纳入国民教育体系达成"天津共识"[EB/OL].(2018-01-05). http://tj.people.com.cn/n2/2018/0105/c375366-31108763.html.

的素质教育。美国、法国、英国、俄罗斯等国也都非常重视本国及西方文化经典在国民教育中的地位，中国是世界上文化传统最深厚的国家之一，更没有理由忽视传统文化经典教育。

有学者具体提出了很好的建议，例如：制定将中华民族文化经典教育纳入国民教育体制的法律，让中华优秀文化经典进入中小学课堂。小学生可以利用早读时间诵读《三字经》《百家姓》《千字文》《弟子规》《千家诗》《唐诗三百首》等，初中生多读一些《论语》《孟子》中关于修身的章节，高中生将《论语》《孟子》《大学》《中庸》作为必修课等①。还有学者倡议将文化遗产教育纳入国民教育体系，应从基础教育抓起，结合美育与德育，搞好顶层设计，并注重与其他国民课程的关联性，既要有课程，也要有教材，还要有教师。在此基础上，从体验入手，寓教于乐，循序渐进，让文化遗产融入校园文化，对学生的人格形成及发展发挥启蒙、引领和推进作用。② 实际上，近年来全国各地已有许多小学开展中华文化经典诵读活动，也有不少高中开设《论语》选修课，社会上更有为数众多的"国学班"。当然，对以往的文化遗产的继承也不能是无条件的、原封不动的，而是要经过加工、改造、吸收。

中国的发展已经进入了决胜关键期，21世纪的国力竞争关键是人才的竞争，谁占据高素质人才的制高点，谁就将赢得最后的胜利。未来的人才不只要拥有出类拔萃的专业技能，更应拥有优秀的人文道德素养。因此，将优秀传统文化经典教育纳入国民教育体系已是刻不容缓，它对提高中国文化软实力，进一步推进学校内涵发展，提高学生的人文素养和审美修养，培养学生的书卷之气和儒雅之气，改善学生的思想品质，让学生在充满快乐的情境中感悟生活和人生的真谛，在潜移默化中形成高尚的家国情怀，从而提高全民族文化素质具有重大意义。

---

① 王丽. 将传统文化经典纳入国民教育体系[J]. 成才之路，2009（8）.
② 赵颖妍. 弘扬传统文化 文化遗产纳入国民教育体系达成"天津共识"[EB/OL].（2018-01-05）. http://tj.people.com.cn/n2/2018/0105/c375366-31108763.html.

（三）通过公共外交进一步提升国家形象

国家形象是国内外受众对一个国家的政治、经济、社会、文明程度等的总体认识，可以看作是一国特殊的国家利益和意识形态在海外的表现与延伸，国家威信、国家声誉、国家品牌和国家认同都是国家形象在不同领域中的具体体现。而公共外交则是指一国政府通过文化交流、信息项目等形式，了解、获悉情况和影响国外公众，以提高本国国家形象和国际影响力，进而增进本国国家利益的外交方式。由此可见，公共外交是提升国家形象的重要手段，两者之间有极其密切的关系，但是由于当前世界还存在霸权主义，国际话语权还主要是由美国为首的西方国家掌控，存在对非西方国家明显不利的双重标准，因此，随着中国国家实力的提升和海外利益的不断扩大，国家形象和公共外交研究就显得越来越重要。

关于国家的定义，许多学者从不同的学科角度加以了解读。马克思、恩格斯从唯物主义角度，强调国家是一个阶级实现其统治的工具，国家无非是一个阶级镇压另一个阶级的机器[①]。韦伯则从社会角度出发，将国家定义为："在一既定领土内成功地要求物质力量的合法使用、实行垄断的人类社会。"[②] 国际法则主要强调，"现代意义上的国家，在国际法上应具备四个要素：定居的人民、确定的领土、政府和主权"[③]，也就是说，构成国家的基础一是领土和人口，体现了国家的自然属性，二是国家的政治属性，即国家的法律制度以及行使暴力的权力，根本目的是维护自身的统治。另外，西方学界对"国家"的理解带有明确的符号认知心理学特征，尤其强调国家形象的认同，换言之，人们主观上自我认知、自我对他者、他者对自我的认知过程在国际政治领域必然通过一国的国内形象和国外形象的认知表现出来。

国家形象就是"一个国家在国际间的政治、经济、文化、军事、科技等诸方面相互交往过程中给其他国家及其公众留下的一种综合印象"，是一个国家在国

---

① 乔纳森·哈斯. 史前国家的演进[M]. 罗林平，罗海钢，译. 北京：求实出版社，1988：336.
② 张芳山，涂宪华. "国家"概念的历史演绎——兼论昆廷·斯金纳的国家理论[J]. 理论月刊，2011 (8).
③ 王海蓉. 浅谈国际法上的国家领土[J]. 法制与社会，2010 (16).

际社会印象中的基本精神面貌与政治声誉。国家形象的组成要素包括政治、经济、军事、地理等硬件因素，国家民族精神以及民族性格（国民性）等主观因素，国家在国内外的政治经济等各方面行为、国家活动及其成果行为因素以及国家的政治制度和意识形态等制度要素。这些因素同时影响着对他国形象的解读，进而会影响国家的行为和国家形象。因此，一个国家良好的国家形象、独特的国家特征、较高的国家地位都会增强国内民众对本国的认同，增强国家的合法性，而本国国民对国家的认同将有利于国家形象的海外传播以及其他国家及其民众对本国的认可。

全球化时代，中国从大国走向强国的过程中，在地缘外交、贸易纠纷、知识产权博弈、媒体、网络、舆论上的形象维护等诸多方面，有效的国家形象宣传发挥着越来越重要的作用。例如：2009年中国首次在美国投放国家形象宣传片《中国制造，世界合作》，借此改善了美国民众对中国产品的了解和认识，提升了中国在世界眼中的形象；2010年5—10月在上海举办的世界博览会，6个月时间里一共接待了超过7 000万海内外游客，向世界各国人民充分展示了一个充满活力的上海，也更好地展现了中国的形象[①]。中国还举办了2008北京奥运会等大型国际体育赛事以及二十国集团领导人杭州峰会、"一带一路"北京高峰论坛、上合组织青岛峰会等主场外交活动，这些都是中国国家形象宣传很好的方式。另外，还有孔子学院以及各种类型的中外文化年、文化周等。当前中国正处在发展的关键期，的确需要提升国际话语权，大力加强对中国发展成就的正面宣传，树立积极正面的国家形象，将正确解读中国的权力从西方手中夺回来并牢牢掌握在自己手中。

我们同时也要看到当前国家形象宣传还存在明显的不足，冯帆认为原因首先就在于，国际新闻传播能力客观上还是西强我弱，全球主流媒体议题设置话语权仍然掌握在美国为首的西方国家手中，出于意识形态偏见和文化价值观差异等错

---

① 赵启正. 公共外交与跨文化交流[M]. 北京：中国人民大学出版社，2011；引言.

综复杂的因素，西方媒体对我国国家形象还存在严重的歪曲和偏见现象，CNN及《纽约时报》《明镜周刊》《泰晤士报》《卫报》《独立报》等国外主流媒体在报道中国问题时所呈现出的话语特点和报道风格，在更大程度上影响着西方受众对中国的认识[①]。如果我们对困难不能有足够的思想准备，不能保持足够的耐心，那么我们在国家形象宣传方面将会非常被动。我国自身的对外传播也存在诸多问题，如宣传方式和口径过于僵化、公式化，宣传手段陈旧、单一，政治和意识形态色彩过于直白，不够重视中西方不同社会制度、意识形态和价值观以及不同文化之间的差异等，这些都制约了国家形象的宣传效果。另外，中国公民出境旅游人数已超过1.3亿人次，预计未来5年累计将达到7亿人次，而中国游客在海外旅游时各种不文明行为却屡有发生，在海外旅游的中国游客在很大程度上代表着中国国家形象，他们在塑造中国形象、提升国家软实力、开展公共外交方面发挥着越来越重要的作用，国家需对此高度重视和加强正面引导。

如何有效塑造和提升国家形象，是世界上所有国家都非常重视的课题之一。中国目前正处于可持续发展的关键时期，而国际社会对中国的认识仍有偏颇之处，因此，积极主动的公共外交，对塑造正面的中国国家形象，营造良好的国际舆论环境以及和谐的发展氛围越来越重要。为此，我们不但要继续扩大民间交流和官方对话这两个常见交流渠道，还要拓展更多的新的交流方式，如中国领导人可以直接和国外民众对话，让更多的西方民众能亲身感受一个真实的中国，而不是单纯从他们国家的媒体片面了解中国。自2014年3月23日习近平在荷兰《新鹿特丹商业报》发表题为《打开欧洲之门 携手共创繁荣》的署名文章以来，凡是重要出访必先在出访国主流媒体发表署名文章，2014年发表了13篇，2015年发表了7篇，2016年发表了12篇。这些署名文章回顾了两国传统友谊，对中国

---

① 冯帆. 和平的狮子抑或崛起的威胁——英国主流媒体对华报道映射下各阶层民众的中国映像[J]. 新闻前哨，2015（2）.

外交政策进行解读,并为两国关系定调,回应关切,拉近了与该国读者的距离。① 另外,我们还要积极开发和运用新闻传播的新技术把中国视角推向世界。据美国媒体报道,中国的新华社就运用了"媒体大脑"的升级版——"MAGIC"智能生产平台进行快速新闻生产,自动制作一条新闻视频最快只需要 10 秒。计划中的媒体工作平台不只是数据收集工具,还有"定制化和个性化的信息推送"功能,可以提供线索发现、素材采集、编辑生产、分发传播和反馈监测等各项服务。升级版的 AI "媒体大脑"在 2018 年的足球世界杯期间可以制作 1 万多条新闻视频。新华社用 AI 将给全球新闻传播形式带来巨大影响。②

中国有着开展公共外交的强大文化历史底蕴和经济基础,同时,和平发展、多极和多元并存的全球化大势也给中国拓展公共外交提供了客观可能。中国通过孔子学院展现中国文化的软实力,向世界各国人民阐释中国传统文化中"和"的思想,给外国人民大众带去了这样一种思考,即中国传统文化强调"和平、和睦、和谐"的儒家思想,即使中国发展了、强大了,也不会走向对外侵略扩张的道路,反而会帮助其他贫困弱小的国家实现繁荣富强,最终实现"天下大同"的崇高理想,使得世界各国人民更好地认识中国、理解中国,能够友好地看待中国的和平发展。这样反过来又会影响他们各自政府的看法,从而实现中国外交上的胜利。随着中国的政治、经济影响力不断增强,中国实行更加对外开放的政策,更多的中国企业、普通民众可以走出国门,中国企业为外国公众提供优质的产品和服务,让中国品牌走向了世界,这样势必会影响他们对中国的印象。另外,"一带一路"沿线各国交流越来越密切,来中国学习交流和从事各种职业的外国人会越来越多,更多的外国人会接受中医、戏剧、饮食、服装等中国文化,公共外交对提升中国国家形象日益凸显出其巨大的作用。

---

① 王秋彬. 开启公共外交的中国模式[J]. 公共外交季刊, 2017 (1).
② 参考消息网. 美媒: AI 助中国媒体提升全球影响力[EB/OL]. (2018 - 04 - 18). http://www.cankaoxiaoxi.com/china/20180702/2286934.shtml.

在周鑫宇看来，在"人类命运共同体"的概念下，我们强调关照人类、要讲义利观。因而公交外交不只要为国家利益和外交大局服务，也要为国际共同利益、为人类文明沟通互鉴、为别国人民的发展和福祉服务。① 中国公共外交未来的任务更加艰巨，使命更加光荣，不再只是让世界了解中国，也不只是为了保护自己的海外利益以降低自己崛起的成本，还要通过彰显中国文化的独特魅力帮助更多国家尤其是最贫穷落后的发展中国家与中国一同成长和进步。

二、借助"一带一路"倡议，促进中国文化传播，增强中国话语权

习近平在中共中央政治局第十二次集体学习时强调，要使中华民族最基本的文化基因与当代文化相适应、与现代社会相协调，以人们喜闻乐见、具有广泛参与性的方式推广开来，把跨越时空、超越国度、富有永恒魅力、具有当代价值的文化精神弘扬起来，把继承传统优秀文化又弘扬时代精神、立足本国又面向世界的当代中国文化创新成果传播出去②。在美国频频采取单边霸凌手段，全球多边贸易体制遭遇前所未有严重威胁的当下，中国的"一带一路"倡议的开放性和包容性更加显示出独特的魅力，是促进中国文化传播，增加中国话语权，彰显中国文化软实力的强有力的举措。

（一）进一步加强孔子学院和熊猫外交等文化对外传播途径

随着中国经济的高速发展和国际交往的日益频繁，中医、熊猫、长城、京剧、春节、高铁等这些有代表性的中国元素是外国人了解中国的重要媒介，也带来了其他中国元素走向世界、提升中国话语权的更多机会。同时，世界各国对汉语学习的需求也急剧增长。

如前文所言，随着"一带一路"建设的不断推进，中国与世界各国的交流更

---

① 周鑫宇. 党的十九大报告中的公共外交[EB/OL]. (2017-12-03). http://www.qstheory.cn/2017-12/03/c_1122050303.htm.
② 新华社. 习近平在中共中央政治局第十二次集体学习时强调建设社会主义文化强国　着力提高国家文化软实力[N]. 人民日报，2014-01-01.

加频繁,全球学习汉语的需要继续提升,作为中国对外文化传播最重要的途径之一的孔子学院,未来的作用将会更加突出。但是,正如王义桅所说的,孔子学院的未来发展也面临两个主要方面的严峻考验:一是来自中东地区的政治和安全风险。"一带一路"沿线还没有建立孔子学院的 13 个国家,如伊拉克和叙利亚,本身位于地缘政治矛盾极其复杂的中东地区,在这些国家开办孔子学院面临安全风险和经济风险,要慎之又慎。二是来自欧美发达国家保守主义者的敌视。一些欧美国家普遍存在文化、种族和制度的优越感,总是用冷战的阴暗心态来看待中国孔子学院这一中外文化交往的平台,甚至公开指责和污蔑孔子学院是中国政府对外文化渗透的工具。①

2014 年 12 月 4 日,美国国会第一次举行听证讨论中国影响是否侵蚀美国学术自由。美众议院外交事务委员会成员克里斯托弗·史密斯称,由中国政府资助的孔子学院在学术课堂上禁止讨论敏感话题,他质问美国高等学院是否正在牺牲学术自由的原则以及权威性来换取中国的教育投资,要求美国政府问责局调查孔子学院与美国各大学的合同内容。甚至还有一些美国教授呼吁关闭孔子学院。② 2016 年 5 月 29 日,澳大利亚《悉尼先驱晨报》发布题为《孔子学院课堂的背后:中国政府机构为新南威尔士州学生授课》的报道,罔顾事实、抹黑中文教育,竟称孔子学院为中国政府文化入侵的工具,并引过一名中国研究专家的话称,只要和中国沾边,一切都具有政治性③。

以上说明,西方国家一些人对中国文化影响力不断提升是持有根深蒂固的偏见的,反映了他们对自己缺乏信心并自我封闭的狭隘心态和对中国孔子学院的双重标准。但是,全球化是任何力量都无法阻止的,我们既要有信心也要对欧美国家的某些消极动向保持高度警惕并采取积极应对措施。对于一些潜在政治风险与

---

① 王义桅. "一带一路":机遇与挑战[M]. 北京:人民出版社,2015:引言.
② 环球时报. 美议员:要调查孔子学院 中方:从未干涉学术自由[EB/OL]. (2014-12-08). http://oversea.huanqiu.com/article/2014-12/5230466.html? agt=1.
③ 观察者网. 澳媒抹黑孔子学院 澳洲教育界人士群起驳斥[EB/OL]. (2016-06-05). http://www.guancha.cn/Neighbors/2016_06_05_362916_1.shtml.

文化风险较高的国家和地区，中国开办孔子学院一定要慎重考虑。这样不但有利于规避当下风险，更彰显了平等自愿、相互尊重的合作立场，从长远和全局看更有利于孔子学院的健康发展。

另外，熊猫外交也是中国重要的文化对外传播途径之一。熊猫外交是指中国大陆通过赠送或巡展与商业性租借熊猫来开展外交工作，国宝熊猫以其憨态可掬的形象成为中国公共外交的友好使者。关于熊猫外交在西方国家也存在一些争议，主要有两个方面：一是认为中国用熊猫外交换取欧美国家先进的资源和技术；二是质疑每年100万美元的租借费是否确实用到了保护中国境内的大熊猫工作上，中国应明确资金用途透明度。这些争议也启示我们，在对外输出"软实力"的同时，中国需要搭建好沟通的桥梁，让外界打消疑虑，管控分歧，增进合作。①

（二）加强和沿路沿途各国的文化交流及相互理解

2013年10月24日，习近平在周边外交工作座谈会上指出，要着力加强对周边国家的宣传工作、公共外交、民间外交、人文交流，巩固和扩大我国同周边国家关系长远发展的社会和民意基础②。也就是说，"远亲不如近邻"，首先巩固好同周边国家的关系这一外交基础，然后向世界更远地域扩散，从这个意义上来说，涵盖了中国几乎所有周边国家的"一带一路"倡议将在加强和沿路沿途各国的文化交流及相互理解方面扮演极其重要的角色。

"历史是最好的老师，这段历史表明，无论相隔多远，只要我们勇敢迈出第一步，坚持相向而行，就能走出一条相遇相知、共同发展之路，走向幸福安宁和谐美好的远方。……丰硕的成果表明，'一带一路'倡议顺应时代潮流，适应发展规律，符合各国人民利益，具有广阔前景。"③截至2017年，中国与7个国家

---

① 王磬. "熊猫外交"的欧洲之旅[N]. 界面新闻，2018-02-18.
② 钱彤. 习近平在周边外交工作座谈会上发表重要讲话[EB/OL].（2013-10-25）. http://politics.people.com.cn/n/2013-10-25/c1024-23332318.html.
③ 习近平. 携手推进"一带一路"建设——在"一带一路"国际合作高峰论坛开幕式上的演讲（2017年5月14日，北京）[N]. 人民日报，2017-05-15.

建立了人文交流机制，包括中美、中俄、中英、中国和欧盟、中国和印尼、中法、中韩等，而加强与周边国家特别是"一带一路"沿线沿途国家的交流是重点。当下已有 160 多个中外民间组织加入了《中国社会组织推动"一带一路"民心相通行动计划（2017—2020）》合作网络，计划当中提到要不断加强与沿线国家文化合作，在文化领域开展丰富多彩的交流活动，推动文化互鉴，促进沿线地区文化的繁荣发展。① 另外，近年来上海国际电影节积极参与"一带一路"建设，启动"国际直通车"机制，主动"走出去"开展各种交流活动，也在促使电影节品牌影响力不断增强。2018 年 6 月 16—25 日的第二十一届上海国际电影节有 49 个 "一带一路" 参与国家的 1 369 部影片报名参赛参展，本届电影节还新创设了"一带一路"电影周，其间举办"一带一路"电影展映、"一带一路"圆桌论坛、"一带一路"电影之夜等活动，近 30 个国家的电影节代表汇聚一堂，共同宣布成立了"一带一路"电影节联盟。②

包括以上这些在内的人文交流机制交流范围很广，开展了数以千计的交流项目，促进了不同文明之间的真诚对话，增进了不同国家人民之间的相互了解，培育了不同民族之间的长久友谊，为国与国的关系夯实社会民意基础，有助于化解国家之间的潜在矛盾，防止或缓解突发事件对国际关系造成的冲击。人文交流成为新时期中国外交的亮点。③ 对此，学者们给予了高度认可。杨琳认为："丝绸之路上的历史遗存或许不单单是精美的器物、古老的石碑，或古老的驿站，它们已经积淀为一种文化符号。……悠久的历史，在丝路文化上积淀出交流共赢的价值准则，成为不同文明对话的典范，民族民心交融的传统。"④ 杨恕也认为："从历史上来看，沟通东西方的丝绸之路不仅仅是一条商品流通的通道，也是一条科

---

① 中促会官网. 中国社会组织推动"一带一路"民心相通行动计划（2017—2020）[EB/OL].（2017 - 11 - 27）. https：//www.yidaiyilu.gov.cn/zchj/jggg/36736.htm.
② 曹玲娟. 面向世界打造电影主场[N]. 人民日报，2018 - 06 - 18.
③ 王秋彬. 开启公共外交的中国模式[J]. 公共外交季刊，2017（1）.
④ 杨琳. 以丝绸之路文化精神彰显中华民族文化自信[N]. 光明日报，2017 - 05 - 04.

技、文化、哲学、宗教、艺术的交流之路。"① 丝绸之路上不同种族、不同信仰、不同文化背景的国家之间 2 000 多年的交往历史，恰恰体现了团结互信、平等互利、包容互鉴、合作共赢、共享和平、共同发展的丝路精神自古以来的历史传承。

（三）进一步提升中国文化话语权，打破西方文化价值观一统天下的格局

近代以来，西方文化价值观因为西方工业文明主导世界而成为普世的价值，西方国家牢牢掌控着在国际社会传播西方价值观的话语权，以至于养成了颐指气使、盛气凌人、自私自利、以邻为壑、霸道专横、为所欲为的坏习惯。整个 20 世纪的上半叶先后出现了两次世界大战，下半叶又经历了长达 44 年的美苏两个超级大国的冷战，世界上绝大多数国家因实力相差过于悬殊对大国的霸凌只能忍气吞声、敢怒不敢言。但是随着全球化不断向纵深拓展，世界各国的利益从来没有像今天这样一荣俱荣、一损俱损、紧密相连，面对霸凌任何国家都不可能再像几十年前那样只能忍让，世界各国只有团结起来共同对抗强权，才能维护世界政治经济格局的稳定和比较公平公正的国际政治经济秩序，最终有效捍卫世界上每个国家各自的切身利益。

西方文化价值观给世界到底带来了什么？不可否认，资本主义所提出的民主、自由、开放、创新理念曾经促进了封建制度的解体，推动了社会生产力的变革和多次科技革命浪潮，将人类历史向前推进了一大步。也应该承认，美国主导建立的战后秩序对维护世界政治经济格局的稳定的确起到了至关重要的作用，但是这个秩序从建立之初就存在先天性的不足和致命的缺陷，它是以维持欧美发达资本主义国家的持续繁荣为根本目的而不是以维护世界各国共同利益和全人类福利为出发点的。在欧美小圈子一家独大的 20 世纪这种秩序或许还能维持，但是到了全球化的 21 世纪，在越来越多的国家自身发展利益诉求高涨、对本民族尊严越来越敏感的态势下，上述自私自利的秩序只会导致冲突和战争。再加上奉行

---

① 杨琳. 丝绸之路：跨文化融汇与传播的标本[N]. 光明日报，2017-05-18.

民粹主义、保守主义的"美国优先"战略的冲击，多国之间不但出现贸易战，而且移民政策、欧洲难民问题、伊朗和叙利亚问题、巴以问题等让欧美小圈子内部的矛盾、分歧和裂痕不断加大，20世纪下半叶以来欧美所主导的国际秩序以及其背后的文化价值观已经不灵验了，暴露出了根本的弊端，需要新的更公正公平的理念带领世界继续前进。

中国的价值观又给世界带来了什么？是和平与繁荣。习近平曾经多次强调，各国应该共同推动建立以合作共赢为核心的新型国际关系，共同打造"人类命运共同体"。各国和各国人民应该共享平等和尊严，尊重各国人民自主选择发展道路的权利，反对干涉别国内政；各国和各国人民应该共享发展成果，每个国家在谋求自身发展的同时，要积极促进其他各国共同发展；各国和各国人民应该共享安全保障，各国要同心协力，妥善应对各种问题和挑战。① 改革开放40年来的中国始终在向世界释放善意，是有史以来第一个无私地帮助他国经济发展，愿意与他国分享经济发展成果、共同进步的世界大国。

中国不但在联合国等国际政治舞台上屡次坚决维护叙利亚、伊拉克、巴勒斯坦、朝鲜等弱势发展中国家的利益，捍卫联合国宪章的尊严，而且在帮助非洲各国发展的时候也从来都是无私的，从未干涉非洲任何国家内政，完全尊重非洲各国自主发展道路。同时，中国在自身取得了巨大经济发展成就的时候，也没有忘记帮助那些中小发展中国家，特别是借助"一带一路"倡议主动帮助巴基斯坦、尼泊尔、蒙古、朝鲜等经济落后国家的发展。在美国不断挑起同世界各国的贸易战，美国国内以及欧洲一些国家保守排外势力猖獗，叙利亚、也门、巴以等局部冲突不断的错综复杂的当前形势下，中国依然坚持维护多边贸易体制和多极化格局，坚决主张世界各国应该在联合国宪章框架内通过谈判解决争端，共同维护世界政治经济秩序的稳定。由此可见，中国是世界秩序的维护者和建设者。

---

① 罗建波.中国特色大国外交：新理念、新战略与新特色[J].西亚非洲，2017（4）.

世界需要真正公正公平合理的新的秩序、新的理念。中国所提出的"人类命运共同体"构想因为与世界各国的共同期待高度契合，也让中国迎来了重返世界舞台中央的最好的历史机遇。

为了捍卫全人类的共同利益，中国必须进一步提升中国文化话语权，通过自身更好更快的发展为世界政治经济稳定做出更大贡献，打破西方文化价值观一统天下的格局。王秋彬认为，随着实力的增强，中国逐渐走到了国际舞台的中央，成为全球治理机制的重要参与方，对地区和国际事务的发言权也逐步增强。当今世界，地区冲突频繁发生，恐怖主义、难民潮、贫困问题等此起彼伏，作为世界第二大经济体和新兴经济体的主要代表，世界越来越需要中国发出声音、提供智慧、拿出方案。中国顺势而为，提出了"新型大国关系""命运共同体""正确义利观"等理念，是崛起的中国向世界贡献的中国智慧，展示负责任大国的形象，在一定程度上打破了西方国家的话语垄断。[1]

三、加强与各国的文明交流，超越文明冲突论，构建公正的全球价值

党的十八大以来，中国特色大国外交不断向纵深拓展，朋友圈不断扩大。截至2017年年初，中国已同97个国家和地区组织建立起不同层次的伙伴关系，形成了覆盖全球的伙伴关系网络。"结伴而不结盟、开放而不封闭、包容而不排他"，这是对传统国际关系理念的重要突破。就如外交部部长王毅所指出的：中国的"朋友圈"不是"盟友圈"，我们不以意识形态、社会制度划线，不搞假想敌，也不寻求什么对抗，而是向所有的国家开放，只要双方相互尊重、平等相待、合作共赢，任何国家都可以成为中国的朋友和伙伴[2]。中国不但提出了国与国相处的新理念，而且在错综复杂的国际关系实践中身体力行维护国际政治经济格局的稳定，当美国肆意干涉伊拉克、叙利亚、伊朗、朝鲜等国内政，肆意挑起

---

[1] 王秋彬. 开启公共外交的中国模式[J]. 公共外交季刊，2017（1）.
[2] 央视网. 中国外交：我们的"朋友圈"[EB/OL]. (2017-01-02). http://china.huanqiu.com/hot/2017-01/9893904.html.

同世界多国的贸易战，想把世界贸易变成自己家的取钱袋，想把太平洋变成美国的内湖，把中国南海变成国际公海，甚至想把外太空也变成美国的，中国通通进行了坚决的回击，彰显了一个负责任大国应有的风范。

（一）加强与西方国家的沟通，超越文明冲突论，求同存异，力争双赢

尽管中国与美国为首的西方国家在国情和文化背景、政治制度、意识形态及价值观上存在巨大的差异，中美贸易战正处于交锋状态，但在全球公共治理方面双方也存在广泛的共同利益，特别是在当前世界面临经济发展和生态保护等诸多棘手难题的时候，更需要中国和西方国家的通力合作，中国所提出的"人类命运共同体"理念若把西方国家排除在外，也是没有办法真正实现的。另外，当今的国际政治经济秩序也是由西方国家建立的，中国自身是这个秩序的受益者，所以无意推翻这个秩序，但是必须看到，这个秩序的确存在许多对发展中国家来说不合理之处，必须要补充和完善。因此，为了全人类的共同利益，中国必须要加强与西方国家的沟通，超越文明冲突论的僵化思维定式，求同存异，努力实现中西方的双赢。

据《日本经济新闻》报道称，2011年，往来于中欧之间的列车仅有20班次，到2017年已经增至3 000班次。面对"一带一路"倡议的巨大影响力，国际上有越来越多的人对"一带一路"建设的前景充满信心，西方国家正逐渐丢掉"包袱"，赶乘"一带一路"快车。这一次，日本成为"急先锋"。围绕中国的"一带一路"广域经济圈构想，越来越多的日本企业正在把对参与"一带一路"倡议的积极态度转化为实际行动。日中之间过去有海路和航空两种方式，2018年5月，日本通运公司开通了从日本经中国到欧洲的陆上运输服务，日中欧物流业务增长将给日本企业带来无限商机。日本为何如此积极参与"一带一路"？王义桅认为，一方面，自特朗普就任美国总统后，日本愈发感觉到西方渐失"核心"，并对日美同盟疑虑加深。日本尝试通过自身方式找到出路，"两面下注"，以减少对美国依赖、对冲美国风险。另一方面，日本需要重新思考与中国的相处方式。大批中国企业"走出去"让日本企业倍感压力。日本企业及政府越来越认

识到，只有参与"一带一路"，才有可能在今后确保自身利益。①

除日本外，越来越多的其他西方发达国家也表示对"一带一路"倡议的支持。据澳大利亚《悉尼先驱晨报》网站报道，澳大利亚贸易和投资部长史蒂文·乔博在讲话中说，澳大利亚和中国有着改善地区基础设施的共同目标，对"一带一路"能对地区基础设施所做的贡献，澳大利亚非常欢迎。美国消费者新闻与商业频道网站报道也称，中国的"一带一路"倡议正越来越多出现在包括美国公司在内的世界各国公司的财报电话会议上，至少15家公司在电话会议上列举了这项庞大的地区开发项目作为业务扩张的机遇。英国《经济学人》周刊网站的报道则称，2016年，美国通用电气公司从"一带一路"倡议获得价值23亿美元的设备订单，是2015年订单总额的近3倍。对于上述现象，王义桅表示，西方国家对"一带一路"倡议态度的转变原因很复杂：一方面是他们看到越来越多"一带一路"倡议的项目落地，更多国家参与其中，实实在在的成果与进展超过预期；另一方面，美国不断"退群"后，一些西方国家精英认识到，需要正视"一带一路"倡议。对于西方国家还存在的疑虑，中国可以尝试打造与西方国家合作开拓第三方市场的模式，逐渐消除西方国家疑虑，吸引其参与其中。②

10多年来，尽管以兰普顿为代表的一大批美国知名学者发表了至少30种著述来分析中国近年来的政策变化，如曼迪斯的《和平的战争：中国梦和美国的命运如何创建一个太平洋世界新秩序》（2013），兰普顿的《跟随领导者——治理中国：从邓小平到习近平》（2014），罗斯和贝克瓦尔德的《习近平时代的中国：国内外政策的挑战》（2016）以及《经济学人》杂志发表的米勒的文章《习近平是中国第二个邓小平吗?》等，但美国对华认知还是存在很大的偏差，根源是美国人尤其是美国政界决策者对中国文化的不了解。美国前驻华大使博卡斯在联邦参

---

① 参考消息．这些国家赶乘中国快车　最积极的是这个"老冤家"[EB/OL]．(2018-06-16)．http://news.sina.com.cn/c/2018-06-16/doc-ihcyszsa4592555.shtml.
② 参考消息．这些国家赶乘中国快车　最积极的是这个"老冤家"[EB/OL]．(2018-06-16)．http://news.sina.com.cn/c/2018-06-16/doc-ihcyszsa4592555.shtml.

议院的一场听证会上表示,美国国会对中国的认识太抽象了,只要去中国看一看,印象就会大有改观;哈佛教授宋怡明在《中国问题》一书的前言中也写道:正如美国对华贸易存在赤字,美国对中国的理解也存在赤字[①]。

2018年6月20日,美国著名智库兰德公司资深政治学者迈克尔·马扎尔和高级分析师蒂莫西·希思在美国《国家利益杂志》网站撰文认为,美国政府中越来越多的人认为,将中国纳入多边国际秩序的努力已告失败。美国前资深外交官坎贝尔和拉特纳感叹,胡萝卜和大棒都没有像预期的那样动摇中国,西方打赌中国会走向民主和自由市场,但赌博失败了。今天国际秩序出现裂痕也不能只怪中国。"民主价值观"在全球范围开始退潮,国际社会也未能解决气候变化、难民危机和全球经济停滞等长期问题,这都凸显了当今国际秩序的破败和脆弱。如今,真正的问题变得相当复杂:美国自己正严重透支,它期望一个正处于上升期的中国在重塑国际多边秩序的过程中扮演何种角色?中国改革开放以来对国际秩序基本是尊重的,在美国国力相对衰落之际,改革西方主导的国际秩序并向中国作出某些让步,换取中国继续留在国际体系之内,是相当有必要的。[②]

王缉思、仵胜奇在《中美对新型大国关系的认知差异及中国对美政策》一文中提出了自己独到的建议:第一,在中美高层会晤时,中方要将"相互尊重"的含义说透,即只有美国尊重和不挑战中国的基本政治制度与国内秩序,中国才可能尊重并不挑战美国在世界上的地位。这种意义上的"相互尊重",将有利于缓解对彼此战略意图的误判。第二,建议通过多种渠道,如中美政治领域的战略与经济对话、经济领域的商贸联委会、军事领域的国防部长防务磋商会议、其他领域的反恐磋商机制对话等涵盖外交、经贸、军事等各个领域的中美之间60多个对话机制,同美国主要智库就中美关系的积极因素、障碍、发展方向等问题开展

---

① 钟声. 一种面向未来的投资[N]. 人民日报,2018-05-21.
② 周远方. 兰德公司:若不改革并与中国合作,国际秩序难以为继[EB/OL]. (2018-06-22). http://m.guancha.cn/internation/2018_06_22_460999_2.shtml? from=singlemessage.

更多的合作研究。第三，中美双方在新型大国关系的设想中，有必要及时向对方说明自己的长远战略意图，避免自相矛盾和不必要的炒作。① 总之，中美双方应客观理性看待彼此战略意图，摒弃零和思维，增进战略互信，管控分歧和敏感问题，避免两国变成真的"修昔底德陷阱"。

（二）加强与周边及"一带一路"发展中国家联系，扩大"人类命运共同体"朋友圈

在中国庞大的朋友圈里，既有发达国家，也有发展中国家；既有大国，也有小国；既有周边的国家也有相距遥远的国家；既有文明近似的国家，也有文明差异较大的国家。为了扩大"人类命运共同体"朋友圈，就需要建立覆盖全球的伙伴关系网络，对不同国家、不同民情、不同文明有针对性地开展公共外交与人文交流活动，在民众中形成相互欣赏、相互理解、相互尊重的人文格局，讲好中国故事，传播好中国声音，把中国梦同朋友圈内各国人民过上美好生活的愿望对接起来。因此，以理性外交妥善处理周边安全关系，尽量延长和平发展战略周期，是当前中国外交的重中之重。

中国处理同周边国家关系应该坚持 3 个原则：一是经贸促政治和外交原则。中国现在已经是全世界超过 120 个国家的最大贸易伙伴了，而且是亚太地区所有国家的最大贸易伙伴，再加上中国周边很多发展中邻国也是"一带一路"的成员国，中国完全可以利用对这些国家和地区举足轻重的经济影响力进一步密切同这些国家的关系，为日后用和平谈判的方式解决彼此领土争端创造条件，中国同东盟及日韩 10 + 3 合作机制就是很好的例子。二是文化交流促外交原则。中国同周边国家尤其是同日本、朝鲜半岛以及东南亚地区有 1 000 多年的交往史，千百年来中国与东亚、东南亚周边国家形成了和睦共处的良好关系。尽管近代以来日本发动对华侵略战争，占领和殖民过朝鲜与台湾地区，也侵入了东南亚地区，但是这些国家和地区同中国之间的历史文化渊源很难割断，来中国的留学生中来自日

---

① 王缉思，仵胜奇. 中美对新型大国关系的认知差异及中国对美政策[J]. 当代世界，2014（10）.

韩、东南亚地区的最多，这些国家的孔子学院也最多，由此可见一斑。三是用对话缓和分歧原则，谨防美国等域外国家在中国周边挑拨离间、煽风点火。中国近年来的飞速发展和迅速提升的经济实力及国际影响力，的确让周边很多小国感到了巨大的压力，尤其是日本、韩国这样的发达国家被中国超越后，产生了焦虑心态，日本更是在美国的支持下在历史观、东海、钓鱼岛、南海问题上表现越来越强硬，中国必须保持高度警惕，通过加强与各有关国家之间的对话与之保持密切的关系，避免给某些域外国家以可乘之机。

另外，中国的很多周边国家还是"一带一路"的沿线国家，这就又多了一条加强同周边国家关系的重要渠道。"一带一路"倡议提出以来，随着亚洲基础设施投资银行开业运营，丝路基金首批投资项目顺利启动，沿线国家积极探讨建立或扩充各类双多边金融合作基金，一大批重点项目在各国开花结果，同时辅之以人文交流项目，一个志同道合、互信友好、充满活力的朋友圈基本形成。[①]

近年来，中国继续在重大国际场合为发展中国家发声，为它们伸张正义。诚如 2015 年 9 月 29 日习近平在第七十届联合国大会一般性辩论发言上向全世界作出的庄严承诺："中国在联合国的一票永远属于发展中国家。"[②] 中国还积极推动对发展中国家的投资、增加对外援助金额，帮助他们解决民生、减贫和发展问题。在 2015 年 12 月 4 日召开的中非合作论坛约翰内斯堡峰会上，中国宣布在 3 年内向非洲国家提供 600 亿美元的资金支持，支持中非双方共同开展"十大合作计划"，推动非洲的工业化和农业现代化[③]。2016 年年初习近平访问阿盟总部时，宣布提供 350 亿美元的工业化专项贷款、商业性贷款等支持中东地区工业化、基础设施建设并推动中国与中东国家的产能合作，会同阿联酋、卡塔尔设立共计 200 亿美元的共同投资基金，支持中东的传统能源、基础设施和高端制造业

---

① 王秋彬. 开启公共外交的中国模式[J]. 公共外交季刊，2017（1）.
② 习近平. 携手构建合作共赢新伙伴　同心打造人类命运共同体——在第七十届联合国大会一般性辩论时的讲话（2015 年 9 月 28 日，纽约）[N]. 人民日报，2015-09-29.
③ 新华网. 习近平在中非合作论坛约翰内斯堡峰会开幕式上的致辞（全文）[EB/OL].（2015-12-04）. http://www.xinhuanet.com/world/2015-12/04/c_1117363197.htm.

的发展①。

（三）创造和坚守新颖的中国理念、智慧和方案，构建公正的全球价值

近年来，随着中国的快速发展，国际社会普遍关心的是：一个快速崛起的中国究竟怀抱什么样的世界理想，追求什么样的世界目标，如何塑造未来的世界秩序？2014年3月28日，习近平在德国科尔伯基金会演讲时向世界郑重宣告："我们将从世界和平与发展的大义出发，贡献处理当代国际关系的中国智慧，贡献完善全球治理的中国方案，为人类社会应对21世纪的各种挑战作出自己的贡献。"② 5年来，习近平不论去往世界的哪个地方，总是万人瞩目的焦点，不管他哪次发言总是有无数次的掌声，而党的十九大和"两会"更得到了世界各国媒体的高度关注。这说明中国作为一个受到世人认同和尊重的世界大国，不仅仅是为世界提供了贸易机会和产品，还在于能够创造出"人类命运共同体"这样被广泛理解和认同的新制度、新观念、新模式以及富有吸引力的价值观念。中国清晰而明确的发展模式和理念以及长期坚守的外交核心价值观，提升了外交道义高度、亲和力、感召力并显著提升了国际话语权。

中国政府基于共享发展的理念，坚持走和平发展道路，为世界各国提供共享发展的机遇，鼓励和真诚欢迎世界各国搭乘中国"快车"，"亲诚惠容"的周边外交理念、"一带一路"倡议的提出及其共建行动等表现出"人类命运共同体"理念强大的感召力。具体表现在以下3个方面。

首先，创造新颖的中国发展理念。2015年9月，习近平在联合国发展峰会上的讲话指出："本次峰会通过的2015年后发展议程，为全球发展描绘了新愿景，为国际发展合作提供了新机遇。我们应该以此为新起点，共同走出一条公

---

① 新华社. 习近平在阿拉伯国家联盟总部的演讲（全文）[EB/OL].（2016 – 01 – 22）. http://www.xinhuanet.com/world/2016 – 01/22/c_1117855467.htm.
② 习近平. 在德国科尔伯基金会的演讲（2014年3月28日，柏林）[N]. 人民日报，2014 – 03 – 30.

平、开放、全面、创新的发展之路,努力实现各国共同发展。"① 坚持公平的发展,就是要让发展机会更加均等,特别是要提高发展中国家的代表性和发言权;坚持开放的发展,就是各国要共同维护多边贸易体制,坚决反对单边的贸易保护主义霸凌行为;追求全面发展,就是要消除贫困、保障民生,维护社会公平正义,保证人人享有发展机遇和发展成果;促进创新的发展,就是各国要以改革创新增强增长动力。公平、开放、全面、创新,这是改革开放40年来中国最大的成功经验,也是贡献给世界的新的重要理念。

其次,坚守古老的中国智慧。中国强大后是不是会像美国一样称霸世界?中国汲取了诸子百家思想精华粹炼出以和平、民主、公正、民本为内涵的"外交核心价值观",有力地粉碎了西方的质疑,开拓出大国和平崛起的崭新之路。这是中国古老的东方智慧的现代诠释。正如罗建波所说,追求和平、摒弃战争是中国外交最为本质的特征之一,作为当今世界最大的社会主义国家和最大的发展中国家,中国有责任更好地维护世界人民特别是广大发展中国家的应有权益,促进国际正义,推动国际秩序向更为公正合理的方向发展②。总之,展望未来,如何把国家的整体发展目标和以人为本、维护个人尊严、追求自由平等的普世价值结合起来,适时提出引领世界发展趋势并能得到世界各国广泛认同的发展模式,将是中国为之奋斗的目标。

最后,坚持安全行动方案。针对当前人类所面临的传统安全威胁和全球性问题的挑战,中国提出了用共同安全、合作安全和可持续安全来构筑世界各国安全的中国方案。共同安全就是指各国的安全是相互的、共同的,没有一个国家能实现脱离国际安全的自身安全,也没有建立在其他国家不安全基础上的绝对安全;合作安全则是指全球化时代安全与否的各种因素更加错综复杂,要以合作谋和

---

① 习近平. 谋共同永续发展 做合作共赢伙伴——在联合国发展峰会上的讲话(2015年9月26日,纽约)[N]. 人民日报, 2015-09-27.
② 罗建波. 中国特色大国外交:新理念、新战略与新特色[J]. 西亚非洲, 2017 (4).

平、以合作促安全，摒弃霸权思维和强权政治，反对诉诸武力或者以武力相威胁；可持续安全是指安全应该是可持续的，以可持续发展促进可持续安全，用发展消除安全隐患。中国的安全方案对化解当今世界一些持续了很多年的棘手难题提供了可借鉴的切实可行的思路，如巴以问题、叙利亚问题、朝核问题、全球核不扩散问题等。2018年上半年以来，朝核问题这个冷战最后的历史遗留问题因为"金文会""金特会"出现了重大转机，证明中国的共同合作、可持续安全方案是行之有效的。但是全球的安全形势依然面临严峻的挑战，美国频频"退群"尤其是退出伊朗核协议以及单方面发动同多国的贸易战，说明世界各国真正构建有效的安全共同体任重而道远。

第七章

从"人类命运共同体"到中国特色大国外交:提高和突破

中国外交为捍卫自身利益不得不从内敛含蓄日益变得强硬和果敢，既有当下错综复杂的国际政治经济现实的要求，也显示了中国特色大国外交更加成熟和自信的风范与担当。"人类命运共同体"是新时代中国特色大国外交的内在本质要求，姜安认为这表现在以下几个方面：推动建设相互尊重、公平正义、合作共赢的新型国际关系；以政策沟通、设施联通、贸易畅通、资金融通、民心相通打造国际合作新平台；以文明交流超越文明隔阂、文明互鉴超越文明冲突、文明共存超越文明优越，共建"人类命运共同体"；推动大国协调和合作，构建总体稳定、均衡发展的大国关系框架；支持多边贸易体质，促进自由贸易区建设，推动建设开放型世界经济；建构21世纪全球治理体系，推动国际秩序变革[1]。

---

[1] 姜安. 新时代中国特色大国外交战略方程的政治逻辑[J]. 深圳大学学报（人文社会科学版），2017（6）.

一、错综复杂的国际形势对外交提出的新挑战和新要求

中国外交目标的实现，需要有总体良好的外部环境，至少不出现重大外部阻力。而当今世界，国际政治虽然基本稳定，但地缘政治纷繁复杂，仍然充斥着冷战思维、强权政治，各主要国家间存在严重的安全困境，巴以冲突、叙利亚战争、也门内乱等诸多难以解决的热点与难点问题久拖不决，各种逆全球化、反全球化和孤立主义思潮不断涌现，全球治理问题突出。在此背景下，作为一个发展中的大国，如何减少外部世界对中国快速发展的战略疑虑、超越大国政治悲剧、避免"修昔底德陷阱"？中国外交又应该体现一种什么样的道义精神推动世界各国实现和平共处与共同发展？中国特色大国外交对这些重大难题的思考和回答，关乎中国切身利益和国际社会的共同福祉。

（一）中国特色大国外交要有应对威胁和挑战的底线意识及战略定力

2018年年初以来，在"美国优先"的零和思维指引下，美国政府频频挥舞单边贸易保护主义大棒，绕开世贸组织，相继对进口洗衣机、光伏组件和钢铝产品加征关税，对进口汽车及零配件启动国家安全调查，并在2018年6月15日正式公布将被加征关税的中国商品清单，将对500亿美元从中国进口的商品加征25%的关税，主动挑起了全球贸易战。特朗普政府于2018年6月18日发表声明威胁称，如果中国胆敢采取对美报复和反制措施，美将再对另外2 000亿美元来自中国的商品加征10%关税，以报复中国"无意改变与收购美国知识产权和技术有关的不公平做法"；美方迄今发出的威胁加征关税的中国商品总额已高达4 500亿美元。而据中国海关总署统计，2017年中国对美国出口货物总共才只有4 298亿美元。[①] 这就意味着，如果美方清单落实，美国市场要对所有中国商品关上大门，世界上两个最大经济体之间的贸易将归零，这将给世界经济带来无法

---

① 盛玉红. 国际锐评："贸易恐怖主义"救不了美国[EB/OL].（2018 - 06 - 20）. http://column.cankaoxiaoxi.com/plgd/2018/0620/2282304.shtml.

想象的灾难性后果。

　　魏建国指出，国务院关税税则委员会决定对包括农产品、化妆品在内的约500亿美元美国进口商品加征25％的关税，将对美国形成立体的多方位精准打击。对中国来说，会带来一定的出口困难，但这些困难都是暂时的。中国不怕打贸易战，贸易战最后损害的是美国自己的利益，是全球经济，美国将会为失去中国这个全球增长最快的出口市场而后悔不已。① 外媒也称，中国并不惧怕与美国开打因美国主动挑起的贸易战，中国有能力承受所有后果，而美国将彻底被世界孤立。尽管中美双方都会受到损失，但中国官员和分析人士相信，中国有手段、有韧劲，能比美国更好地承受贸易战。特朗普在七国集团会议期间与美国最亲密的盟友在贸易问题上发生争吵，这进一步坚定了中国政府认为特朗普总统不可信的看法。如果特朗普落实关税清单，美国就将变成"不可预知的"国家。中国、欧洲和其他主要贸易国家将会抱团，使美国被彻底孤立、世界贸易重组。贸易摩擦带来经济动荡，中国有能力根据经济动荡进行调整，如果工厂破产、工人下岗，政府将有应对计划。②

　　美国已经逐步退出跨太平洋伙伴关系协定等，这次又弃中美达成的共识于不顾，美国已失信于全球。事实证明，美国的种种贸易霸凌行为完全背离了经济全球化、世界各国经济紧密相互依存的经贸现实，违背了世贸组织规则和国际社会数十年来好不容易建立起来的基本经贸秩序，其实质绝不是要实现美国口口声声所谓的"贸易平衡"，而是美国企图用贸易关税这根大棒来压制世界各国，继续维护美国在政治、经济、军事、科技等方面的绝对霸主地位。③ 这种霸主心态将会对世界产生重大影响，将重创全世界自由贸易、经济全球化、多边贸易体制和

---

① 田欣鑫. 魏建国：中国不怕打贸易战　要打就打到美国喊疼[N]. 新华社新媒体专线（广州），2018-06-16.
② 参考消息网. 中国为何不惧与美国打"贸易战"？外媒这样说——（2018-06-17）. http://www.cankaoxiaoxi.com/china/20180617/2281478.shtml.
③ 盛玉红. 国际锐评："贸易恐怖主义"救不了美国[EB/OL]. (2018-06-20). http://column.cankaoxiaoxi.com/plgd/2018/0620/2282304.shtml.

全球产业链，导致全球经济至少倒退 20 年，因而势必遭到包括中国在内的世界各国的强烈反对。从 2018 年 6 月中旬开始，欧盟、加拿大、墨西哥、印度、中国、俄罗斯等经济体都已经采取了针对美方的反制措施。面对美国的疯狂举动，国际社会必须携起手来，共同抵制，不惜任何代价打赢这场贸易"反恐战"！

尽管世界经济复苏乏力，贸易保护主义、民粹主义为代表的逆全球化现象在全球蔓延，一系列反全球化政策给国际关系带来许多新挑战，但从长远看，和平、发展、合作仍是各国人民共同的追求，经济全球化进程并未发生根本性逆转。对此，中国必须要有清醒的认识，务必冷静沉着应对，方能转危为安。就如王文所说，中国崛起已经遇到了"前所未有之大变局"，一方面，当务之急是，中国须在国际国内继续推进具有重大国际影响力与前瞻性的"一带一路"建设和"中国制造 2025"计划，针对美国特朗普政府及其他西方反华势力的阻碍要深入研判，有计划地进行精准反制；另一方面，中国须在防范化解重大系统性金融风险、精准脱贫、污染防治的三大攻坚战中拿出切实可行的措施和中国智慧，取得重大效果，显现中国体制优势，开创过去 500 年所有崛起大国都未曾做到的前所未有的国家发展纪录①。因此，无论国际形势发生何种变化，中国都应坚定不移地专注于国内发展、注重提升经济、科技和军事的改革和创新，推动国家治理能力现代化，进一步积聚国家核心竞争力。中国外交仍需秉持"韬光养晦、有所作为"的时代精神，为实现中华民族伟大复兴创造更加有利的外部环境。

（二）中国特色大国外交要有坚决捍卫国际秩序的坚定意志

美国《外交政策》双月刊网站 2018 年 6 月 11 日刊载题为《特朗普创造性毁灭国际秩序》的文章称，美国总统特朗普在渥太华七国集团峰会短暂而争吵不休的会议期间一举击垮了冷战后的世界秩序。文中反问道：日本与欧盟更加紧密地合作，或者德国首先考虑自身战略和经济需求，抑或中国与巴基斯坦、泰国及韩国在经济和基础设施问题上共同努力，为何不把这种前景看做是全球经济安全、稳定与繁荣

---

① 王文. 面对世界"前所未有之大变局"中国要有这三招[N]. 参考消息，2018-05-18.

的纯粹正能量呢？为何为了保持稳定与互相联系，凡事都要经过华盛顿或纽约呢？文章认为，变革的结果仍然模糊不清，但意味着无论怎样，国际秩序都将发生重大修正。① 美国外交学者网站2018年6月16日刊登题为《不是战争而是贸易战》的文章称，这场"战争"的目的是使中美贸易更加公平，还是只为惩罚中国？就国际贸易行为而言，美国的理由并不过硬。比如，中国的技术转让政策完全符合国际贸易法，很多国家都这么做。补贴国内公司也是中国的权利。此外，外国技术对中国经济的重要性已经减弱，在知识产权的各个领域，中国的知识产权保护都已经更为普遍深入。特朗普发起的贸易战将伤害到美国，但他似乎希望中国受损更大。这种看法基于两条信念：美国从本质上说是创新经济；中国从本质上说是非创新经济。这两条很可能无一正确。特朗普政府更希望搞垮和摧毁中国经济而非确保贸易公平。② 类似的西方观点还有很多，因篇幅所限，在此不一一赘述。

在当前国际风云变幻、中美贸易战针锋相对的时候，无论西方媒体上述这些"中国重建国际秩序"的说法到底是何动机，有一点可以肯定的是，对于特朗普拼命摧毁二战后美国自己亲手建立的国际秩序的做法，西方大部分有识之士也是反对的，不管是不是中国，他们大都还是希望能有人引导世界政治经济格局保持稳定，毕竟这符合大多数国家的利益。过去5年来，中国外交也的确让人刮目相看。菲律宾发起南海诉讼，中印边境对峙，但后来都和平解决了，显示出中国外交风格发生了重大的变化，四两拨千斤、力挽狂澜的背后依靠的是国家整体实力的显著提升。可以说，中国在处理外交突发事件时的沉稳自信和公正大度为西方舆论的"中国重建国际秩序"说提供了最好的注脚。

2013年1月28日，习近平指出："我们要广泛深入宣传我国坚持走和平发展道路的战略思想，引导国际社会正确认识和对待我国的发展，中国发展绝不以

---

① 参考消息. 美媒文章：不破不立 重建国际秩序已水到渠成[EB/OL]. (2018-06-19). http://column.cankaoxiaoxi.com/2018/0619/2281850.shtml.
② 参考消息网. 中国为何不惧与美国打"贸易战"？外媒这样说——（2018-06-17）. http://www.cankaoxiaoxi.com/china/20180617/2281478.shtml.

牺牲别国利益为代价，我们绝不做损人利己、以邻为壑的事情，将坚定不移做和平发展的实践者、共同发展的推动者、多边贸易体制的维护者、全球经济治理的参与者。"① 2018 年 6 月 22—23 日中央外事工作会议上习近平指出，把握国际形势要树立正确的历史观、大局观、角色观。所谓正确历史观，就是不仅要看现在国际形势什么样，而且要端起历史望远镜回顾过去、总结历史规律，展望未来、把握历史前进大势。所谓正确大局观，就是不仅要看到现象和细节怎么样，而且要把握本质和全局，抓住主要矛盾和矛盾的主要方面，避免在林林总总、纷纭多变的国际乱象中迷失方向、舍本逐末。所谓正确角色观，就是不仅要冷静分析各种国际现象，而且要把自己摆进去，在我国同世界的关系中看问题，弄清楚在世界格局演变中我国的地位和作用，科学制定我国对外方针政策。②

2018 年 7 月 12 日，针对美国贸易代表办公室 7 月 10 日发表的《关于 301 调查的声明》，中华人民共和国商务部严正指出：① 美方污蔑中方在经贸往来中实行不公平做法，占了便宜，是歪曲事实、站不住脚的。美方出于国内政治需要和打压中国发展的目的，编造了一整套歪曲中美经贸关系真相的政策逻辑。② 美方指责中方漠视中美经贸分歧、没有进行积极应对，是不符合事实的。中方一直在以最大诚意和耐心推动双方通过对话协商解决分歧，但美方出于国内政治需要，反复无常、出尔反尔，竟公然背弃双方共识，坚持与中方打一场贸易战。③ 美方指责中方反制行动没有国际法律依据，其实恰恰是美方单方面发起贸易战没有任何国际法律依据。美国的征税措施公然违反世贸组织最惠国待遇基本原则和约束关税义务，是典型的单边主义、贸易保护主义、贸易霸凌主义，是对国际法基本精神和原则的公然践踏。④ 中方被迫采取反制行动，是维护国家利益和全球利益的必然选择，是完全正当、合理合法的。中方坚持不打第一枪，但在美方率先打响贸易战的情况下，被迫采取了对等反制措施。中国政府针对美国单

---

① 孟亚旭. 时隔 4 年，这个规格极高会议再次召开[N]. 北京青年报，2018 - 06 - 24.
② 新华社. 习近平：努力开创中国特色大国外交新局面[EB/OL]. (2018 - 06 - 23). http://www.xinhuanet.com/politics/2018 - 06/23/c_1123025806.htm.

边做法所造成的紧急情况,被迫采取相应的双边和多边应对措施,完全符合国际法的基本精神和原则。⑤ 美国打贸易战不仅针对中国,还以全世界为敌,将把世界经济拖入危险境地。美方发起的这场经济史上规模最大的贸易战,不是中美之间的贸易战,而是一场全球范围的贸易战。美国这么做,将会把世界经济带入"冷战陷阱""衰退陷阱""反契约陷阱""不确定陷阱",会严重恶化全球经贸环境,戕害全球产业链和价值链,阻碍全球经济复苏,引发全球市场动荡,殃及世界上众多的跨国公司和普通消费者利益。⑥ 中方将继续按照既定部署和节奏,坚定不移地推动改革开放,并与世界各国一道,坚定不移地维护自由贸易原则和多边贸易体制。不管外部环境发生什么变化,中国政府都将坚持发挥市场在资源配置中的决定性作用,保护产权和知识产权,发挥企业家的重要作用,鼓励竞争、反对垄断,继续推动对外开放,创造有吸引力的投资环境,坚定支持经济全球化,坚定维护国际经贸体系,与世界上一切追求进步的国家共同发展、共享繁荣。①

由以上可以看出,中国在应对中美贸易战这样的突发紧急事件时底气很足,行事十分成熟果断,向世界展现了强烈的自信。这既有中国积累至今的雄厚经济实力的原因,也有中国社会主义制度的四个自信的原因,中国政府相信自己有能力也有实力发挥制度优势领导国家渡过难关,人民也高度信任政府可以带领自己共度时艰,举国上下齐心协力一定能打赢贸易战。

中国特色大国外交未来的关键任务是:以实现中华民族伟大复兴为使命推进中国特色大国外交;以维护世界和平、促进共同发展为宗旨推动构建"人类命运共同体";以共商共建共享为原则推动"一带一路"建设;以相互尊重、合作共赢为基础走和平发展道路;以深化外交布局为依托打造全球伙伴关系;以公平正义为理念引领全球治理体系改革;以国家核心利益为底线维护国家主权、安全、

---

① 新华社. 商务部发表声明[EB/OL]. (2018 - 07 - 12). http://www.xinhuanet.com/fortune/2018 - 07/12/c_1123118675.htm.

发展利益等。"人类命运共同体"作为中国特色大国外交最重要的核心内涵，是中国为世界的未来规划的和平蓝图，具有鲜明的中国色彩，而中国具体的外交运作和实践则是"人类命运共同体"构想能否成功实施的必由之路。

二、"人类命运共同体"体现中国外交从内敛和区域性走向外向与国际化

作为世界第二大经济体和有影响力的大国，近年来中国更加积极参与全球事务和全球治理，体现了大国责任和担当，不但为世界贡献了解决问题的中国方案，也有效维护了国家利益，提升了中国的全球治理话语权。究其原因主要有两个方面：第一，中国在全球经济利益迅速扩大，已经成为100多个国家的最大贸易伙伴，中国货物遍布全球，只有尽可能保证中国货物每天进出的全球各大陆路海路交通要道的安全畅通，方能确保"一带一路"倡议和"人类命运共同体"构想的稳步推进与顺利实施。但美国为主的西方国家对中国从政治、经贸到军事上的围堵也在不断加强，中国的东海、南海、台湾是冲突和较量的焦点。为了捍卫国家利益和安全，中国外交不得不从过去的内敛和区域性周边外交向更加外向与强硬的全球外交转变。第二，美国在贸易、投资和移民等领域采取日益保守的政策，从伊核协议、联合国教科文组织和人权理事会等重要协议和国际组织中相继退出，在全球责任的承担方面可信度大打折扣，这给中国参与全球事务提供了前所未有的机遇。世界多边自由贸易体系和政治经济秩序需要有人引领和捍卫，世界各主要大国和联合国为代表的主要国际机构理当发挥决定性的作用，中国从过去的不当头到现在被迫从幕后走向前台，捍卫国际秩序最终也维护了自身的国家利益。

当前中国对世界大势有越来越清晰的思考，对自身在世界中的定位、自己需要什么、能给别人带来什么有非常成熟的思考，主动参与全球治理的积极性和活跃度越来越高，运用国际政治经济舞台上的一切机会和可能传播中国声音与中国元素、提升中国话语权的意愿越来越强烈。这些都证明中国的外交已经从过去的内敛和区域性外交层面走到了外向自信的全球性外交层面。中国完全可以利用自身在世界经济和全球治理中的举足轻重的地位，引领全球化和全球治理发展方

向，例如：以"一带一路"为契机，通过与沿线国家的互联互通合作，为世界发展提供新动力，为全球治理提供新方案。

罗建波指出，中国参与全球治理必须注意两点：一是坚持量力而行。中国作为一个发展中国家，其紧迫的任务仍在于解决国内亟待解决的经济和社会问题。履行中国的国际责任需要量力而行、量入为出，不能超过自身经济承受能力。二是坚持权责平衡。中国为全球治理提出中国方案，彰显中国智慧，中国也应享有在全球治理和国际事务中的话语权与影响力。西方大国应尊重中国的核心利益及重大关切，尊重中国不断提升的大国地位和国际影响力。①

三、一个日趋自信的中国需要更多智库和与西方相抗衡的理论支撑

近代以来我们没有来得及参与世界经济的构建，在社会科学和自然科学体系当中没有中国的话语权或许情有可原，但是，中国的改革开放已取得了巨大成功，越来越深刻地融入了全球化的进程，尤其是中国提出的"一带一路"倡议和"人类命运共同体"理念已经开始造福全世界，中国的理念和方案越来越具有独特的中国魅力，中国也越来越显现出大国风范和世界领军者应有的气质。在这种情况下，中国没有理由再在世界社会科学和自然科学话语体系中失位失语失声，中国完全有能力也有责任为世界学科的均衡发展贡献中国的智慧，理应在参与国际社会各学科学术体系构建过程中获得与自身大国地位相称的话语权。诚如胡鞍钢所言："中国改革开放这项伟大的实践，这样的一个'中国之路'走到今天，已经越来越清晰了，既不是苏联的东方道路，也不是美国的西方道路。……所以我们不仅要破除西方经济学的教条主义，也要破除我们给自己设定的新教条主义。我们现在反思这30年，一个很重要的问题就是我们的理论滞后于实践，为此，必须与时俱进地进行观念创新、理论创新。"②

---

① 罗建波. 中国特色大国外交：新理念、新战略与新特色[J]. 西亚非洲，2017（4）.
② 胡鞍钢. 现有理论为何难以解释中国奇迹[J]. 人民论坛，2008（4）.

（一）中国需要独具中国特色的高水平智库

据上海社会科学院智库研究中心 2014 年 1 月发布的《2013 年中国智库报告——影响力排名与政策建议》定义，在中国特色社会主义发展的具体语境下，智库主要是指以公共政策为研究对象，以影响政府决策为研究目标，以公共利益为研究导向，以社会责任为研究准则的专业研究机构[①]。现代智库，是一个国家思想创新的泉源，也是一个国家软实力和国际话语权的重要标志。建设高水平、国际化的智库已经成为一个全球化趋势。[②]

当今世界最著名的智库主要集中在欧美国家，尤以美国为主，2017 年全球顶级智库综合榜单前十如表 7-1 所示。

表 7-1　2017 年全球顶级智库综合榜单前十[③]

名次	智库机构	所属国家
1	布鲁金斯学会	美国
2	国际关系研究所	法国
3	卡内基国际和平基金会	美国
4	布鲁盖尔研究所	比利时
5	国际战略研究中心	美国
6	皇家国际事务研究所	英国
7	热图利奥·瓦加斯基金会	巴西
8	传统基金会	美国
9	兰德公司	美国
10	国际战略研究所	英国

---

① 上海社会科学院智库研究中心. 2013 年中国智库报告（附 PDF 版全文下载）[EB/OL]．(2014-01-20)．http://www.pjzgzk.org.cn/c/89.htm.
② 上海社会科学院智库研究中心. 2013 年中国智库报告（附 PDF 版全文下载）[EB/OL]．(2014-01-20)．http://www.pjzgzk.org.cn/c/89.htm.
③ 上海社会科学院智库研究中心. 上海社会科学院智库研究中心授权发布《全球智库报告 2017》（英文版）[EB/OL]．(2018-02-05)．http://www.pjzgzk.org.cn/c/2183.htm.

据上海社会科学院智库研究中心《2017年中国智库报告——影响力排名与政策建议》，中国的智库从党政军到高校、从中央到地方、从政府到民间基本上做到了全覆盖。中国主要智库如表7-2所示，中国智库影响力排名情况如表7-3所示。

表7-2 中国主要智库一览①

序号	经济类智库	社会类智库	国际类智库	"一带一路"研究智库	中国特色新型智库
1	中国宏观经济研究院	中国社会科学院社会发展战略研究院	中国现代国际关系研究院	国务院发展研究中心	南方舆情研究院（南方报业集团）
2	北京大学国家发展研究院	北京大学国家发展研究院	中国国际问题研究院	中国现代国际关系研究院	中山大学自贸区综合研究院
3	中国财政科学研究院	中国人口与发展研究中心	上海国际问题研究院	商务部国际贸易经济合作研究院	宁波海上丝绸之路研究院（北京外国语大学丝绸之路研究院宁波分院）
4	中国国际经济交流中心	新华社舆情研究中心	中国社会科学院亚太与全球战略研究院	中国国际问题研究院	中央企业智库联盟
5	中国社会科学院国家金融与发展实验室	中国（海南）改革发展研究院	中国社会科学院国家全球战略智库	国家发展和改革委员会国际合作中心	统一战线高端智库（中央社会主义学院）
6	中国社会科学院财经战略研究院	上海大学基层治理创新研究中心	中国国际战略学会	中国社会科学院亚太与全球战略研究院	华东政法大学中国法治战略研究中心
7	商务部国际贸易经济合作研究院	中国人民大学国家发展与战略研究院	新华社世界问题研究中心	中国国际经济交流中心	中国—中东欧研究院
8	中国人民银行金融研究所	零点有数	北京大学国际战略研究院	当代世界研究中心	中国社会科学院雄安发展研究智库

---

① 上海社会科学院智库研究中心. 2017年中国智库报告——影响力排名与政策建议[EB/OL]. (2018-03-19). http://www.pjzgzk.org.cn/upload/file/20180319/20180319142204_402.pdf.

续　表

序号	经济类智库	社会类智库	国际类智库	"一带一路"研究智库	中国特色新型智库
9	清华大学中国与世界经济研究中心	复旦大学人口与发展政策研究中心	全球化智库（原中国与全球化智库）	中国社会科学院国家全球战略智库	粤港澳大湾区研究院
10	复旦大学中国经济研究中心 中国人民大学国家发展与战略研究院	北京师范大学中国社会管理研究院	复旦大学美国研究中心 清华大学当代国际关系研究院	中国人民大学重阳金融研究院	上海华夏经济发展研究院

表7-3　中国智库影响力排名情况①

序号	综合影响力	决策影响力	学术影响力	高校智库影响力	社会影响力	国际影响力
1	中国社会科学院	中国社会科学院	中国社会科学院	北京大学国家发展研究院	中国社会科学院	中国社会科学院
2	中国科学院	国务院发展研究中心	中国科学院	中国人民大学国家发展与战略研究院	中国科学院	中国科学院
3	国务院发展研究中心	中国科学院	国务院发展研究中心	清华大学国情研究院	国务院发展研究中心	中国现代国际关系研究院
4	中共中央党校	中共中央党校	中国工程院	复旦大学中国研究院	中共中央党校	国务院发展研究中心
5	中国工程院	中国宏观经济研究院	中国军事科学院	武汉大学国际法研究所	中国工程院	中国国际问题研究院
6	中国现代国际关系研究院	中国现代国际关系研究院	中共中央党校	中山大学粤港澳发展研究院	中国宏观经济研究院	中国工程院
7	中国宏观经济研究院	中国工程院	国防大学	北京大学国际战略研究院	国家行政学院	中共中央党校

---

① 上海社会科学院智库研究中心. 2017年中国智库报告——影响力排名与政策建议[EB/OL]. (2018-03-19). http://www.pjzgzk.org.cn/upload/file/20180319/20180319142204_402.pdf.

续 表

序号	综合影响力	决策影响力	学术影响力	高校智库影响力	社会影响力	国际影响力
8	中国军事科学院	中国军事科学院	中共中央文献研究室	复旦大学复旦发展研究院	清华大学国情研究院	中国军事科学院
9	国防大学	中国国际经济交流中心	北京大学国家发展研究院	华南理工大学公共政策研究院	北京大学国家发展研究院	北京大学国际战略研究院
10	中国国际问题研究院	中国社会科学院国家全球战略智库	中国财政科学研究院	清华大学当代国际关系研究院	中国人民大学重阳金融研究院	中国社会科学院国家全球战略智库

另据2018年2月发布的全球最具权威性的智库排名报告——美国宾夕法尼亚大学"智库研究项目"(TTCSP)研究编写的《全球智库报告2017》,全球共有7 815家智库,其中北美1 972家(美国以1 872家居世界之首),欧洲2 045家,亚洲1 676家。2017年中国拥有智库512家,成为世界第二智库大国。中国现代国际关系研究院、中国社会科学院、中国国际问题研究院、国务院发展研究中心、北京大学国际战略研究院、全球化智库(CCG)和上海国际问题研究院等7家中国智库首次进入全球顶级智库百强榜单。[1]

从上述数据来看,最近5年来中国的各类智库较过去又有了突飞猛进的大发展,智库研究议题设置无论是从广度还是深度都有了极大的拓展,不仅覆盖了国民生活的各个方面,关注"一带一路"这样的政策焦点,而且做到了和全球性议题的研究对接。另外,2018年上半年在北京召开的中俄智库国际研讨会说明,中国智库在有意识地加强自身的国际化意识,淡化与他国尤其是欧美国家的意识形态分野,通过与国外智库的学术和研究交流,向他国民众第一时间传达中国的声音,对提升中国的国际影响力、减少与他国的摩擦、塑造良好的中国外部环境

---

[1] 彭科峰. 中国智库表现突出 7家上榜全球顶级智库百强[EB/OL]. (2018-02-14). http://www.guancha.cn/Thinktank/2018_02_14_447119.shtml.

起到了重要作用。

全球化时代错综复杂的各种矛盾层出不穷,中国的发展更是进入了前所未有接近中国梦实现的关键期,要研究的问题很多,中国的智库、中国的"兰德公司"们需要为中国的未来征程提供源源不断的思想智慧,切忌单纯模仿西方而应重视中国自身传统特色,中国智库任重道远、责无旁贷!

(二)中国需要更多的中国理论创新

对比近年来中国在自然科学领域的高歌猛进,中国在人文社会科学领域相对来说明显滞后于欧美国家。纵观当今欧美发达国家,多是自然科学和社会科学均衡发展,无论是在自然科学领域还是社会科学领域都人才济济,自成造诣颇深的学科体系。因此,一个真正的强国不只需要有雄厚的经济实力,还需要有深厚的思想底蕴支撑经济的发展,中国急需与之相匹配的人文社会科学理论的创新和发展。"人类命运共同体"的构建为中国人文社会科学领域的大发展提供了重要的机遇。

(1)政治学、国际关系学相关理论的创新。"人类命运共同体"提出共商共建共享、利益共担,这与西方政治学和国际关系理论一直主导的"强者理应拥有更多权力"的观点是不一致的,中国需要建立自己的与"人类命运共同体"的要求相匹配的国际关系理论,重新解读权力的问题、一国利益与国际利益的协调问题等。中国需要用自己的国际关系理论向世界解释清楚:中国崛起后为什么不会称霸、不会必然导致争权夺利也不会带来冲突和战争?中国这种大国崛起的崭新方式为什么证明西方单线思维导致的强国必霸结论是武断的?中国的独特政治体制与西方国家有什么不同?为什么西方国家的民主和自由给中东地区带来的是无休止的灾难,而强调国家的生存权和发展权高于个人的权利的中国的民主理论却能给中东地区带来和平?

杨光斌列举了中国政治学理论目前已有的创新:"国家治理体系和治理能力现代化",以治理能力衡量现代化,是中国政治思想发展的创新成就;中国共产党是一种建国党,同西方理解的传统政党不一样,不理解这一点就无法理解中国政治；国家建设理论，现代国家不是西方政治学理论所说的国家与社会二元关系，而应是"国家权力—资本权力—社会权利"的三元关系，从而揭示了西方理论所掩盖的资本权力的真相；重建民主理论，现代国家建设是国家权力、资本权力和社会权利互动的结果，且彼此间存在时间上的逻辑先后顺序不能颠倒，若不顾自己的历史文化移植西方政治民主制度，但文化基因和社会结构并没有改变，结果发生政治制度与文化—社会结构的冲突，导致这些国家永远陷于泥淖之中而难以前行[1]。

(2) 经济学领域相应的理论创新，"人类命运共同体"提出利益共享观，和西方一统天下的零和博弈原则完全相背。中国的发展还证明，有中国特色的社会主义市场经济完全可以实现比资本主义市场经济更高速的增长、更高效的社会运转能力，发展更繁荣的可持续的创新经济和相对更加公平公正的社会经济关系。同时，中国也是当今世界将政府有计划调节和市场经济结合得最好的国家，而政府和市场之间应该维持什么样的关系抑或到底是"大政府"还是"小政府"多年以来一直是西方国家治理最纠结的难题。张宇认为："按照西方经济学开展研究的思路在中国经济学界、高校都已成为主流理论。导致许多研究者不研究、不调查、不结合中国国情，而是简单拿着数据模型套用，把抽象的数理逻辑当作判断经济学是否科学的主要标准，这种理论范式与现实相距甚远，造成'玄、虚、浮'毛病突出，经济学理论的研究和学术创新明显落后于实践和时代要求。……为了更好地服务现实，中国经济学研究必须在立足自身实践基础上，实现更加开放、包容、多元。但'国际化、标准化'的提法并不意味着：要把西方经济学当做普世科学一样对待。有人甚至认为：对西方经济学，必须毫无疑问地相信它、学习它，就是中国经济学发展的方向；不折不扣地贯彻它、实践它，就是中国经济改革的方向。这其实是一种新的蒙昧主义。"[2] 换言之，对市场经济的解读权

---

[1] 杨光斌. 中国政治学基础理论研究的突破性进展[N]. 光明日报，2015-07-30.
[2] 孙璇, 张宇：不能照搬西方经济理论解释中国经济现象[EB/OL]. (2015-03-25). http://politics.people.com.cn/n/2015/0325/c70731-26749728.html.

不能让西方国家垄断。

在如何协调政府与市场之间的关系问题上，中国关于宏观管理体制改革、金融改革的对策性研究，关于如何完善社会主义市场经济体制的思路、效率和公平关系的经济改革与经济发展基本理论的研究，解决经济软着陆问题的下岗再就业工程、企业所有制转型、供给侧改革等举措都是中国的创新，还有中国政府对庞大国家的复杂问题和尖锐矛盾的有效管控能力以及优秀的国家治理能力等，所有这些方方面面都需要中国理论界开拓出新的具有中国特色的经济理论体系来加以说明。就如前文所说的，既然西方经济学理论根本没法完全解释中国的经济发展，那么，中国经济理论的创新将获得良好的发展机遇。

(3) 中国需要提出一套自己的理论以对抗西方的文明冲突论。"人类命运共同体"指出，各民族文明应融合互鉴、彼此尊重、互相学习、共同进步，世界各国各民族和平共处的前提是要彼此尊重差异，民族融合的世界大同和世界文明共同体，是能从根本上杜绝战争、实现人类彻底和平的最佳方式。中国几千年的历史传统告诉世界，没有哪个文明可以自以为是中心，必须学会与其他文明和平共处，这就与西方中心主义思想根本相背离。有学者指出，中国这样的后发国家政治经济发展最重要的成功经验就是，绝不把西方政治发展理论当作普遍原理和僵化的教条，要坚持马克思唯物主义历史观，摈弃西方中心论，独立自主地探索中国现代政治发展的规律。中国政治学的发展一定要坚持这条经验，可以借鉴但绝不能照搬西方政治学，一定要根据中国的历史条件和民族传统、人民利益和社会发展的需要，总结当代中国政治发展的新经验，最终构建中国自己的现代政治学。①

由上述可见，中国几千年文明史拥有非常丰富的思想底蕴，中国不应该成为

---

① 奚广庆. 关于中国特色政治学学科建构与研究的思考[J]. 山东大学学报（哲学社会科学版），2006（2）.

西方理论的人云亦云者,而应成为全球治理理论的贡献者。中国的国际地位需要与之匹配的自然科学和社会科学理论。"人类命运共同体"的构建需要具有国际利益高于一国利益、国际责任高于一国之私的国际意识,中国已经在全球治理方面贡献了中国智慧,接下来需要中国理论界对这些中国思想创新作出高度的理论概括和解释,直到创建具有中国特色的新的理论体系。

第八章

结论和思考：
达则兼济天下

"人类命运共同体"构建问题面临逆全球化现象的严峻挑战，但是，真正的真理是一定不会被时间淹没，顺应世界潮流的智慧之光一定会在人类的和平发展进程中显现出其应有的价值。笔者认为，在"人类命运共同体"构建过程中，有3个基本认知是一定要把握好的。

一、"穷则独善其身，达则兼济天下"

在漫长的岁月洗礼中，在中华民族历史上的分分合合中，中国人形成了自己独特的人文理想和政治智慧，以及对自己、对他人、对国家、对世界的基本认知。例如：对自己强调慎独、严格要求自己，对他人强调要有仁义之心、宽以待人、锄强扶弱、乐善好施，对国家强调精忠报国、国家的利益高于个人的利益，对世界则强调尊重自然本性、以和为贵、尊重其他文明、美美与共，等等。其中，"穷则独善其身，达则兼济天下"所昭示的家国情怀及大国的责任与担当与当下中国的精神气质不谋而合。

习近平多次说过，中国的发展离不开世界各国人民的支持，中国现在发展起来了，理应回报这个世界。就如孟子所言，不得志的时候就要管好自己的道德修养，得志的时候就要努力让天下人都能得到好处。今天的中国是这样想的也是这样做的。作为全世界最大的发展中国家，新中国成立以来一直坚持不懈地帮助其他发展中国家发展，现在发展了、强大了，更是加大了对其他发展中国家经济发展的扶持力度。例如：中国深度参与非洲国家的经济发展，主动出资真诚帮助许多贫穷的非洲国家造铁路、桥梁、公路、学校、医院、居民楼等基础设施，改善这些国家的民生条件，对这些国家提供经济、文化、制度建设、社会治理等全方位的帮助。数百年来欧美一些大国在非洲进进出出，但唯独只有中国是不带任何政治条件地真心帮助非洲国家发展。

中国不仅是世界上最大的发展中国家，也是世界上最主要的社会主义国家，除了要发展自己、发挥出社会主义制度的优越性、实现中华民族伟大复兴的梦想之外，还提出了"一带一路"倡议，希望让更多的国家与中国共同发展和进步，甚至还主动邀请那些最贫穷落后的发展中国家搭中国的便车，这与那些搞贸易保护主义的欧美发达资本主义国家形成了天壤之别。中国还倡导"人类命运共同体"理念，希望同世界各国一道建立一个"共商共建共享、互利平等、合作共赢、清洁美丽、和平安全"的新世界。人类社会迄今为止还从来没有真正实现过共享的理念，世界上的优质资源都是被少数强大国家所占据，只有强大后的中国真正实现了"达则兼济天下"的思想，真诚希望他国分享中国的成果，也因此，"人类命运共同体"理念一经提出立刻在全世界引起了热烈的反响并受到了最广泛的欢迎。

当下世界局势并不太平，美国同世界许多国家的贸易战愈演愈烈，二战以来所建立的世界政治经济基本规则遇到了有史以来最为严峻的挑战，是开放包容还是自私封闭？是达则兼济天下还是以邻为壑？人类社会走到了关键的十字路口，作为世界第二大经济体的中国的态度和立场显得至关重要。如果中国屈服了，世界经济会至少倒退20年，为了中国自身利益和全人类利益，中国一定要挺住！

二、中国的成功证明大国崛起不是悲剧而是世界的福音

米尔斯海默在《大国政治的悲剧》中指出，在一个没有国际权威统治他国的世界里，大国一律损人利己、追逐权力，并成为支配性国家，在此过程中大国间必然产生冲突，这就是国家的悲剧，中国将是美国最大的威胁。因此，只有加强美国的领导权威才能避免这一悲剧。亨廷顿在《文明的冲突与世界秩序的重建》中认为，文明的冲突将成为人类未来的主要冲突，儒家文明和伊斯兰文明的结合将成为西方的头号威胁。福山则在《历史的终结及最后之人》中认为资本主义自由民主制度是最好的制度，并宣告人类历史的终结。如果说米尔斯海默是在担忧中国的政治、经济和军事影响力的话，亨廷顿则主要忧虑的是中国的强大文明对其他文明的同化能力。但是，无论是米尔斯海默、亨廷顿抑或是福山，他们的立场和出发点都是共同的，都是要维护美国的永世霸权。

2018年5月28日两院院士大会，习近平发表重要讲话，他强调，中国要强盛、要复兴，就一定要大力发展科学技术，努力成为世界主要科学中心和创新高地。形势逼人，挑战逼人，使命逼人。习近平指出，进入21世纪以来，新一轮科技革命和产业变革正在重构全球创新版图、重塑全球经济结构。科学技术从来没有像今天这样深刻影响着国家前途命运。要以关键共性技术、前沿引领技术、现代工程技术、颠覆性技术创新为突破口，敢于走前人没走过的路，努力实现关键核心技术自主可控，把创新主动权、发展主动权牢牢掌握在自己手中。在关键领域、卡脖子的地方下大功夫，集合精锐力量，作出战略性安排，尽早取得突破。[①] 早在1995年，杨振宁在科大演讲时就曾说过：第一，中国有数不清的极聪明、极有造就前途的青年；第二，中国有儒家注重人伦、勤俭、忍耐，注重教育的良好传统，这些传统会培育出一代又一代勤奋努力的青年；第三，儒家传统

---

① 陈芳，余晓洁. 两院院士大会开幕　习近平发表重要讲话［EB/OL］.（2018-05-28）. http://www.xinhuanet.com/2018-05/28/c_1122899992.htm.

中的保守性造成了中国数百年的封闭现象，但今天封闭现象已经完全消失，代之而起的是对近代科技的热忱，所有的人都深深认识到引进新的科技对中国的发展前途具有极其重要的意义；第四，整个大中华地区经济的发展是近 20 年世界有目共睹的。有了这四点，到 21 世纪中叶中国定将成为世界上最主要的科技大国。① 近代以来西方曾经以制度领先而决胜千里，如今中国走的也是一条创新之路，虽然我们在起跑线上是输了，但冲刺最有力，必将是笑到最后的赢家。中国赢就赢在理念超前、执行力坚决、行动力果敢之上。

当然，中国也要正视西方对"人类命运共同体"的质疑，以减少来自外部的阻力。一些美国精英先入为主，自负傲慢，再加上美国利益优先的观念和意识形态的狂热，大肆鼓吹"中国正在从思想和政治上影响甚至改造美国"，"中国要输出意识形态，把红旗插遍全球"。实际上，西方对中国社会的价值渗透无孔不入，中国的涉外政治注意力仍然集中在"防渗透"上。对于这些不利于中西方关系发展的负面舆论中国应保持足够的警惕。正如中国外交部部长王毅 2016 年 2 月 25 日在美国战略与国际问题研究中心的演讲中所说："有一些美国的朋友担心，认为中国才是美国将来真正的主要对手，可能有一天中国要取代美国。这背后其实是一种战略互不信，是对中国长远意图的战略疑虑"，"中国不是美国。中国就是中国，中国今后也不会成为另一个美国。中国人的血脉中没有多少扩张的基因，也没有多少当救世主的冲动"。戴秉国 2016 年 7 月 1 日在美国战略与国际问题研究中心的演讲中也说，中国"不结盟、不争霸，不干涉别国内政，不颠覆别国政权，不以武力解决争端，不会变成另一个美国或曾经的英国、日本、德国"②。

高速发展的中国一直以东方人特有的和谐包容的态度与其他国家交往，不但注重自身的高质量发展，而且还通过"一带一路"倡议带动更多国家一起发展，真心诚意地与他国共同分享中国改革开放的成果，成为自由贸易秩序坚定的捍卫

---

① 杨振宁. 近代科学进入中国的回顾之前瞻[J]. 广西大学学报（自然科学版），1995（4）.
② 潘忠岐. 中国人与美国人思维方式的差异及其对构建"中美新型大国关系"的寓意[J]. 当代亚太，2017（4）.

者和压舱石,在国际社会中体现了中国的大国责任和担当,和美国的"美国优先"形成了一正一反极其鲜明的反差。中国的成功有力地证明,懂得与世界共进退的大国崛起不是悲剧而是世界的福音。

三、各国发展模式应多样化,中国走自己的路,让别人说去吧

多样性本是世界的原生态和常态,也更加有利于人类文明的发展,但一直以来的现实是,西方文化中心主义总是有形无形地对其他文化体系进行压制和威胁,使得文化的多样性价值被日益削弱。身为强势文化的西方文化常常将自身的文化价值观强加于其他国家,并且标榜自己代表了"进步"和"文明",而给对方贴上"落后"和"愚昧"的标签。①

中国改革开放最成功的经验就是不照搬西方模式,走自己的路,让别人说去吧!正是得益于没有西方传统经验的束缚,中国才能够敢为天下先、大胆创新、想他人之不敢想,走出一条极具东方中国特色的独特的发展之路。中国所取得的举世瞩目的成就是前无古人、很难被后人复制和超越的,因为当今世界找不出第二个可以像中国这样具有整齐划一的高度执行力的国家。中国未来需要做的是坚持自己目前的这种发展模式,努力做好自己的事情的同时,冷静沉着应对各种国际纷争,始终奉行全球化自由贸易模式,同世界各国一起努力构建真正公平公正的、全人类共享的命运共同体。

---

① 刘同舫. 人类命运共同体的价值超越[N]. 光明日报,2017-09-23.

参 考 文 献

一、国外著作

1. 马克思，恩格斯. 马克思恩格斯全集：第 1 卷[M]. 中共中央编译局，译. 北京：人民出版社，1956.

2. 马克思.《政治经济学批判》序言[M]//马克思，恩格斯. 马克思恩格斯全集：第 13 卷. 中共中央编译局，译. 北京：人民出版社，1962.

3. 马克思，恩格斯. 马克思恩格斯全集：第 19 卷[M]. 中共中央编译局，译. 北京：人民出版社，2006.

4. 恩格斯. 路德维希·费尔巴哈和德国古典哲学的终结[M]//马克思恩格斯全集：第 21 卷. 中共中央编译局，译. 北京：人民出版社，1965.

5. 马克思，恩格斯. 马克思恩格斯全集：第 26 卷[M]. 中共中央编译局，译. 北京：人民出版社，1979.

6. 马克思，恩格斯. 马克思恩格斯全集：第 46 卷（上）[M]. 中共中央编译局，译. 北京：人民出版社，1979.

7. 马克思，恩格斯. 马克思恩格斯选集：第 1 卷[M]. 中共中央编译局，译. 北京：人民出版社，1972.

8. 马克思，恩格斯. 马克思恩格斯选集：第 3 卷[M]. 中共中央编译局，译. 北京：人民出版社，1995.

9. 马克思，恩格斯. 德意志意识形态[M]//马克思，恩格斯. 马克思恩格斯选集：第 1 卷. 中共中央编译局，译. 北京：人民出版社，1995.

10. 马克思. 1844 年经济学哲学手稿[M]. 中共中央编译局，译. 北京：人民出版社，2000.

11. 马克思，恩格斯. 共产党宣言[M]. 中共中央编译局，译. 北京：人民出版社，1997.

12. 马克思，恩格斯. 马克思恩格斯文集：第 2 卷[M]. 中共中央编译局，译. 北京：人民出版社，2009.

13. 马克思，恩格斯. 马克思恩格斯文集：第 5 卷[M]. 中共中央编译局，译. 北京：人民出版社，2009.

14. 马克思，恩格斯. 马克思恩格斯文集：第 10 卷[M]. 中共中央编译局，译. 北京：人民出版社，2009.

15. 柏拉图. 理想国[M]. 张造勋，译. 北京：北京大学出版社，2010.

16. 汉斯·摩根索. 国际纵横策论：争强权求和平[M]. 卢明华，等译. 上海：上海译文出版社，1995.

17. 亚历山大·温特. 国际政治的社会理论[M]. 秦亚青，译. 上海：上海人民出版社，2000.

18. 约翰·米尔斯海默. 大国政治的悲剧[M]. 王义桅，唐小松，译. 上海：上海人民出版社，2014.

19. 迈克尔·哈特，安东尼奥·奈格里. 帝国[M]. 杨建国，范一亭，译. 南京：江苏人民出版社，2005.

20. 亨利·基辛格. 大外交[M]. 顾淑馨，林添贵，译. 海口：海南出版社，1998.

21. 罗伯特·基欧汉. 霸权之后：世界政治经济中的合作与纷争[M]. 苏长和，等译. 上海：上海人民出版社，2001.

22. 马克斯·韦伯. 新教伦理与资本主义精神[M]. 于晓，等译. 北京：生活·读书·新知三联书店，1987.

23. 塞缪尔·亨廷顿. 文明的冲突与世界秩序的重建[M]. 周琪，等译. 北京：新华出版社，1999.

24. 保罗·肯尼迪. 大国的兴衰：1500—2000 年的经济变迁与军事冲突[M]. 陈景彪，等译. 北京：求实出版社，1988.

25. 罗伯特·基欧汉，约瑟夫·奈. 权力与相互依赖——转变中的世界政治[M]. 门洪华，译. 北京：北京大学出版社，2002.

26. 弗朗西斯·福山. 历史的终结及最后之人[M]. 黄胜强，许铭原，译. 北京：中国社会科学出版社，2003.

27. 弗朗西斯·福山. 政治秩序与政治衰败：从工业革命到民主全球化[M]. 毛俊杰，译. 桂林：广西师范大学出版社，2015.

28. 马凯硕. 新亚洲半球：势不可当的全球权力东移[M]. 刘春波，丁兆国，译. 北京：当代中国出版社，2010.

29. 约翰·罗尔斯. 正义论[M]. 谢延光，译. 上海：上海译文出版社，1991.

30. 保罗·克鲁格曼. 美国怎么了？：一个自由主义者的良知[M]. 刘波，译. 北京：中信出版社，2008.

31. 罗伯特·劳伦斯·库恩. 中国 30 年：人类社会的一次伟大变迁[M]. 吕鹏，等译. 上海：上海人民出版社，2008.

32. 费正清. 中国的世界秩序：传统中国的对外关系[M]. 杜继东，译. 北京：中国社会科学出版社，2010.

33. Kerry Brown. CEO，China：The Rise of Xi Jinping[M]. London：I. B. Tauris & Co Ltd，2017.

34. Patrick Mendis. Peaceful War：How the Chinese Dream and the American Destiny Create a Pacific New Wold Order[M]. Lanham：University Press of America，2013.

35. Robert S. Ross，Jo Inge Bekkevold. China in the Era of Xi Jinping：Domestic and Foreign Policy Challenges[M]. Washington D. C.：Georgetown University

Press，2016.

36. Egina M. Abram，William C. Kirby，F. Warren McFarlan. Can China Lead?： Reaching the Limits of Power and Growth[M]. Boston：Harvard Business Review Press，2014.
37. David M. Lampton. Following the Leader：Ruling China，from Deng Xiaoping to Xi Jinping[M]. Berkeley：University of California Press，2014.
38. Jan Nederveen，Pieterse. Development Theory：Deconstructions/Reconstructions [M]. London：Sage Publications，2010.

二、国内著作

1. 习近平. 习近平谈治国理政[M]. 北京：外文出版社，2014.
2. 习近平. 在哲学社会科学工作座谈会上的讲话（单行本）[M]. 北京：人民出版社，2016.
3. 习近平. 之江新语[M]. 北京：人民出版社，2007.
4. 习近平. 在庆祝中国共产党成立95周年大会上的讲话（单行本）[M]. 北京：人民出版社，2016.
5. 倪世雄. 当代西方国际关系理论[M]. 上海：复旦大学出版社，2004.
6. 王逸舟. 西方国际政治学：历史与理论[M]. 上海：上海人民出版社，1998.
7. 张维为. 国际视野下的中国道路和中国梦[M]. 北京：学习出版社，2015.
8. 杜维明. 杜维明文集：第2卷[M]. 武汉：武汉出版社，2002.
9. 费孝通. 反思、对话、文化自觉[M]. 北京：群言出版社，2010.
10. 王义桅. "一带一路"：机遇与挑战[M]. 北京：人民出版社，2015.
11. 牟宗三. 中国哲学的特质[M]. 上海：上海古籍出版社，1997.
12. 刘宝楠. 论语正义[M]. 北京：中华书局，1990.
13. 马俊峰. 马克思社会共同体理论研究[M]. 北京：中国社会科学出版社，2011.

14. 何英. 美国媒体与中国形象[M]. 广州：南方日报出版社，2005.
15. 何英. 突破"修昔底德陷阱"——中美关系的建构主义再解读[M]. 上海：上海大学出版社，2017.

三、期刊论文

1. Jocelyn Viterna, Cassandra Robertson. New Directions for the Sociology of Development[J]. Annual Review of Sociology, 2015, Vol. 41, Issue 1.
2. O. Patterson. Making Sense of Culture[J]. Annual Review of Sociology, 2014, Vol. 40.
3. Immanuel Wallerstein. Northeast Asia and the World-System[J]. Korean Journal of Defense Analysis, 2007, Vol. 19, Issue 3.
4. Immanuel Wallerstein. Northeast Asia in the Multipolar World-System[J]. Asian Perspective, 2010, Vol. 34, Issue 4.
5. 习近平. 在党的十八届五中全会第二次全体会议上的讲话（节选）（2015年10月29日）[J]. 求是，2016（1）.
6. 约瑟夫·格利高里·迈哈内. 通往和谐之路：马克思主义、儒家与和谐概念[J]. 国外理论动态，2009（12）.
7. 帕特里克·曼迪斯. 和平的战争：中国梦与美国命运如何共塑新的太平洋世界秩序[J]. 对外传播，2014（3）.
8. 杨洁勉. 新型大国关系：理论、战略和政策建构[J]. 国际问题研究，2013（5）.
9. 倪世雄. 未来的中美新型大国关系：挑战与前景[J]. 人民论坛·学术前沿，2017（6）.
10. 潘忠岐. 中国人与美国人思维方式的差异及其对构建"中美新型大国关系"的寓意[J]. 当代亚太，2017（4）.
11. 王缉思，仵胜奇. 中美对新型大国关系的认知差异及中国对美政策[J]. 当代世界，2014（10）.

12. 石冬明. 西方关于中国崛起对中美关系影响的研究述评——兼评西方对"中美新型大国关系"的认知[J]. 国外社会科学，2016（4）.

13. 仇华飞. 中美新型大国关系：美国智库和政治精英的观点与视角[J]. 美国问题研究，2016（2）.

14. 金灿荣. 中美关系与"修昔底德陷阱"[J]. 湖北大学学报（哲学社会科学版），2015（3）.

15. 阮宗泽. 特朗普"新愿景"与中国外交选择[J]. 国际问题研究，2017（2）.

16. 罗建波. 中国特色大国外交：新理念、新战略与新特色[J]. 西亚非洲，2017（4）.

17. 姜安. 新时代中国特色大国外交战略方程的政治逻辑[J]. 深圳大学学报（人文社会科学版），2017（6）.

18. 王巧荣. 中国在构建国际新秩序中的角色担当[J]. 人民论坛，2017（25）.

19. 蔡拓. 中国参与全球治理的新问题与新关切[J]. 学术界，2016（9）.

20. 袁祖社. "共享发展"的理念、实践与"人类命运共同体"的价值建构[J]. 南京社会科学，2017（12）.

21. 奚洁人. 习近平治国理政的科学思想方法论——兼论中国智慧的时代内涵和理论特征[J]. 中国浦东干部学院学报，2017（5）.

22. 亚·弗·罗曼诺夫. 中国方案：对全球治理与经济发展的新态度[J]. 世界社会主义研究，2016（2）.

23. 门洪华. 中国对美国的主流战略认知[J]. 国际观察，2014（1）.

24. 马建英. 美国对中国"一带一路"倡议的认知与反应[J]. 世界经济与政治，2015（10）.

25. 李向阳. "一带一路"建设中的义利观[J]. 世界经济与政治，2017（9）.

26. 王东. 构建"人类命运共同体"，破解修昔底德陷阱[J]. 中央社会主义学院学报，2017（5）.

27. 郭锐，王彩霞. 推动构建人类命运共同体的中国担当[J]. 中国特色社会主研究，2017（5）.

28. 杨剑，郑英琴."人类命运共同体"思想与新疆域的国际治理[J]. 国际问题研究，2017（4）.

29. 杨宏伟."人类命运共同体"：走向"自由人联合体"的当代路径[J]. 理论学刊，2017（3）.

30. 王泽应. 论构建人类命运共同体的伦理意义[J]. 北京大学学报（哲学社会科学版），2017（4）.

31. 蒋昌建，潘忠岐. 人类命运共同体理论对西方国际关系理论的扬弃[J]. 浙江学刊，2017（4）.

32. 张永红，殷文贵."人类命运共同体"理念的生成、价值与实现[J]. 思想理论教育，2017（8）.

33. 张永红，殷文贵. 论"人类命运共同体"对"霸权"与"均势"的超越[J]. 湖南工业大学学报（社会科学版），2017（3）.

34. 陈须隆. 人类命运共同体理论在习近平外交思想中的地位和意义[J]. 当代世界，2016（7）.

35. 刘畅. 让"命运共同体"成为"亚洲共识"[J]. 公共外交季刊，2016（4）.

36. 王寅. 人类命运共同体：内涵与构建原则[J]. 国际问题研究，2017（5）.

37. 孙立平. 社会转型：发展社会学的新议题[J]. 社会学研究，2005（1）.

38. 孙思敬. 让战争远离人类 让和平永驻世间[J]. 孙子研究，2015（1）.

39. 马广利，方汉文. 孔子大同之世与马克思的理想社会——"马儒"的人文主义社会理想[J]. 上海文化，2017（6）.

40. 金小方. 现代新儒家的文化自觉[J]. 孔子研究，2015（3）.

41. 舒大刚. 从"三统"到"三本"：中华信仰的形成与普及[J]. 孔子研究，2015（4）.

42. 孙秀昌. 孔子"义利之辩"发微[J]. 孔子研究，2016（1）.

43. 章林. 忠恕之道与道德金律：从学而时习之谈起[J]. 孔子研究，2015（4）.

44. 许宁. 现代新儒家的道统意识与文化自觉[J]. 孔子研究，2008（5）.

45. 谢树放. 试论儒家以仁为本的乐天乐观的人生哲学[J]. 管子学刊，2015（3）.

46. 李梁. 美国学者研究中国特色社会主义道路理论的四种方法评析[C]. "改革开放四十年与中国道路：话语体系与时代价值"国际学术研讨会论文，2017 - 12 - 09.

四、报纸

1. 新华社. 习近平主持中央政治局集体学习　绝不做损人利己以邻为壑的事情　任何外国不要指望我们会拿自己核心利益做交易[N]. 人民日报（海外版），2013 - 01 - 30.

2. 习近平. 在第十二届全国人民代表大会第一次会议上的讲话[N]. 人民日报，2013 - 03 - 18.

3. 新华社. 习近平接受金砖国家媒体联合采访[N]. 人民日报，2013 - 03 - 20.

4. 习近平. 顺应时代前进潮流　促进世界和平发展——在莫斯科国际关系学院的演讲（2013年3月23日，莫斯科）[N]. 人民日报，2013 - 03 - 24.

5. 新华社. 习近平在中共中央政治局第十一次集体学习时强调：推动全党学习和掌握历史唯物主义　更好认识规律更加能动地推进工作[N]. 人民日报，2013 - 12 - 05.

6. 新华社. 习近平在中共中央政治局第十二次集体学习时强调　建设社会主义文化强国　着力提高国家文化软实力[N]. 人民日报，2014 - 01 - 01.

7. 习近平. 在联合国教科文组织总部的演讲（2014年3月27日，巴黎）[N]. 人民日报，2014 - 03 - 28.

8. 习近平. 在中法建交五十周年纪念大会上的讲话（2014年3月27日，巴黎）[N]. 人民日报，2014 - 03 - 29.

9. 习近平. 在德国科尔伯基金会的演讲（2014年3月28日，柏林）[N]. 人民日报，2014 - 03 - 30.

10. 新华社. 亚洲相互协作与信任措施会议第四次峰会在上海举行 习近平主持会议并发表重要讲话 倡导共同、综合、合作、可持续的亚洲安全观 共创亚洲安全合作新局面[N]. 人民日报，2014－05－22.

11. 习近平. 从小积极培育和践行社会主义核心价值观——在北京市海淀区民族小学主持召开座谈会时的讲话（2014年5月30日）[N]. 人民日报，2014－05－31.

12. 习近平. 努力构建中美新型大国关系——在第六轮中美战略与经济对话和第五轮中美人文交流高层磋商联合开幕式上的致辞（2014年7月9日）[N]. 人民日报，2014－07－10.

13. 习近平. 在纪念孔子诞辰2565周年国际学术研讨会暨国际儒学联合会第五届会员大会开幕会上的讲话（2014年9月24日）[N]. 人民日报，2014－09－25.

14. 习近平. 在党的群众路线教育实践活动总结大会上的讲话（2014年10月8日）[N]. 人民日报，2014－10－09.

15. 新华社. 习近平在华东七省市党委主要负责同志座谈会上强调 抓住机遇立足优势积极作为 系统谋划"十三五"经济社会发展[N]. 解放军报，2015－05－29.

16. 习近平. 在华盛顿州当地政府和美国友好团体联合欢迎宴会上的演讲（2015年9月22日，西雅图）[N]. 人民日报，2015－09－24.

17. 习近平. 谋共同永续发展 做合作共赢伙伴——在联合国发展峰会上的讲话（2015年9月26日，纽约）[N]. 人民日报，2015－09－27.

18. 习近平. 携手构建合作共赢新伙伴 同心打造人类命运共同体——在第七十届联合国大会一般性辩论时的讲话（2015年9月28日，纽约）[N]. 人民日报，2015－09－29.

19. 习近平. 共倡开放包容 共促和平发展——在伦敦金融城市长晚宴上的演讲（2015年10月21日，伦敦）[N]. 人民日报，2015－10－23.

20. 新华社. 习近平出席《中俄睦邻友好合作条约》签署15周年纪念大会并发表重要讲话[N]. 人民日报，2016-06-26.

21. 习近平. 在庆祝中国共产党成立95周年大会上的讲话[N]. 人民日报，2016-07-02.

22. 习近平. 中国发展新起点　全球增长新蓝图——在二十国集团工商峰会开幕式上的主旨演讲（2016年9月3日，杭州）[N]. 人民日报，2016-09-04.

23. 习近平. 深化伙伴关系　增强发展动力——在亚太经合组织工商领导人峰会上的主旨演讲（2016年11月19日，利马）[N]. 人民日报，2016-11-21.

24. 习近平. 共担时代责任　共促全球发展——在世界经济论坛2017年年会开幕式上的主旨演讲（2017年1月17日，达沃斯）[N]. 人民日报，2017-01-18.

25. 习近平. 共同构建人类命运共同体——在联合国日内瓦总部的演讲（2017年1月18日，日内瓦）[N]. 人民日报，2017-01-20.

26. 习近平. 携手推进"一带一路"建设——在"一带一路"国际合作高峰论坛开幕式上的演讲（2017年5月14日，北京）[N]. 人民日报，2017-05-15.

27. 新华社. 习近平提出，坚持和平发展道路，推动构建人类命运共同体[N]. 人民日报，2017-10-19.

五、网络

1. 吴乐珺. 习近平会见联合国秘书长潘基文[EB/OL].（2013-06-19）. http://politics.people.com.cn/n/2013/0619/c1024-21900385.html.

2. 杜尚泽，丁伟，黄文帝. 弘扬人民友谊共同建设"丝绸之路经济带"——习近平在哈萨克斯坦纳扎尔巴耶夫大学发表重要演讲[EB/OL].（2013-09-08）. http://politics.people.com.cn/n/2013/0908/c1024-22842900.html.

3. 钱彤. 习近平在周边外交工作座谈会上发表重要讲话[EB/OL].（2013-10-25）. http://politics.people.com.cn/n/2013-10-25/c1024-23332318.html.

4. 新华网. 习近平在韩国国立首尔大学的演讲（全文）[EB/OL].（2014-07-

04). http://www.xinhuanet.com/world/2014-07-04/c_1111468087.htm.

5. 新华网. 习近平: 欢迎搭乘中国发展的列车[EB/OL]. （2014-08-22）. http://www.xinhuanet.com/world/2014-08/22/c_126905369.htm.

6. 新华网. 习近平出席中央外事工作会议并发表重要讲话[EB/OL]. （2014-11-29）. http://www.xinhuanet.com/politics/2014-11/29/c_1113457723.htm.

7. 韩旭阳, 高美. 习近平: 摒弃你输我赢旧思维, 树立共赢新理念[EB/OL]. （2015-03-29）. http://politics.people.com.cn/n/2015/0329/c70731-26765522.html.

8. 人民网. 习近平: 世界的命运必须由各国人民共同掌握[EB/OL]. （2015-08-09）. http://cpc.people.com.cn/xuexi/n/2015/0809/c385474-27432139.html.

9. 曾伟. 习近平新年贺词: "获得感"温暖有力"坚持梦想"催人奋进[EB/OL]. （2015-12-31）. http://politics.people.com.cn/n1/2015/1231/c1001-28001757.html.

10. 新华社. 习近平在阿拉伯国家联盟总部的演讲（全文）[EB/OL]. （2016-01-22）. http://www.xinhuanet.com/world/2016-01/22/c_1117855467.htm.

11. 侯丽军, 魏建华. 习近平会见南非总统祖马[EB/OL]. （2016-10-15）. http://www.xinhuanet.com/world/2016-10/15/c_1119724321.htm.

12. 新华社. 习近平在博鳌亚洲论坛2018年年会开幕式上的主旨演讲[EB/OL]. （2018-04-10）. http://www.xinhuanet.com/politics/2018-04/10/c_1122659873.htm.

13. 陈芳, 余晓洁. 两院院士大会开幕 习近平发表重要讲话[EB/OL]. （2018-05-28）. http://www.xinhuanet.com/2018-05/28/c_1122899992.htm.

14. 新华网. 青岛峰会上, 习近平讲话中的这些数字, 意义非凡! [EB/OL]. （2018-06-11）. http://www.xinhuanet.com/politics/2018-06/11/c_129891589.htm.

后　记

　　3个月的构思和查找资料，6个月的奋笔疾书，终于完稿了——多年前我想写一本比较"宏大"的著作的愿望终于达成了。所谓"宏大"是指，找到一个话题涵盖政治、经济、文化、哲学、军事等诸多层面，可以把我平生所想所学所感所悟都通通表达出来。幸运的是，关于"人类命运共同体"的研究给我提供了这样一个思考问题的好机会。

　　感谢我的导师倪世雄老师百忙之中为我作序。倪老师致力于国际关系研究40多年，不但成果丰富，在国内外享有盛誉，而且以高尚的人格力量深受我们学生的爱戴，更是我们每个学生治学的榜样。祝倪老师身体健康，继续给我们力量！

　　也感谢我的父母和女儿在我写书过程中给予我的支持。虽然我少了对他们的陪伴，但他们没有抱怨，反而多了许多理解和关心。祝他们身体健康、万事如意！

　　还要感谢上海大学社会科学学部陶倩主任、余洋书记以及马克思主义学院的孙伟平院长、李梁书记、焦成焕副院长、欧阳光明教授，他们对本书的顺利出版给予了及时而宝贵的支持，特别是我获得了马克思主义学院"上海市高校马克思主义理论高峰学科建设计划项目"连续3年的出版资助，欧阳教授的"上海市高校马克思主义理论智库—强国战略与话语权研究中心"更是在本书出版经费陷入困境时鼎力相助。在此向各位领导和专家表示最诚挚的感谢！

　　另外，特别要感谢的是上海大学出版社的编辑农雪玲和美术编辑缪炎栩两位美丽的女士，3年来，多亏了她们认真审稿和用心设计，我的3本著作才得以顺利出版。在出版社的努力下，本书获得了"2018年上海市重点图书"的荣誉，并获得上海文化发展基金会图书出版专项基金、上大社·锦珂图书出版基金的资助，在此向出版社各位老师道一声：你们辛苦啦！

最后要感谢的是各位读者，感谢你们耐心地阅读我的文字，希望我的思索和探讨会对你们有所启发。因时间仓促，本书难免有各种纰漏之处，敬请各位读者批评指正！

前言

自2010年以来，基于电化学氧化水处理技术的研究和工业应用日益增加。著者在相关研究的基础上，参考国内外近期发表的论文和著作，撰写本书。2018年1月由化学工业出版社出版。

在本书撰写过程中得到以下单位和基金资助：上海市、国家图书出版基金资助项目，以及国家自然科学基金项目（批准号：21677173）等。

在此，向相关单位及基金、编辑和出版人员表示衷心的感谢。

鉴于著者水平有限，本书难免存在不妥之处，希望同行专家和读者给予批评指正。

著者
2017年9月